진짜
공부

진짜
공부

융합공부
Convergence Study

공부의 최종 목표는 융합이라고
학자들이 새 정의를 만들어내고
있다. 미래 사회에는 단순 정보
나 지식의 습득을 넘어, 타인과
경쟁하는 공부가 아니라 자기 안
의 창의성을 찾아내고 융합해 들
어내는 공부를 해야 한다. 로봇
이나 기계가 할 수 없는 일, 변별
적인 창의나 가치가 나올 수 있는,
세상에 단 하나뿐인 자기만의 일
이 핵심인 이유다.

인생을 극적으로
바꾸는
학습의 힘

성과와 변화를 이끄는
공부는 무엇이 다른가

박경숙 지음

와이즈베리
WISEBERRY

진짜 공부는 자기 인생을 재료로 한다

세상에는 세 종류의 사람이 있다. 일하는 사람, 공부하는 사람, 아무 것도 하지 않는 사람이다. 당신은 어떤 사람인가? 공부하는 사람인가? 그렇다면 왜 공부하는가? 시험에 합격하기 위해, 원하는 직장에 들어가기 위해, 자격증이 필요해서 공부하는가? 아니면 다른 이유가 있는가?

첫 책《문제는 무기력이다》가 나온 이후 나는 인생에서 또 한 번의 힘든 시기를 통과해야 했다. 의욕적으로 새로운 일에 매진하고자 25년간 일했던 대학이라는 안전지대 울타리를 자발적으로 걸어 나왔다. 하지만 이내 실수한 것 아닌지, 지금이라도 다시 학교로 돌아가야 하는 것 아닌지, 혼란 속에서 아무것에도 집중하지 못한 채 불안과 두려움 사이의 시소놀이를 하고 있었다. 결국 그 시소질의 어지러움에 백기를 들고, 다시 대학 강의를 재개했다. 비정규직 교수라는 명함, 아픈 딸 앞에서 의지와 상관없던 사직, 계약 날짜가 한참 지난 방치된 원고.

삶은 완전히 잘못 돌아가고 있었다. 특히 2013년부터 2018년은 인생에서 완전히 말아먹은 시간이었다. 내가 만진 것은 전부 다 망가져 버렸고, 전쟁이 지나간 자리처럼 온전한 것이 없었다. 딸은 원하는 대학에 들어가지 못했고, 남의 아이 가르치느라 내 아이는 방치했다는 자책이 커져만 갔다. 나는 마치 포탄이 떨어진 '그라운드 제로' 지점에서 울고 있는 고아같은 모습이었다. 그 폐허에서는 어떤 희망도 없어 보였다

하지만 그 시간은 나를 돌아보게 하는 또 한 번의 분명한 계기가 되었다. 그러던 어느 날, 고통의 원인이 내가 그 5년간 '공부하지 않는 사람'이었기 때문이었음을 깨달았다. 공부 없이는 성장하지 못하기 때문에 삶이 정지했음을 그제야 보게 되었다. 공부를 놓아버렸으므로 무기력과 저항, 혼돈을 만날 수밖에 없었으리라. 버려둔 낡은 연장통을 다시 집어 들고 다 부서져버린 집을 수리하듯, 인생을 다시 계획하기 시작했다. 나는 한 번 더 공부하는 사람이 되기로 했다.

길을 잃었던 5년의 시간은 어쩌면 신이 준 인큐베이터, 두 번째 인생의 부화기였는지도 모른다. 그 막막했던 순간, 세렌디피티의 영감처럼 '공부'라는 화두가 전면에 떠올랐고, 희망이 생겼다. 출구 없던 그 막막한 시간을 버티게 해준 것도 공부였다. 책을 읽고 글을 쓰고 공부하는 일은 내게 살아야 할 이유였다.

이 책은 공부가 가져다주는 '변화'에 대해 이야기하려고 시작되었다. 나는 서울대학교 출신도, 해외 명문 대학의 박사도, 공부의 신도 아니다. 그러나 공부로 다시 삶을 일으켜 세웠기에 이 책을 쓸 수 있었다. 공부는 내게 점수와 논문, 학위만 가져다주지 않았다. 공부는 나를 완전히 변화

시켰다. 특히 전자계산학, 인공지능, 로보틱스, 인지과학을 전공하며 공학과 인문학, 자연과학과 동양철학을 연결하고 융합하는 공부를 오래도록 해왔고, 그 융합하는 공부가 내 속의 잠재력과 천재성을 깨우고 마음의 수준도 상승시키는 것을 생생하게 경험했다.

카디자 윌리엄스Khadijah Williams를 아는가? 미혼모의 딸로 길바닥에서 태어나 길에서 자란 흑인소녀. 하지만 노숙자인 그녀는 자신의 모든 자원을 전부 동원해 공부했고 그 결과 20여 개의 대학에서 합격통지서를 받았으며, 이후 4년 장학생으로 하버드대학교에 입학했다. 공부가 운명을 바꿔준 또 하나의 사례. 당신이 그 다음 차례가 될 수 있다.

이 책은 5부로 구성되어 있다. 1부는 미래에는 융합 능력으로 기계가 못하는 것을 해야만 살아남을 수 있으므로 지금 꼭 융합공부가 필요함을 설명한다. 2부에서는 모든 공부의 바탕이 되는 마음에 관해 이야기한다. 3부와 4부에서는 융합공부의 핵심 방법인 3단계 공부법을 다룬다. 5부는 융합공부의 목표에 대해 설명한다. 융합 능력을 키우고, 계산력과 창의력을 강화시키는 3단계 공부법은 지금 모두에게 꼭 필요한 공부이자 삶의 태도이다.

이 책이 공부에 대한 새로운 패러다임을 제시하는 것은 아니다. 다만 우리가 무의식적으로 행하고 있던 수많은 공부법을 마음과 정신 수준, 3단계 공부법이라는 관점에서 정리했다. 혁신의 시대에 중요한 화두가 된 '융합 능력'은 정글 같은 세상, 급변하는 현시대에 살아남을 '생존 능력'이 되었다. 이 능력을 키워주는 융합공부는 알고 있는 모든 것을 결합하여 새로운 지식을 창조하는 공부다. 공부의 양과 질, 넓이와 깊이를 키우는 동안 우리는 변화될 것이다. 이런 공부야말로 진정한 공부, 진짜 공부다.

　공부하는 사람은 변한다. 하지만 공부하지 않는 사람도 변한다. 공부하지 않으면 정신과 신체가 퍼지고, 분산되고, 무질서해진다. 눈빛은 생기를 잃고, 판단력은 흐려지고, 문제해결에 둔해진다. 공부 따위는 하지 않아도 현상 유지되리라 생각하는가? 절대 아니다. 공부하지 않으면 정신은 점점 추락한다. 잊지 말라. 공부하지 않을 때 우리는 생명으로서 죽어가는 속도를 높이고 있다고 봐도 된다. 그래서 우리는 어디에 있든 몇 살이든 공부해야만 한다. 공부하는 사람은 나이가 얼마든 계속 성장한다. 그러니 시간 낭비하지 마라. 당신이 변하는 공부, 진짜 공부를 당장 시작하기를 응원한다.

차례

PART 1 새로운 시대, 새로운 공부

PART 3

3단계 공부법: 원칙편

PART 4

3단계 공부법: 실천편

새로운 시대,
새로운 공부

새로운 시대를 맞아 우리는 모두 변해야 하고,
일하는 법과 공부하는 법을 새롭게 배워야 한다.

변화에 대비하기 위한 공부

긴장하라! 새로운 위기가 오고 있다. 미래학자를 포함한 여러 분야 전문가들이 머지않아 직업이 대거 사라질지 모른다는 예측을 경쟁하듯 내놓고 있다. 테슬라 모터스 대표 일론 머스크 Elon Musk는 2017년 2월 두바이에서 열린 '월드 거번먼트 서밋 World Government Summit'에서 "미래 사회는 인공지능 AI이 상용화돼 인간의 단 20퍼센트만이 의미 있는 직업을 갖게 될 것"이라고 하며 "20 대 80 사회가 온다."고 했다. 머스크의 말대로 AI로 인해 20퍼센트의 사람만이 의미 있는 직업을 갖게 된다면 나머지 80퍼센트는 무슨 일을 하고 살아야 할 것인가?

구글이 선정한 최고의 미래학자이자 다빈치연구소장인 토마스 프레이 Thomas Frey는 2016년 〈UN 미래보고서〉를 통해 2030년까지 20억 개의 일자리가 사라지며, 현 일자리 중 20퍼센트만 남고 80퍼센트는 사라질 것이라고 예측했다. 해외뿐만 아니라 국내 예측도 비슷하다. 2017년

5월 한국직업능력개발원 보고서에 따르면 10년 후엔 국내 일자리의 52퍼센트가 AI로 대체될 가능성이 높다고 했다. 한편 미래에 사라질 위험이 높은 직업은 운수업(81.3퍼센트), 판매업(81.1퍼센트), 금융·보험업(78.9퍼센트)의 순이라 했다. 이들 주장과 예측의 결론은 하나다. 'AI의 시대라는 피하지 못할 위기가 오고, 인간의 일이 점차 사라질 것'이라는 경고다.

빼앗긴 일자리, 무엇을 해야 하는가

2017년 11월 29일, 맥킨지McKinsey & Company는 〈없어지는 일자리와 생겨나는 일자리: 자동화 시대 노동력의 전환Jobs lost, Jobs Gained: Workforce Transitions in a Time of Automation〉이라는 보고서에서 '로봇과 자동화로 인해 2030년엔 노동자 8억 명이 일자리를 잃을 것'이라는 전망을 내놓았다. 8억 명이라면 2019년 현재 세계 노동력의 5분의 1에 해당되는 어마어마한 수치다.

46개국의 800개 직업과 2,000개 업무를 분석한 맥킨지의 보고서에 따르면 AI와 로봇 투입으로 가장 영향을 많이 받는 직업은 기계운영자, 패스트푸드 종사자, 비영업부서 직원들이라고 한다. 인간의 일자리를 소멸시킬 신기술은 사물인터넷IoT, 클라우드 서비스, 첨단 로봇, 자율주행자동차, 차세대 유전자 지도, 3D 프린터, 자원 탐사 신기술, 신재생 에너지, 나노기술 등이다. 이러한 기술들이 발달하면서 주로 단순 작업에 의존하는 부동산 중개업자, 인쇄업자, 속기사, 교정치과의사, 교도관, 트럭운전사,

집사 등의 직업이 기계에 의해 대체되고 점차 사라질 것이라고 경고했다.

로봇의 성능이 고도화되면서 인간의 일이 기계에 의해 대체된다면, 우리는 무슨 일을 할 수 있을까. 인간만이 할 수 있는 일, 기계가 할 수 없는 일을 해야 살아남을 수 있을 것이다. 타인이나 기계로 대체하기 어려운 직종의 대표적인 예가 전문직이다. 의사나 변호사 같은 엘리트 직업을 생각하면 된다. 그런데 이런 전문직조차도 AI로부터 자유롭지 못하다는 예측도 있다. 《4차 산업혁명의 시대, 전문직의 미래》를 쓴 리처드 서스킨드, 대니얼 서스킨드 부자는 전문직의 미래를 크게 두 가지로 예상하고 있다.

첫째, 지금의 방식이 효율성만 높아진 채 계속 유지된다고 했다. 물론 반복작업은 고도로 표준화되고 체계화되어 낡은 작업 방식이 개선되고 정비될 것이다. 둘째, 일반적인 예측과 달리 미래가 매우 다르게 전개될 것이라고 내다봤다. 특히 전문가가 지닌 전문성이 보편화되고, 시스템이 광범위하게 도입되어 성능을 계속 개선해 현재 전문가가 수행하는 대부분의 업무가 대체될 것이라 했다.

스마트폰이 보급되어 누구나 쉽고 빠르게 정보에 접근할 수 있게 되면서 정보를 많이 안다는 것의 의미가 퇴색하고 있다. 그보다 수많은 데이터 중에서 필요한 정보를 골라내고, 새롭게 조합해 빠르게 문제해결책을 찾는 융합 능력의 중요성이 대두되고 있다. 따라서 앞으로 입시나 채용시험에서 단순 정보나 지식을 묻는 대신, 고급의 정보를 빠르게 검색하고 융합해 새로운 정보를 만들어내는 능력을 요구하는 시대가 열릴 것으로 예상된다.

또한 전문직이 기계로 대체되어, 의사 대신 수술하는 로봇, AI 변호사 로봇, 가정교사 로봇, 무인 항공과 자율주행자동차 등 실로 헤아릴 수 없는 수많은 전문직이 로봇과 기계로 대체될 수 있다. 이러한 시대를 맞아 우리는 융합력과 창조력으로 승부해야만 한다.

맥킨지 샌프란시스코 지사 마이클 추이 Michael Chui 도 "우리는 모두 변해야 하고, 새롭게 일하는 법을 배워야 한다."고 충고한다. 즉, 기계가 창조할 수 없는 새로운 것을 창조해야 한다는 말이다. 창조하기 위해서, 공부의 방식도 모든 것을 결합하고 여러 정보에서 새로운 것을 만들어내는 '융합의 형태'로 변해야 한다. 1·2차원 공부를 넘어, 3차원의 깊은 공부를 통해 융합과 창조를 이끌어내는 6차원의 공부로 전환해야 할지 모른다.

더 이상 기계를 이길 생각은 하지 말라

전자식 계산기가 등장하기 전에는 기계식으로 계산하는 다양한 도구가 있었다. 1642년 수학자 파스칼 Blaise Pascal 은 톱니바퀴와 기어를 연결해 기계식 가감산기를 만들었다. 이 기계는 톱니바퀴와 기어의 전진과 후진으로 가산과 감산을 구현하고 중심 축으로부터 떨어진 거리로 결과를 측정하는 방식이다. 17세기 초에는 존 네이피어 John Napier 가 대수표를 이용해 최초의 승산기를 만들었다. 이 기계는 곱하기를 더하기의 반복으로 계산한 것은 아니고 입력된 대수표에 의해 출력값을 산출하는 방식을 취하고 있다. 현재의 방식인 '더하기의 반복'으로 곱하기를 수행하는 승산기는 라이프니츠 G. W. Leibniz 가 1671년에 최초로 고안했다.

컴퓨터는 계산 기술과 전자 회로가 발달하면서 등장했다. 컴퓨터는 1과 0으로 정보를 입력해야 사람이 원하는 결과를 얻을 수 있다. 아기가 태어나면 모유를 먹여 키우다가 이유식과 딱딱한 고형식으로 점차 음식을 바꿔가듯, 기계가 처음 등장한 당시에는 기계가 받아들일 수 있는 유일한 방식인 전기의 온on과 오프off의 형태로 정보를 입력해야 했다. 종이에 구멍을 뚫어 켜진 것과 꺼진 것을 나타내는 천공카드 방식, 자석의 두 방향인 N극과 S극으로 자화하는 방식, 전류의 흐름과 막힘으로 나누는 방식 등으로 정보를 만들어 입력했다. 두 개의 정보만 사용하므로 2진법이다. 현재도 컴퓨터는 2진법으로 작동되므로 인간이 주는 명령어는 2진수로 변환되어 처리된다.

1과 0으로 데이터를 전달하는 2진법은 '기계가 이해하는 언어'라는 의미로 기계어Machine Language라고 부르고 기계에 가깝다는 의미로 저급어Low Level Language라고도 한다. 처음 컴퓨터가 등장할 당시에는 모든 프로그램을 기계어로 만들었다. 이후 기계어를 조합하여 기호화한 어셈블리어Assembly Language가 나왔고 점차 인간의 언어에 가까운 고급어High Level Language가 만들어졌다.

기어나 톱니 같은 기계로 만들기 시작했던 하드웨어에서 출발해 1945년에 진공관 1만 8,800개로 만들어진 최초의 전자식 컴퓨터 에니악ENIAC이 등장하면서 전자식 컴퓨터 시대를 열었다. 에니악은 컴퓨터의 아버지로 불리는데, 무게는 대략 30톤이고 크기는 135제곱미터로 펜실베이니아대학교 공학부 지하실을 전부 차지할 정도로 컸다. 이후 에드박EDVAC과 에드삭EDSAC이 등장하고, 최초로 상품화된 상업용기계인 유니박Univac-I이 출시됐다. 진공관으로 만들어지던 컴퓨터는 이후 트랜지스터, IC LSI, VLSI 등의 반도체가 등장하면서 점점 더 소형화, 고집적화되었다.

언어도 1과 0으로 된 기계어가 아닌 사람이 쓰는 언어로 구성된 고급 언어들이 등장했다. 베이식BASIC, 포트란Fortran, 코볼Cobol, C, 파스칼Pascal, ADA, LISP, C++, PL/1 등이 대표적이다. 최근에는 사용자가 쓰기 편하게 블록화된 언어인 스크래치Scratch, 파이썬Python 등이 유치원생들에게까지 보급되고 있다. 또한 사람의 음성을 인식하고 안구나 지문까지 인식할 뿐만 아니라 뇌 인식까지 시도하는 기계들도 등장하고 있다. 앞으로 얼마나 더 편리한 언어들이 등장해 인간과 기계의 소통수단으로 자리 잡을지 모른다. 어쩌면 앞으로 우리의 생각을 기계가 미리 알아채고 서비스해주는 시대가 될지도 모른다.

영국의 찰스 배비지Charles Babbage는 1833년에 최초로 분석엔진Analytical Engine을 만들면서 컴퓨터 5대 장치인 입력, 출력, 연산, 기억, 제어 장치를 고안했다. 현재도 컴퓨터 5대 기본 장치들은 그대로 유지되고 있지만 집적도와 용량, 속도 같은 성능이 어마어마하게 고도화되고 똑똑해지고 있다. 알파고와 이세돌의 대국에서 보았듯 AI를 탑재한 기계가 사람을 이기는 세상이 펼쳐지고 있다. 기계와 사람의 대결은 일대일 게임으로 진행될 때 더 흥미진진하다. 바둑이나 체스 게임을 통해 기계 성능의 발전도를 확인하기도 한다.

AI의 역사에서 회자되는 '사람과 기계의 유명한 대결'은 체스 게임이다. IBM이 만든 체스 컴퓨터인 '딥 블루Deep Blue'는 세계 체스 챔피언 그랜드 마스터인 가리 카스파로프Garry Kasparov를 정식 대국에서 최초로 이긴 컴퓨터로 기록되어 있다. 1996년 2월 10일 딥 블루는 카스파로프와의 첫 체스 대국에서 승리를 거머쥐지만, 이후 다섯 번의 대국에서 카스파로프에게 세 번을 지고 두 번을 비긴다. 결국 최종 스코어 4:2로 카스파로프가 승리했다. 그러나 이후 딥 블루는 엄청나게 성능이 향상되었고, 1997년 5월 둘은 다시 맞붙었다. 사람들은 성능이 향상된 새로운 딥 블루를 '디퍼 블루Deeper Blue'라고 불렀다. 둘은 여섯 번의 대국을 치루었고, 3.5:2.5의 점수로 딥 블루가 승리했다. 이로써 딥 블루는 시간 제한이 있는 정식 체스 토너먼트에서 세계 챔피언을 꺾은 최초의 컴퓨터가 되었다. 하지만 기록에서 보듯이 기계가 결코 압도적이진 않았다.

이때까지는 기계가 위협적이지 않았지만, 인간의 진화 속도와 기계의 발달 속도는 이내 비교할 수 없을 만큼 벌어졌다. 기계는 천문학적인 속도로 똑똑해졌고, 곧이어 인간이 더 이상 기계를 이길 수 없음을 증명하는 사건이 터진다. 바로 IBM에서 만든 AI 프로그램인 왓슨Watson의 등장이다. 2011년 왓슨은 퀴즈쇼 〈제퍼디!〉에서 모든 인간을 제치고 우승을 차지했다. 이 프로그램은 사회자가 제시하는 단어의 설명을 듣고 가장 먼저 정답을 말하는 사람이 상금을 가져가는 방식으로 진행된다. 당연히 가장 많은 정보를 갖고 있어야 우승할 수 있다. 하지만 컴퓨터의 기억장치와 인간의 기억력은 비교가 불가하다. 어마어마한 뇌세포를 갖고 있지만 극히 일부만 사용하는 인간이 거대 용량의 기계 메모리를 어찌 이길 수 있겠는가?

왓슨은 냉장고 10대 크기에 달하며, 15조 바이트 이상의 메모리 속에 수학, 과학, 인문학에 걸친 방대한 정보를 저장하고 있었다. 논리적 판단도 할 수 있어 단답형 문제뿐만 아니라 논리적 사고가 필요한 복잡한 문제도 답변할 수 있었다. 왓슨의 우승은 당연한 일이었는지도 모른다. 하지만 왓슨의 우승을 마냥 즐기고 있어서는 안 된다는 사실을 당시 사람들은 알고 있었을까?

인간이 방심하고 있는 사이, 기계 능력은 점점 발전해 알파고와 알파고가 업그레이드 된 마스터에 이르렀다. 바둑은 단순지식이 아니라 논리력과 예측력이 동원되어야 하고 상대에 따라 수많은 변수를 분석해 한 수 한 수 게임을 진행해간다. 그러므로 바둑에서 이길 수 있다면 다른 대결에서도 이길 수 있다는 말이 된다. 알파고의 탄생과 마스터의 승리를 보며 더 이상 인간은 기계를 이길 수 없고 이기려고 해서도 안 되는 시대로 나아가고 있음을 받아들여야 한다.

▎융합과 통합의
▎혁명

4차 산업혁명이라는 용어는 2016년 1월 20일 스위스 다보스에서 열린 세계경제포럼WEF, World Economic Forum에서 처음 등장했다. 세계경제포럼 창립 이후 처음으로 과학기술분야가 주요 의제로 선택되었고, 그 논의에서 "제4차 산업혁명은 3차 산업혁명을 기반으로 한 디지털과 바이오산업, 물리학 등의 경계를 융합하는 기술혁명"이라고 정의되었다. 세계경제포럼 회장인 클라우스 슈밥Klaus Schwab은 "4차 산업혁명은 디지털 혁명인 3차 산업혁명에 기반을 두되 디지털, 물리적, 생물학적인 기존 영역의 경계가 희미해지면서 영역들이 융합되는 기술적인 혁명"이라고 말했다. 〈표〉에서 보듯 4차 산업혁명은 디지털 기술을 기반으로 한 여러 분야들 간의 통합과 융합이 화두다.

영국에서 시작된 산업혁명 이후 기술의 진보는 증기기관, 전기, 컴퓨터, 소프트웨어의 순으로 진행되면서 생산성과 산업 수준을 도약시켜왔다.

산업혁명 진화	변화의 핵심 내용	혁신 구분	혁신 원천
1차 산업혁명 (18세기)	증기기관을 이용한 '기계 혁명'	기계혁명 (오프라인)	증기의 동력
2차 산업혁명 (19~20세기 초)	전기의 힘을 이용한 '대량생산의 시작'	대량생산혁명 (오프라인)	전력, 노동분업
3차 산업혁명 (20세기 말)	컴퓨터를 통한 생산과 유통의 '자동화'	정보혁명 (온라인)	전자기기, ICT
4차 산업혁명 (2016년~현재)	소프트웨어를 통한 기계와 제품의 '지능화'	융합, 가상혁명 (온·오프라인)	ICT, 융합

2016년 이후 계속 거론되는 4차 산업혁명은 ICT^{Information & Communication} Technology라는 정보통신기술과 제조업의 융합으로 출발했다. 혁신의 원천은 융합, 초연결, 초지능이다. 따라서 앞으로 AI, 컴퓨팅 사고, 소프트웨어 파워, 지능형 알고리즘, 머신 러닝, 딥 러닝, 빅데이터, IoT, 자율주행자동차, 지능형 휴머노이드 로봇, 3D 프린팅, 유비쿼터스 컴퓨팅, 지능형 드론 등의 기술이 더 획기적으로 연결되고 융합되어 지금보다 훨씬 혁신적인 모습으로 나타날 것이다.

5차 산업혁명은 기존 4차 산업혁명을 주도하던 ICT에 생명공학과 환경공학이 융합·복합된 새로운 주역산업을 의미한다. 특히 4차 산업혁명으로 인간이 맞이한 위기 속에서 인간 보호와 회복이라는 목적 아래 모든 기술이 융합되어 5차 산업으로 발달해갈 것이 예상된다.

최근에는 6차 산업혁명이라는 용어까지 등장했다. 6차 산업혁명은 '1 + 2 + 3 = 6'에서 나온 말로 1차 산업인 농수산업·임업·축산업, 2차 산업인 경공업·중공업·건설업 같은 제조, 3차 산업인 상업·운송업·관광업 같은 서비스업이 모두 융합·복합되는 산업을 의미한다.

이처럼 4차, 5차, 6차 산업혁명의 공통된 키워드는 융합이고, 따라서 당분간 가장 중요한 기술은 융합기술이라고 볼 수 있다. 실제로 5차, 6차 산업이 어떤 형태로 진행될지는 지켜봐야겠지만 4차 산업혁명 이후로 모든 것들이 융합·복합되고, 연결·통합되는 방향으로 전개될 것임을 반드시 기억해야 한다.

새로운 시대의 새로운 능력

이제는 학문들도 융합·복합되고 있다. 서양의 환원주의가 생명과학을 생물학, 미생물학, 분자생물학의 순으로 세밀하게 나누던 방식처럼, 대부분의 학문은 나뉘고 분류되었고, 쪼개는 것이 오랜 유행이자 전통이었다. 예를 들면 벼룩을 연구하다가 벼룩 뒷다리의 움직임으로 세분화하고 더 나아가 미세 근육 동작성을 연구하는 식으로 깊게 들어갔다. 노벨상도 과학 연구에서 가장 작은 단위까지 진리를 파고들어 인류에게 공헌을 한 사람들에게 수여되었다.

그렇게 한없이 학문을 쪼개고 나누기만 하던 학계에 융합과 통합의 바람이 불기 시작했다. 인접한 학문 간의 융합을 시작으로 전혀 다른 학문과의 융합·복합으로 확대되고 있다. 실제로 인문학의 위기가 대두되면서 인문한국지원사업[HK]이 국책사업으로 진행되었고, 현재는 AI와 인문학이 결합된 'AI인문학'과 같은 파격적인 이름의 주제가 국책연구로 진행되고 있다.

인지과학은 1950년대에 미국을 중심으로 시작되었고, 우리나라에서는 1995년에 처음 대학원 과정으로 개설되었다. 나는 당시 박사과정을 공부하고 있었다. 아직 융합이나 복합학문 같은 용어가 나오기 전, 인지과학은 여러 학문이 협동하는 학제적인 학문으로 시작했다.

인지과학은 앎의 과학, 마음의 과학으로서, 마음에 관련된 수많은 학문을 한데 모은 종합적인 학문이다. 심리학만으로는 알 수 없는 마음의 작동 방식을 이해하기 위해 신경과학, 인류학, 철학, AI 등 여러 학문이 공동 연구할 목적으로 만들어진 학제적 학문이다.

인지과학은 심리학, AI, 신경과학이 주축을 이루지만 언어학, 인류학, 철학도 굉장히 중요하고, 그외에도 수십 가지 학문이 관련되어 있는 융합학문이다. 나는 인지과학 박사과정 중 학부와 석사 전공이었던 컴퓨터과학을 중심으로 뇌신경과학, 인지심리학, 생물학, 철학, 의학을 공부함으로써 자연과학, 공학, 인문학 등을 융합하는 연구를 체험한 융합학문의 1세대라고 볼 수 있다.

학문의 필요에 따라 융합·복합이 일어나기도 하고, 융합·복합이라는 목적하에 인위적으로 결합해 새로운 학문이 탄생하기도 하며, 세부적으로 쪼개던 학문이 다시 통합되기도 한다. 학문 간의 융합은 인지인문학, 행동경제학, 인지신경과학, 정서신경과학, 의식의 양자역학, 사회신경학, 신경경제학, 신경신학, 계산신경과학, 신경윤리, 진화심리학, 진화경제학 같은 식으로 핵심 학문이 몇 개씩 결합되면서 시작되었다.

학문 간 융합이 많아지면서 학부과정도 특정한 전공에 머물지 않는 자유전공제가 등장해 연합 전공이나 연계 전공처럼 여러 학문을 동시에 공부할 수 있게 배려하고 있다. 또한 학생들을 모집하기 위해 융합이라는 이름을 내건 학과들도 만들어지고 있다. 그런가 하면 미래융합학과, 디지털정보융합학과, 소프트웨어융합학과처럼 4차 산업혁명의 의미를 그대로 담은 학과 명칭도 눈에 띈다. 바이오융합학과, 환경에너지융합학과 등 5차 산업의 개념까지 바라보는 융합·복합학과들도 있다. 앞으로 더 많은 대학에서 융합이라는 명칭이 들어간 학과나 전공이 등장할 것이다.

학문을 재통합하는 다른 형태의 통합도 있다. 이미 세부적으로 쪼갠 학문을 다시 통합한 서울대학교가 대표적인 사례다. 서울대학교 사학과는 1946년에 개설되어 23년간 지속되었다가 1969년에 국사학과, 동양사학과, 서양사학과로 나뉘었다. 그러다가 47년이 지난 2016년에 28명 교수 전원의 동의하에 가칭 역사학과로 통합하기로 결정했다. 서울대학교 관계자는 "학문이 융합·복합화하는 추세와 뿌리가 같은 학과들이 재결합하는 현상에 발맞춘다는 취지에서 결정을 내렸다."라고 밝혔다.

학문도 융합되고, 융합을 필요로 하는 새로운 시대를 맞아, 우리는 어떤 능력을 가져야 할까? 2016년 12월 26일 국무총리 소속 인사혁신추진위원회와 인사혁신처는 앞으로 30년 후인 2045년의 공직사회 모습을 그린 정부 최초의 인사행정 미래전략보고서 〈인사비전 2045〉를 발간했다. 보고서를 통해 새로운 능력의 가이드라인을 유추할 수 있다. 2045년경이 되면 AI가 거의 모든 곳에 도입되어 많은 직업이 사라질 것이다. 따라서 로봇과 기계로 대체할 수 없는 분야에서 새로운 직업이 생겨날 것이며, '창의성, 감수성, 유연성, 사색 능력을 갖춘 감성적, 교감형(르네상스 타입)' 인재가 등장할 것이라고 인사혁신처는 내다봤다. 로봇과 기계가 일상 업무를 수행하는 대신, 인간은 지금보다 앞서 나아가기 위해 창의성, 감수성, 교감 능력 등을 키워야 한다는 것이다. 즉, 미래 사회는 "진화와 발전

역량을 갖춘 사람이 중심"인 세상이라는 의미다.

　여기서 말한 창의성, 감수성, 유연성, 감성적, 교감형이라는 역량은 현재의 기술 수준으로 기계가 할 수 없는 것들이다. 이는 인간만의 특성이다. 바로 그러한 독창성을 갖기 위해서 우리는 창의성과 천재성을 만들어내는 새로운 공부, 융합하고 창조하는 공부를 해야 한다. 우리는 더 예민해지고 더 똑똑해져야 하고, 자기 능력을 최대한 끌어낼 수 있어야 한다. 이 능력들은 뇌와 마음에 밀접하게 연결되어 있다. 따라서 인간은 단순노동을 넘어 마음과 뇌를 완전하고 깊게 사용하는 창의적인 일을 해야 한다. 로봇이 할 수 없는 일, 반복적인 업무나 기계가 할 수 없는, 세상에 단하나뿐인 자기만의 일이 중요한 이유다. 깊은 생각으로 새로운 것을 만들고 학문 간의 연결고리를 찾고, 보이지 않는 것을 알아내며, 단순한 암기를 넘어 하나의 주제에 대해 오랫동안 고민하는 공부방식을 배워야 한다.

　미래의 어느 날, 기계의 노예가 되지 않기 위해, 적어도 기계보다 더 똑똑한 지능과 힘을 갖추기 위해 공부에 대한 패러다임이 변해야 한다. 단순 정보 취득이나 지식 습득을 넘어, 타인과 경쟁하는 공부가 아니라 자기 안의 창의성을 찾아내고 융합력을 끌어내는 공부를 해야 한다. 깊이 생각하고 모든 것을 함께 고려하는 이런 공부가 바로 융합공부다.

2

융합을 만드는 공부

인간에게는 배우고 싶은 욕망이 있다. 오랜 진화의 사슬에서 똑똑한 개체가 살아남을 확률이 높았으므로 호모 사피엔스 사피엔스에게는 공부가 본능이 된 것이다. 그래서 끊임없는 배움을 추구하는 사람들을 '호모 에루디티오Homo Eruditio', 즉 '학습하는 인간'이라고도 부른다. 에루디티오Eruditio란 '가르치고 배우는 행위'를 모두 의미하는 라틴어로, 로마인들은 '지식이나 지혜'를 일컫는 말로 사용했다. 키케로는 로마인이 에루디티오가 되어야 로마 문명이 영원할 것이라고 했다.

또한 공부가 인간의 본성이라는 의미로 호모 아카데미쿠스Homo Academicus, 호모 스튜디오수스Homo Studiosus, 호모 쿵푸스Homo Kongfus 등 다양한 수식어들이 있다. 하나같이 인간에게 공부하는 본성이 있다는 것을 의미한다. 모름지기 본능이라면 즐거움이 따라와야 한다. 그래서 동양에서는 오래전부터 공부의 즐거움을 강조해《논어》의 "학이시습지 불역

열호^{學以時習知 不亦悅乎}, 배우고 때때로 익히면 즐겁지 아니하리오."라는 말을 반복적으로 강조했는지 모른다.

공부가 인간에게 어떻게 즐거움을 줄 수 있는지 살펴보자. 인간은 유기체이자 하나의 시스템이다. 시스템은 입력과 출력으로 유지된다. 인간에게 있어서 입력은 먹고 마시는 것이고, 출력은 활동과 배설물이다. 공부와 일이라는 관점에서 보면 공부는 입력, 일은 출력이다. 먹은 것이 없다면 배설할 것이 없듯 입력한 것이 없다면 출력할 것도 없다. 따라서 공부하지 않으면 일의 질과 생산성은 현격히 떨어진다.

공부는 인간의 정신에 주어지는 양식이자 영양제다. 따라서 평생 공부를 하며 사는 것이 몸과 마음에 이롭다. 그래서인지 우리나라의 교육열은 예전부터 대단했다. 통계청이 발표한 우리나라 대학진학률은 2008년 83.3퍼센트였다가 매년 약간씩 줄어 2017년도에는 68.9퍼센트가 되었다. 2018년은 0.8퍼센트포인트 늘어난 69.7퍼센트로 집계되었다. 10년 전에 비하면 많이 줄었지만 그래도 여전히 세계 1위다. 미국은 약 64퍼센트, 일본은 약 48퍼센트, 독일은 약 36퍼센트 수준이다.

교육열로는 세계 1위인 우리나라에서 아직도 노벨 과학상, 노벨 문학상 수상자를 배출하지 못했다는 것은 아이러니다. 게다가 사교육 경쟁 때문에 소득수준에 따른 교육 격차 문제도 심각하다. 이러한 실정이라면 우리의 교육방식을 좀 생각해봐야 하지 않을까? 우리가 선택해왔던 지금까지의 공부방식으로는 진리를 탐구하고, 남들이 생각지 못하는 획기적인 것을 만들 수 없는 것은 아닐까? 교육부 수장마다 교육혁신을 외치고, 새로운 정권이 들어설 때마다 교육제도가 바뀌고 있는 탓에 여전히 우리는 제대로 배우지도 가르치지도 못하고 있는 것인지도 모른다. 보다 근본적인 공부법에 대해 생각해야 할 때다.

공부 성과도 주목할 필요가 있다. 같은 시간과 노력을 투자해도 공부의 성과가 다른 것은 왜일까? 몇 시간 공부하지 않고도 전교 1등을 놓치지 않는 사람이 있고, 아무리 열심히 공부해도 자격증 시험조차 떨어지는 사람도 있다. 대체로 이런 차이는 지능, 주의력, 집중력, 지구력, 공부 요령, 습관 등이 통합되어 나타난 결과다. 선천적인 지능 차이는 어쩔 수 없겠지만, 같은 지능을 잘 사용할 때 더 우수한 결과로 이어진다면 지능을 더 잘 쓸 수 있는 방법을 반드시 배워야 한다. 이 또한 공부법에 대한 생각을 바꿔야 할 이유가 된다.

공부에도 수준이 있다

공부에 왕도王道는 있다. 내가 그 왕도를 찾아낸 '공부의 신'이라는 뜻은 아니다. 왕도란 '어떤 일을 할 때 마땅히 거쳐야 하는 과정'이라는 의미다. 공부할 때 반드시 알고 있어야 하는 것들, 마땅히 거쳐야 하는 것들이 있다는 정도로 이해하면 된다. 학자들과 교육자들의 합의를 거친 다양한 공부이론들이 모여 '공부의 왕도'를 이룬다. 수많은 공부이론 중 자기 목적과 수준에 맞는 공부법을 찾는다면 그것이 바로 '자신의 왕도'가 된다. 따라서 여러 가지 공부 방법과 이론 중 자신의 수준에 맞는 것을 고르는 것이 중요하다. 공부의 수준과 정신의 수준은 매우 단단하고 긴밀하게 연결되어 있기 때문이다.

두세 살 아이부터 80대 노인에 이르기까지 많은 사람이 각기 다른 이유로 공부를 한다. 그만큼 공부의 유형도 다양하다. 중간·기말고사, 각종 자격증과 면허시험, 입사나 진학을 위한 시험 공부가 대표적이다. 학자의 수준 높고 깊은 학문도 있고, 수십 년에 걸쳐 대하소설을 집필하는 작가의 취재 공부도 있다. 모두 공부라 부를 수 있지만 이들 간에 차이는 있다. 초등학생과 대학생의 공부가 다르고, 대학원생의 공부방식은 특히 더 다르며, 학자의 연구방식은 말할 것도 없다.

공부에 나타나는 이런 차이를 '공부의 질'이라 할 수 있다. '공부의 질'은 곧 공부의 깊이다. 중학교 1학년의 공부방식과 대학교수의 연구방식은 질과 깊이에서 차이가 난다. 반면 공부의 양은 공부의 넓이를 말한다. 대학생들에게 과제를 내주면, A4 2장만 제출하는 학생도 있고 방대한 자료조사를 거쳐 수십 장에 써내는 학생도 있다. 두 사람의 차이는 바로 공부의 양, 공부의 넓이에서 온다. 즉, 공부의 질은 깊이에서 오고, 공부의 양은 넓이가 결정한다.

같은 학교, 같은 학년을 다니는 학생이라도 성적이 다른 이유는 각자의 마음과 태도, 습관에 따라 공부의 수준이 다르기 때문이다. 공부의 수준은 개인마다 다르지만 크게 3단계로 분류할 수 있다. 공부방식을 차원의 개념과 연결해서 생각하면 이해가 쉬울 것이다. 따라서 3단계의 공부 수준을 1·2·3차원 공부라고 부를 수 있다.

1차원은 '점과 선'이다. 즉, 1차원 공부는 점과 선의 형태로 정보를 기억한다. 점과 선처럼 단편적인 점의 형태로 사실들을 암기하고, 비슷하거나 연결성이 있는 것은 선처럼 연결해 외우는 공부가 1차원 공부다. 단순 암기, 즉문즉답과 같이 바로 나올 수 있도록 외우는 공부를 떠올리면 된다. 단순한 사실이나 지식을 암기하는 수준의 1차원 공부로 수많은 정보가 축적된다.

2차원은 1차원의 점과 선이 모여 가로 세로를 구성해 '면'을 이룬 것을 의미한다. 이러한 2차원의 면은 지구의 표면보다도 넓게 퍼질 수 있다. 즉, 2차원 공부란 면을 넓혀가듯 넓게 진행된다. 예를 들어 2018년 한국의 GNP 수치를 외우는 것은 단편적인 사실과 지식이므로 점과 같은 지식이다. 해방 이후의 GNP 변화를 연도별로 외우는 것은 연도별 GNP라는 점들이 연결된 선의 공부다. 둘 다 1차원 공부다. 그런데 '2018년 OECD 국가의 GNP와 GDP를 비교하고 주가와 연동한 보고서를 쓰라'는 과제에서는 점과 선의 1차원 공부가 아닌 2차원 공부가 등장해야 한다.

본인의 주도하에 관련 자료를 모으고 분석하고 2차 평면 위에 정보를 연결하면 관련성이 드러난다. 이때 공부의 넓이가 넓어진다. 2차원 면적의 크기는 곧 학습자의 역량이다. 우등생과 꼴찌의 가장 큰 차이는 공부의 양이다. 현재의 교육 시스템에서는 2차원 공부에 뛰어난 학습자가 좋은 성적을 받아 명문대에 가고 대기업에 들어간다.

자기주도식 공부가 곧 2차원식 공부다. 목표하는 대학을 가기 위해 오랫동안 모든 것을 동원해 공부하는 전교 1등의 공부, 1년 안에 공무원 시험에 합격하기 위해 모든 것을 동원한 공부, 아이비리그 대학에 입학하기 위한 학생의 공부가 목표 달성을 위해 넓이를 넓혀가는 공부에 속한다. 이 과정에서 지식들의 연관성을 알게 되어 개념이 형성된다. 시험에서 가장 많이 묻는 것이 개념이므로 2차원 학습자가 고득점을 받을 가능성이 높다.

3차원 공부는 3차원 입체도형처럼 공부에 깊이와 높이를 더한 것을 의미한다. 풀리지 않는 어려운 문제를 해결하기 위해 하나의 주제에 대해 깊이 오래 모든 것을 생각하며 이루어가는 공부다. 논문을 쓸 때, 학자가 연구할 때, 기업에서 새 상품을 고안할 때, 예술가가 작품을 구상할 때 동원하는 방식이다. 이때 기존 정보들이 융합되고 새로운 정보가 창조된다. 3차원은 2차원보다 높은 차원이지만 성적이나 결과에 연연하지 않는다. 따라서 우등생은 2차원 학습자 중에서 더 많이 나온다.

3차원 공부로는 오히려 성적이 떨어질 수도 있다. 하지만 3차원 공부를 해야 남과 다른 것을 만들 수 있다. 궁극적으로 3차원 공부를 해야 하지만 1·2차원도 중요하다. 3차원 공부는 2차원 공부를 거쳐야 깊게 이룰 수 있고 2차원은 1차원들의 집합이므로 1차원의 암기를 무시할 수 없다. 즉, 1·2·3차원 공부를 모두 할 수 있어야 한다. 바닥이 단단해야 건물이 튼튼히 세워지듯 2차원 공부가 제대로 받쳐줘야 3차원 공부를 훌륭히 해낼 수 있다. 피라미드를 상상해보면 알 수 있듯이 높게 세우려면 밑면이 넓어야 한다. 다시 말해, 더 넓은 2차원 공부가 더 높은 3차원 공부를 이끌어낸다.

공부의 최종 목표는 융합되고 창조된 새 정보를 만들어내는 것이다. 융합을 만들어내기 위해서는 1·2·3차원 공부를 함께 해야 한다. 3차원 공부를 기본으로 하되 1차원과 2차원 공부를 결합하는 것이다. 필요한 것은 외우고, 단순한 문제는 풀고, 많은 자료를 읽어서 밭을 넓혀가듯 자료와 정보를 축적한 후에 보다 깊은 3차원 공부로 들어갈 수 있다.

왜 융합공부를
해야 하는가

융합공부는 1·2·3차원 공부를 모두 통합하고 연결한다는 의미에서 6차원 공부라고 부르기로 하자. 4차원 공부라 부르지 않는 이유는 융합공부가 이전에 없던 전혀 새로운 공부법이 아니라 기존의 1·2·3차원 공부를 함께 사용하고 필요에 따라 적절히 선택하고 섞어서 사용하기 때문이라 생각하라. 즉, 6차원은 '1+2+3=6'에서 나온 것이다. 물론 3차원의 심층적 공부가 핵심이자 기본이다. 심층적 공부가 뛰어난 결과물을 만들어내는 것은 사실이지만, 6차원의 융합적 공부를 자유자재로 사용할 수 있을 때 비로소 우리는 변할 수 있다. 융합을 위한 노력을 통해 마치 구도자가 득도를 하듯 정신의 수준이 상승하며 자기 안의 천재성이 나타난다. 〈의식 탐구〉 시리즈의 저자 데이비드 호킨스David R. Hawkins 박사는 인내, 용기, 집중, 끌고가는 힘, 절대적 정직을 천재성의 다섯 가지 특징이라고 했다. 뒤에서 보겠지만 융합공부는 데이비드 호킨스가 말한 천재성을 강화시켜 준다. 무엇보다 우리는 공부를 통해 성장할 수 있어야 한다.

시험에 합격한 후 현실에 안주하는 사람이 세속적으로 변질되고 타락하는 사례는 수없이 많다. 물론 시험에 합격해 자기 일에 계속 정진하며 전혀 새로운 것을 세상에 보여주는 이들도 있다. 요리사든, 정치인이든, 작가든, 화가든, 그런 사람은 자신도 함께 변해감을 보여준다. 깊은 공부를 계속하면서 자신을 수련한 결과다. 그 과정이 마치 우리 정신을 낙타, 사자, 어린아이, 초인으로 진화해가는 것과 닮았다. 니체Friedrich Wilhelm Nietzsche는 초인overman을 위버 멘쉬Übermensch, 즉 인간을 초월한 존재로 보았지만 내가 여기서 말하는 초인은 '현재의 자기를 초월한 새로운 우

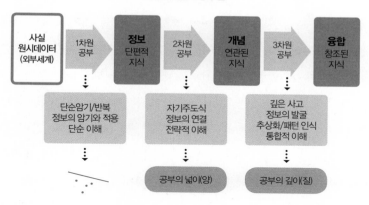

<그림> 3단계 공부법

사실
원시데이터
(외부세계) → 1차원 공부 → **정보** 단편적 지식 → 2차원 공부 → **개념** 연관된 지식 → 3차원 공부 → **융합** 창조된 지식

단순암기/반복
정보의 암기와 적용
단순 이해

자기주도식
정보의 연결
전략적 이해

깊은 사고
정보의 발굴
추상화/패턴 인식
통합적 이해

공부의 넓이(양)

공부의 깊이(질)

리'를 말한다. 우리도 죽기 전에 '내가 나를 이겼음'을 고백할 수 있어야
한다. 진정한 공부만이 우리 자신을 새사람으로 바꿔줄 것이다. 제아무리
세상을 바꿀 수 있는 것을 만들면 뭐 하겠는가? 우리 자신이 초라하다면,
남을 구했더라도 내가 처한 현실은 지옥일 수 있다. 융합공부는 새로움을
만드는 것을 넘어 자신이 변하는 공부, 남을 위한 공부지만 결국은 자기
를 위한 공부가 된다.

노벨 수상자들은 어떻게 공부하는가

깊은 공부는 당대에 놀라운 성과로도 나타난다. 1972년, 마이클 코스
털리츠Michael Kosterlitz 고등과학원 석학교수는 스승인 데이비드 사울레
스David Thouless 교수와 함께 2차원에서 규명하기 어려운 상전이相轉移를 규

명한 이른바 'KT 이론'을 발표했다. 2016년에는 데이비드 사울레스 워싱턴대학교 교수, 던컨 홀데인Duncan Haldane 프린스턴대학교 교수와 함께 노벨 물리학상을 공동수상했다. 코스털리츠 교수가 2017년 서울 홍릉 고등과학원KIAS에서 열린 기자간담회에서 자신이 노벨상을 수상한 이유를 밝힌 적이 있다. 당시 그는 "풀리지 않은 특정 문제를 해결하겠다는 생각으로 연구에 임한 결과 99퍼센트의 운으로 받게 된 것 같다."라며, "노벨상을 타는 데는 두 가지 방법이 있다."고 했다. "하나는 목적이 제대로 된 거대한 프로젝트에 엄청난 돈을 쏟아붓는 것이고, 나머지 하나는 연구자 개개인이 새롭고 중요한 연구나 남과 다른 연구를 해야 한다."는 것이다.

우리가 주목할 것은 바로 두 번째 방법이다. 남과 다른 방식으로 새롭고 중요한 연구에 헌신하는 것이 우리가 할 수 있는 일이기 때문이다. 바로 3차원의 심층적 공부를 기반으로 하는 융합공부를 통해 즐거움을 추구하며 한 분야를 지속적으로 파고들어갈 때 융합된 결과를 기대할 수 있으며 새로운 결과 또한 만들어낼 수 있다.

인도 출신의 천체물리학자이자 수학자인 수브라마니안 찬드라세카르Subrahmanyan Chandrasekhar의 사례도 비슷하다. 그는 '별들이 백색 왜성을 지나 다른 물질, 즉 더 조밀한 상태로 진화할 수 있다'는 사실을 발견한 공로로 1983년 노벨 물리학상을 수상했다. 그가 1937년 시카고대학교에서 천체물리학 강의를 맡게 됐을 때 천문학 관측소까지는 130킬로미터나 떨어져 있었고, 수강 신청자는 단 두 명뿐이었다.

동료 교수들은 그에게 강의를 폐강하라고 했다. 하지만 그는 두 명의 학생을 위해 왕복 260킬로미터나 되는 시골길을 오가며 강의를 했다. 그런 수고를 마다하지 않은 이유는 천체 실험을 통해 별들의 운행원리를 알아내는 연구에 남다른 열정이 있었기 때문일 것이다. 학문 자체가 주는 즐거움이 없다면 쉽지 않은 일이다. 바로 이런 자세가 융합공부자의 마음이다.

세 사람은 새로운 이론을 실현할 방법을 찾고 정립해간다는 즐거움으로 수업에 몰입했고 높은 성취감을 느꼈다고 한다. 1957년에 찬드라세카르의 두 학생이었던 리정다오 T. D. Lee와 양전닝 C. N. Yang이 노벨 물리학상을 받았고 1983년에는 그도 노벨 물리학상을 수상했다. 다른 교수들로부터 조롱을 받았던 세 사람이 모두 노벨상을 받는 기적 같은 일이 일어난 것이다.

이렇듯 뛰어난 결과물을 만들어낸 사람들을 가르친 교사에게도 주목할 필요가 있다. 역사상 뛰어난 제자를 가장 많이 배출한 고등학교 교사 라즐로 라츠 László Rátz는 가장 성공적인 영재교육을 했다고 평가받는다. 그는 헝가리 부다페스트 루터교 고등학교에서 수학을 가르쳤는데, 그의 제자로는 유진 위그너 Eugene Wigner(1963년 노벨 물리학상), 존 폰 노이만 Jhon Von Neumann(1944년 페르미상), 레오 실라르드 Leo Szilard(원자폭탄 개발계획의 발상자), 에드워드 텔러 Edward Teller(수소폭탄의 아버지) 등이 있다. 수천 편의 논문을 쓴 것으로 유명한 수학자 에르되시 팔 Erdős Pál은 라츠에게 직접 배우지는 않았지만 라츠가 제시한 문제를 풀면서 공부했다고 한다. 이렇게 뛰어난 제자를 배출한 비결은 그가 학생들에게 깊은 공부를 시켰기 때문이다.

그는 교내 수학 잡지에 한 달에 한 번씩 난이도가 높은 문제를 출제하고, 학생들을 경쟁시켰다. 학생들은 문제가 너무 어려워 오랜 시간 깊은 사고를 해야 했다. 이렇게 깊은 사고를 하는 동안 학생들은 자신의 모든 자원을 사용하고 모든 방법을 동원해 융합을 만들어내는 공부를 하게 된다. 이렇게 어린 시절부터 융합 훈련을 한 사람들이 훗날 자신의 분야에서 획을 긋는 성과를 내는 것이다. 이처럼 노벨상 수상이라는 결과로 증명된 연구를 이끌어낸 학자들에겐 공통점이 있다. 바로 오랜 시간에 걸친 깊은 사고가 밑바탕에 깔려 있다는 점이다.

1998년 노벨 생리의학상을 받은 루이스 이그나로 Louis J. Ignarro는 2006년에 건국대 석학교수로 초빙되었다. 그에게 노벨상 수상 비결을 묻자 "과학은 9시 출근, 4시 퇴근하는 일이 아니다. 일주일 내내 24시간 내내 '왜'와 '어떻게'가 머리에서 떠나지 않아야 하며, 마침내 해답을 얻었을 때 보상을 받았다고 생각하는 열정이 있어야 한다."라고 답했다. 즉, 매 순간 문제에 집중하고 몰입하는 공부가 노벨상의 비결이었다.

1967년 노벨 물리학상을 받은 한스 베테Hans Albrecht Bethe에게 물리학 문제를 어떻게 해결하느냐고 묻자 "두 가지입니다. 하나는 머리로, 다른 하나는 분명 아무런 결과도 나오지 않을 수 있는 문제에 매달려서 오랜 기간을 기꺼이 생각하면서 보내는 것입니다."라고 대답했다.

2008년 노벨 물리학상을 수상한 일본의 이론 물리학자 마스카와 도시히데益川敏英 박사는 문부과학성 장관과 과학기술성 장관과의 대화에서 "대학들이 학생 선발 시험에서 깊이 생각할 필요 없는 쉬운 문제만 내고 있다. 이렇게 해서는 생각하지 않는 인간을 만들어낼 뿐이다."라고 말하며 일본의 하향 평준화된 교육을 비판했다. 깊이 생각하지 않으면 뛰어난 것을 만들어낼 수 없다는 그의 경고를 우리도 받아들여야 하지 않을까?

이렇듯 노벨수상자들의 공통점은 하나의 문제에 대해 깊은 생각과 열정으로 남들이 가지 않는 길도 마다하지 않으며, 호기심과 즐거움을 따라 연구했다는 것이다. 이들은 오랜 기간 하나의 문제에 집중하며 마음과 뇌를 깊이 전부 사용해 융합과 창조를 이루어내는 공부를 통해 최고의 자리에 오른 것이다.

마음의 힘을 기르는 공부

공부하는 사람이라면 누구나 남들이 찾지 못한 진리를 발견하고 누구도 만들지 못하는 것을 만들어 최고의 수준에 오르고 싶은 욕망이 있을 것이다. 노벨상은 대표적인 하나의 결과물이다. 찬드라세카르 교수가 노벨 물리학상을 수상한 것만큼 제자인 중국 출신의 두 학생도 노벨 물리학상을 받았다는 것은 역사상 전무후무한 기적 같은 이야기다. 어쩌면 당신도 그 강의에 참여했다면 노벨상의 주인공이 되었을지 모를 일이다. 인간의 능력과 지능에는 차이가 있긴 하지만 적절한 훈련과 교육을 통해 누구나 상당한 수준에 이를 수 있기 때문이다.

물론 그런 교수와 학생이 만나게 되는 것은 신의 축복일지 모른다. 그렇다면 우리 주변에는 인생을 바꿔주고 한층 성장시켜줄 강의가 없을까? 세계 최고의 교수법 전문가이자, '교수를 가르치는 교수'라는 별명을 가진 켄 베인Ken Bain의 말에서 하나의 답을 찾을 수 있다. 그는 30년간의 연구와 창의적인 리더 100명과 나눈 인터뷰를 토대로 《최고의 공부》를 펴냈다. 책에서 그는 성적을 위한 공부와 행복을 위한 공부의 차이점, 성공한 학생들과 평범한 학생들의 차이점, 각 분야의 창조적인 리더들의 공부전략 및 공부를 계속하는 힘을 주는 원천 등에 대해 설명하고 있다. 그런데 그는 학생을 잘 가르치기로 소문난 교수로 하버드대학교 마이클 샌델Michael Sandel 교수와 피츠버그대학교 도널드 골드스타인Donald Goldstein 교수를 꼽으면서도, '최고의 강의'는 다른 교수의 강의를 꼽았다. 수십 년간 연극과 교육 분야에서 후학을 양성한 폴 베이커Paul Baker 교수의 '능력의 통합'이라는 연극학과 강의였다.

베이커 교수의 강의를 최고로 극찬한 이유는 그의 강의가 학생들의 인생을 바꿔주었기 때문이라고 했다. 베이커 교수의 '능력의 통합' 강의를 들은 학생들은 과학자, 음악가, 의사, 역사가, 화가, 미용사, 자선가, 편집자, 정치가, 교사, 철학자, 작가, 디자이너, 엔지니어 등 다양한 분야에 진출했고, 인터뷰 결과 각자의 분야에서 매우 창의적인 인물로 성장한 것으로 조사되었다. 그 학생들은 한마디로 '마음의 힘을 기르게 되었다'고 답하며, 하나같이 베이커 교수의 수업을 통해 삶이 바뀌었다고 했다.

어떻게 가르치면 학생의 삶이 바뀔 수 있을까? 베이커 교수는 학생들이 성적이나 학문적 성취에 연연하지 않고 오직 자신만의 '정신의 역동적 힘'을 성장시키는 것을 목표로 삼도록 가르쳤다. '정신의 역동적 힘'이란 '마음의 힘'이자 '마음과 뇌의 깊고 단단한 연결력' 또는 '창조력'이나 '융합 능력'으로 볼 수 있다. 즉, '능력의 통합'에서 가르친 것은 융합과 창조를 만들어내는 융합 능력이자 마음의 힘이다.

폴 베이커 교수는 어떤 철학으로 학생들을 가르쳤을까? 그는 학습에 대해 "사람들은 학습이란 모터를 조립하고 파이프를 붙이고 공식을 써서 문제를 푸는 것을 배우는 것이 전부라고 생각한다. 기억력을 높이고 기계장치의 작동원리를 배우는 것만 떠올린다. 이런 학습은 새로운 방식을 개발하는 것이 아니라 옛 방식을 완벽하게 숙련하는 것에 지나지 않는다.

어떤 이들에게 학습은 남들이 내 수준보다 얼마나 떨어지는지를 가늠하는 시스템을 만드는 것이다."라고 했다.

그의 말에서 '기억력을 높이고 기계장치의 작동 원리를 배우는 것'은 1차원 공부로 이루어진다. 또 '남들이 내 수준보다 얼마나 떨어지는지를 가늠하는 시스템을 만드는 것'은 전형적인 2차원 공부다. 과거의 것을 똑같이 배우고 숙련해서 남들과의 경쟁에서 이기는 공부로는 변화와 혁신, 성장이 일어나지 않는다. 그렇다면 언제 성장이 일어날 수 있을까? 베이커 교수는 "나는 누구이고 나 자신을 어떻게 이용할 수 있을까, 라는 의문을 가지고 스스로를 발견하는 일이야말로 성장이다."라고 말했다.

6차원 융합공부는 베이커 교수의 학습 철학과 맞닿아 있다. 자신을 어떻게 이용할지 생각하고 애쓰고 노력하는 자세가 공부의 기본이 되어야 한다. 우리를 성장시키는 공부는 자신을 알고 자기 자원의 활용을 염두에 두는 것이다.

그동안 우리는 진리를 찾거나 우리 자신을 성장시키는 것보다 점수 올리기와 대학 합격, 취업 성공 등에 혈안이 되어 모든 공부를 2차원에 맞추는 경우가 많았다. 하지만 이제는 3차원 이상으로 공부방식을 바꿔야 할 때다.

최고의 강의에서 가르친 것

폴 베이커 교수의 '능력의 통합' 수업이 어떻게 학생들의 '정신의 역동적 힘'을 기를 수 있었는지 살펴보자. 그의 강의는 15주 동안 진행되며

'창의성 훈련'을 목표로 한다. 창의성 증진을 위해 학생들은 베이커 교수가 제시하는 다섯 가지 훈련 요소를 탐구하고, 각 요소와 자신 간의 관계를 이해하며 훈련 동안 느낀 것을 기록한다.

1. 공간 분석

학생들은 무대 위를 두 번 걸으며, 한 번은 비극, 한 번은 희극을 표현한다. 상반되는 두 가지 표현을 통해 자신이 무대 공간을 어떻게 생각하고 사용하는지에 대해 자각한다.

2. 의식 분석

교수가 학생들에게 단어를 하나 제시한다. 학생들은 그 단어를 듣고 머릿속에 떠오르는 것을 적는다. 의식 속의 생각들이 물처럼 흐르게 내버려 두고 형식이나 규칙에 구애받지 않고 생각들을 의식의 흐름에 따라 기록하게 한다.

3. 지인의 특징을 리듬으로 표현하기

오랫동안 알고 지낸 사람의 출신 배경, 가치관, 생활방식, 철학 등을 분석해 손뼉으로 표현해본다. 사람의 특성을 리듬으로 표현하는 이 기발한 방법은 서로 다른 것을 융합하고 새로운 것을 창조하는 훈련이다.

4. 세상을 묘사하기

자연에서 무생물 하나를 선택한 다음, 색깔과 선, 크기, 리듬을 묘사하는 형용사를 적는다. 이를 통해 어떤 물질의 특징을 타인에게 전달하는 방법을 찾아낼 수 있다. 자신이 만든 형용사로 세상을 표현하고 그것을 쉽게 전달하는 새로운 기법을 고민할 때 융합과 창조를 익힐 수 있다.

5. 선 그리기와 느끼기

다양한 선을 가진 물체를 하나 고르고 그 선들을 종이에 그린다. 선을 가진 물체를 찾는 과정을 통해 외부 세계에 집중하고 깨어 있는 정신을 훈련하고 그것을 선으로 표현하면서 자기의 느낌을 정보로 표현하는 훈련을 할 수 있다.

폴 베이커 교수는 강의에서 무엇도 가르치지 않았고, 학생들에게 어떤 것을 외우게 하거나 만들게 하지 않았다. 오로지 학생들이 관찰하고 생각하고 느끼고 분석해 그것을 표현하게 했다. 분석과 표현을 통해 융합과 창조를 훈련하도록 만든 것이다. 그 훈련을 하는 동안 학생들은 일상의 모든 것에서 융합과 창조가 일어날 수 있음을 배우고, 융합하는 노력을 습관으로 만들었을 것이다.

무엇보다 학생들이 다섯 가지 요소를 훈련하면서 자신의 자원과 현재 주어진 환경을 모두 사용하게 했다는 점이 매우 중요하다. 자신의 육체와 정신, 기억과 환경조건 등 모든 것을 사용하려고 노력할 때 우리의 마음과 뇌는 온전하게 전부 가동된다. 그때 비로소 한계를 넘을 수 있고 융합과 창조가 발생하면서, '정신의 역동적 힘'이 강화된다.

이 수업을 수학전공자가 듣는다고 가정해보자. 아마도 특별한 경험이 될 것이다. 그는 자기가 서 있는 곳에서 일어나는 외부 사건들에 반응하는 법, 평소 무심코 지나쳐버리는 순간에도 자기 생각을 놓치지 않고 바라보는 법, 타인의 감정이나 생각을 민감하게 파악해 그에 따라 반응하는 방법, 현실 세계에 존재하는 수많은 생물과 무생물을 느끼고 표현하는 방법 등을 배우면서 익힌 융합 능력을 수학에 적용한다면 주어진 문제만 풀어내는 다른 수학자들보다 더 획기적이고 창의적인 풀이법을 찾아낼 수 있을 것이다.

폴 베이커 교수는 놀이와 같은 다섯 가지 훈련을 통해 학생들에게 '공간, 시간, 색깔, 소리, 실루엣'에 대한 생각과 반응을 스스로 알 수 있는 기회를 주었다. 학생들은 훈련을 하면서 남의 시선을 의식하지 않고 자기 내면과 대화를 나누었고 자신만의 자질을 깨닫게 된다. 그리고 타인의 창의성을 감상하는 기회도 얻는다. 이렇게 배운 융합과 창조의 자질은 연극이나 예술 분야뿐만 아니라 수학공식, 새로운 역사관, 새로운 의료서비스, 새로운 수술방식과 암치료법, 아름다운 공원 설계법, 창의적인 새 요리, 심지어 돈 쓰는 방법에 이르는 등 많은 분야에서 창의성을 발휘할 수 있도록 도움을 주었다.

한계를 넘기 위한 융합 능력

미국의 역사가이자 작가인 헨리 애덤스Henry Adams는 일찍이 "선생의 영향력은 영원하다. 그 영향력이 어디서 끝나는지는 아무도 모른다."라고 했다. 그의 말을 생각나게 한 최고의 선생 중 한 명이 바로 폴 베이커 교수다. 그가 결국 학생들에게 가르친 것은 '융합하는 힘'이었다. 학생들은 융합하는 능력을 가지면서 자신을 더 잘 이해할 수 있었고 자기를 직시하는 힘과 자신감을 키웠다. 그와 함께 다른 사람의 재능과 성취도 인정할 줄 알게 되었고, 자기 안에 내재된 동기를 찾아 스스로 동기부여를 하고 자신의 학습을 스스로 관리할 수 있었다고 한다. 이렇게 훈련된 학생들은 평범한 것을 거부하고 강한 열정을 바탕으로 자기만의 창작활동을 추구하며 낯선 세계에 뛰어들 수 있었다고 켄 베인은 설명한다.

'능력의 통합' 수업에서 학생들이 배운 자기직시, 자신감, 내재동기, 학습관리 등은 모두 마음의 힘을 키우는 데 도움을 준다. 또한 동기Motivation, 정서Emotion, 의지Will, 인지Cognition, 행동Action이라는 마음의 다섯 가지 요소가 제대로 기능할 때 이런 역량들이 강화된다. 이렇게 모든 것을 사용해 자기 안에서 융합하는 힘을 배운 사람은 언제든 그것을 꺼내 쓸 수 있다. 바로 융합공부가 우리 자신을 바꾸기 때문에 가능한 일이다.

한편 학생들은 '인생에서 쉬운 것이 없다'는 사실도 '능력의 통합' 수업을 통해 배웠다고 한다. 한계가 있음을 배운 것이다. 융합을 시도할 때 반드시 어느 순간 한계를 만나게 된다. 우리가 가진 것을 전부 사용하고 결합하려 하면 이내 자기 한계에 부딪힌다. 이때 모든 것을 새롭게 보고 세상에 없는 것을 만들겠다는 깊은 노력을 쏟아부어야만 그 한계를 뛰어넘을 수 있다. 이런 어려운 과정을 거치며 자기 한계를 넘을 때 비로소 성장이 일어난다. 죽을 만큼 힘들 때 다시 한 번 도전하는 노력, 바로 그 순간 성장하게 된다. 습관적으로 생각하고 어제와 같은 방식으로 행동할 때 변화나 성장은 절대 있을 수 없다.

진정한 공부는 우리 속에 뿌리박혀 있는 악습을 벗어던지고 우리를 변하게 만든다. 스스로 극한까지 밀어붙이고, 불가능한 도전을 멈추지 않는 것, 세상 모든 것을 궁금해하고 그것을 풀기 위해 노력하는 것이 바로 융합공부다. 폴 베이커 교수는 자신의 수업을 통해 학생들이 가진 자원을 전부 사용하도록 이끌었다. 그때 배운 융합 자질이 훗날 자기 분야에서 독특하고도 매우 창의적인 결과물로 나타날 수 있었던 것이다. 즉, 최고의 공부는 모든 자원을 사용해 융합과 창조를 만드는 훈련을 하며 자기극복과 변화를 스스로 체험하게 해주는 것이다. 진정한 공부는 성장을 이끌어낸다.

실천적 지혜

마음과 자원을 모두 사용하는 융합공부는 뇌의 가동률을 높인다. 그 순간 사물의 이치를 깨닫게 되고 문제해결력, 나아가 융합과 창의력이 나타난다. 바로 지혜가 생기는 것이다. 아리스토텔레스는 마음을 다한 공부와 집중에서 지혜가 나온다고 했다. 그는 탁월하게 일을 잘할 수 있는 능력을 프로네시스phronesis, 즉 실천적 지혜practical wisdom라 했다. 그런 프로네시스를 가진 사람, 지혜롭게 실천할 수 있는 사람을 '프로네모이phronemoi'라 부른다. 또한 프로네모이란 자신에게 선한 일이나 이익이 되는 것만 추구하지 않고 어떤 일이 잘사는 것(행복)에 도움이 되는지 숙고하는 능력을 지닌 사람이라 했다. 그렇다면 일을 아주 탁월하게 할 수 있는 힘인 실천적 지혜는 어떻게 만들어질까?

미국의 사회심리학자 배리 슈워츠Barry Schwartz와 라틴 아메리카 정치 전문가 케니스 샤프Kenneth Sharpe는 《어떻게 일에서 만족을 얻는가》에서 아리스토텔레스의 실천적 지혜를 현대적 용어로 설명한다. 그들은 실천적 지혜를 "상황을 '인지'하고 적절한 '감정'이나 '바람(욕망)'을 품고 상황에 맞게 '고민'하며 마지막으로 '행동'으로 옮기는 능력"이라고 했다. '인지, 감정, 바람, 고민, 행동'은 마음의 다섯 가지 성분인 '인지, 정서, 동기, 의지, 행동'에 각각 대응한다. 결국 실천적 지혜는 마음의 다섯 가지 요소가 생각과 연동하여 골고루 잘 사용될 때 만들어진다고 볼 수 있다. 그리고 융합공부는 자신의 자원을 모두 사용하므로 마음의 모든 성분을 활용하게 된다. 마음을 모두 사용하는 노력을 지속할 때 '인지, 감정, 바람, 고민, 행동'이 생기며 다섯 가지 성분들이 모여 실천적 지혜가 된다. 즉, 생각하고 노력할 때 탁월한 것을 만들 수 있게 된다는 뜻이다.

폴 베이커 교수가 '능력의 통합' 수업을 통해 전하고자 했던 것은 모든 자원을 융합하려는 노력을 통해 마음의 힘, 정신의 역동적 힘을 만들어내는 방법이었다. 이때에도 마음의 다섯 가지 요소인 '동기, 정서, 의지, 인지, 행동'이 전부 사용된다. 그리고 이러한 마음의 힘과 정신적 역동성을 알게 되면 실천적 지혜까지 만들 수 있게 된다. 이러한 융합공부의 원리를 체득하고 실천하는 이들이 탁월한 것을 만들고 자기 분야에서 독보적인 위치까지 올라갈 수 있게 된다. 만약 마음의 다섯 가지 요소를 제대로 알지 못하면 지금 하고 있는 공부는 그저 점수를 잘 받기 위한 수단, 대학에 진학하거나 취업하기까지의 과정에 지나지 않게 된다. 이후에 자신이 무엇을 할지 알 수 없다면, 누구든 내리막길로 떨어질 수 있다. 마음을 다한 깊은 공부는 지혜와 함께, 인생의 갈 길을 계속 보여준다.

3 운명을 바꾸는 공부

어떤 사람으로
기억될 것인가

알카트라즈의 조류학자로 알려진 로버트 스트라우드Robert Stroud라는 남자가 있다. 그의 실화는 〈버드맨 오브 알카트라즈〉라는 영화로 제작되기도 했다. 그는 불우한 환경에서 자라 학교교육을 3년밖에 받지 못하고 가출해 허드렛일과 광부생활을 하며 청소년기를 보냈다. 그러다가 클럽에서 여자 친구 때문에 살인을 한 죄로 12년을 선고받아 워싱턴 주 교도소에서 복역했다. 그런데 12년 형기를 거의 채우고 출소를 얼마 남기지 않았을 때, 면회를 온 동생을 못 만나게 한다는 이유로 교도관을 살해했고, 사형을 선고받았다. 하지만 그의 어머니가 대통령에게 탄원을 넣었고, 수감생활 3년 만에 통신 수업으로 캔자스주립대학교에서 수학, 음악, 신학, 엔지니어 관련 학위를 네 개나 땄다는 점을 인정받아 사형은 면하게 된다. 그 대신 '절대로 감형 없는 종신형'을 선고받고 희망 없는 날을 보내게 된다.

그러던 어느 날 그에게 전환의 계기가 찾아온다. 하루 한 번 허용되는 산책시간에 우연히 병든 참새 한 마리를 발견하고는 정성 들여 치료해주게 된다. 그가 새를 치료해준 것이 교도소 내에 알려지자 다른 죄수와 간수, 심지어는 방문객들까지도 그에게 아픈 새를 가져다주기 시작했고, 그는 새를 돌보며 새에 대한 지식을 쌓아간다. 이후 교도소 측은 그의 교화 과정으로 새 연구를 허락했고 책, 의약품, 화학 기구 등을 교도소로 가져올 수 있게 해주었다.

그의 감방에는 새장이 설치되었고 연구를 계속한 끝에 1942년에는 《새의 질병 연구》라는 책을 출간해 조류학계에 큰 업적을 남겼다. 그의 뛰어난 연구 업적을 아까워한 사람들이 '그가 출감하면 더 훌륭한 연구를 할지도 모른다'고 석방을 탄원했지만 미국 법률 당국은 끝까지 종신형을 감해주지 않았다. 결국 그는 54년의 수감생활 끝에 교도소에서 죽음을 맞았다.

지루하고 우울하며 비참한 삶이 이어질 것 같았던 감옥에서 그를 이전과는 전혀 다른 사람인 '알카트라즈의 조류학자'로 거듭나게 해준 것은 바로 공부였다. 3년간 네 개 학위를 따냈던 그의 의지와 능력이 기본 바탕이었을 것이다. 비록 순간의 분노를 이기지 못하고 두 번의 살인으로 종신형이라는 절망 속에서 살아야 했지만, 삶의 가장 절망스러운 순간에도 공부하고 노력해 조류 질병의 권위자가 되었다는 이야기는 많은 이들에게 울림을 주었다. 또한 어떤 상황에서도 공부하면 변할 수 있고 희망을 찾을 수 있다는 교훈을 남겼다.

이처럼 공부는 예상치 못한 인생의 결말을 만들기도 한다. 늦은 공부가 인생을 완전히 바꾸어준 미국의 국민화가 안나 마리 모지스Anna Mary Robertson Moses가 주인공이다. 그녀가 안나 마리라는 이름 대신 모지스 할머니Grandmom Moses라고 불리는 것은 주로 노년기에 작품 활동을 시작했기 때문이다.

모지스 할머니는 평범한 시골 주부로 농장을 꾸리며 10명의 자녀를 출산하고 키웠다. 그러다 다섯 명의 자식이 사망하는 일이 벌어지고 나서 아픔을 견디기 위해 자수刺繡를 시작했다. 하지만 72세 때 관절염이 생겨 더 이상 바늘을 들지 못하게 되자, 바늘 대신 붓을 들고 그림을 그리기 시작했다. 그때 할머니의 나이가 76세였다. 모지스 할머니는 101세로 사망할 때까지 25년간 그림을 그렸다.

어느 날 그림 수집가인 루이스 칼더Louis Calder가 시골 구멍가게 창가에 걸려 있는 그녀의 그림을 구입했고, 이듬해 미술 기획가 오토 칼리어Otto Kallir가 할머니의 그림을 뉴욕 전시관에 내놓으면서 일약 스타가 된다. 이후 세계 각국에서 모지스 할머니의 그림 전시회가 열렸고, 1949년 해리 트루먼Harry Truman 대통령은 그녀에게 '여성 프레스클럽 상'을 수여했고, 1960년 넬슨 록펠러Nelson Aldrich Rockefeller 뉴욕주지사는 그녀의 100번째 생일을 '모지스 할머니의 날'로 선포했다. 미국 국민화가로 불리며 101세에 세상을 떠난 그녀가 남긴 작품은 1,600여 점에 이른다.

한때 제아무리 잘나가도 인생은 말년이 어찌될지 모르고, 평범한 사람도 노년에 배움을 게을리하지 않으면 세상의 빛이 될 수 있다. 무엇보다 공부하는 사람과 공부하지 않는 사람은 전혀 다른 결과를 맞이한다. 공부하는 삶과 그저 하루하루를 살아내는 삶은 간격이 벌어질 수밖에 없기 때문이다. 계속 공부하는 사람은 현재의 자기 수준에 만족하지 않으므로 점점 나아질 수밖에 없다. 물론 일도 우리를 변하게 한다. 결국 우리는 공부하거나 일하거나 둘 다 하기 중에서 선택해야 한다.

공부와 일이 쉬울 것이란 착각은 하지 말자. 평생 그림을 배워본 적이 없던 할머니가 76세에 그림을 시작했을 때 적당히 그렸겠는가. 그녀는 새롭게 펼쳐진 25년의 인생을 농밀하게 살았고 무려 1,600점의 그림을 남겼다. "인생은 우리 자신이 만들어가는 거예요. 언제나 그래왔고 앞으로도 그럴 거예요."라는 모지스 할머니의 말처럼, 우리 인생 역시 공부를 통해 바꿔 갈 수 있다.

나와 다른 생각을 받아들이고 모르던 것을 계속 배우며 지금 자리에 멈추어 있어서는 안 된다. 오늘을 그냥 살아서도 안 되고, 지금보다 더 나아가기 위해 마음을 열고 변화를 기대하며 깨어서 공부해야 한다.

공부하는 사람이 더 오래 산다

공부를 해야 오래 살 수 있다면, 공부를 해야 할 이유로 충분하지 않을까? 네덜란드 프라이Vrije대학교의 마누엘 슈미츠Manuel Schmitz 교수 팀이 암스테르담 근처에 사는 55~85세의 남녀 2,380명을 대상으로 4년 후 사망률을 조사하는 연구를 진행했다. 연구팀은 연령, 학력, 심장병과 암 유무, 정보처리 속도, 유동지능 수준 중에서 사망률과 가장 관계 높은 요인을 조사했다. 정보처리 속도는 문장 속에서 같은 것을 찾아내는 속도로 확인했다. 예를 들어 AG, BK라는 식으로 된 알파벳 한 쌍을 제시한 뒤

(단위: 명, %)

	조건	해당 인구 수	4년 후 사망자 수	사망률
연령	55~64세	836	31	3.7
	65~74세	783	70	8.9
	75~85세	761	162	21.3
학력	중졸	952	132	13.9
	고졸	1,084	93	8.6
	대졸	351	39	11.1
심장병 유무	무	1,922	180	9.4
	유	458	83	18.1
암 유무	무	2,172	227	10.5
	유	208	36	17.3
정보처리 속도	0~24.50	1,108	194	16.4
	24.51~50.70	1,200	69	5.8
유동지능	2~18	1,219	182	14.9
	19~24	1,161	81	7.0

〈Am J Epidenmiol〉 Vol. 150, p978, 19990에 발표한 슈미츠의 연구 내용을 와다 하데키가
《남은 50을 위한 50세 공부법》에 인용한 것을 재인용함

MKAGBT 같이 무작위 문자열을 보여주고, 다시 앞서 제시된 알파벳 쌍을 찾는 식으로 진행된다. 유동지능 테스트는 일부가 지워진 도형을 보여주고 빠진 부분과 일치하는 그림을 찾게 하는 퍼즐 같은 것이다. 원래 유동지능은 동작성 지능이라고도 하는데 빠진 곳을 찾거나 토막 짜기, 모양 맞추기, 차례 맞추기 등을 통해 알아낸다. 실험 결과는 위의 〈표〉와 같았다.

나이를 제외하고 사망률에 많은 차이를 보인 영역은 정보처리 속도와 유동지능이다. 정보처리 속도가 높은 1,200명 중에서 4년 후 사망한 사람은 69명으로 5.8퍼센트였다. 반면 정보처리 속도가 느렸던 사람(0~24.50)의 사망률은 16.4퍼센트로, 고속(24.51~50.70)이었던 사람의 사망률 5.8퍼센트에 거의 세 배였다. 정보처리 속도가 빠르다는 것은 두뇌회전이 빠르다는 말이다. 유동지능에서도 지능이 높은 피험자 사망률이 7.0퍼센트로 나타나 지능이 낮은 집단의 사망률 14.9퍼센트의 절반도 안 되었다.

　즉, 학력과 상관없이 정보처리 속도와 유동지능이 높은 쪽이 더 오래 살 가능성이 높다. 그런데 대졸자의 사망률이 11.1퍼센트이고, 고졸자의 사망률이 8.6퍼센트인 것에 주목해야 한다. 지능이 높고 똑똑하면 더 오래 산다고 했는데 고졸자가 대졸자보다 더 오래 산다니 이상하지 않은가. 이런 결과에 대해 연구자들은 '사망률에 영향을 주는 것은 과거의 공부역량이 아니라 현재의 지능'이라고 정리했다. 한때 똑똑했던 것보다 현재의 정보처리 능력과 유동지능이 사망률에 영향을 준다는 말이다. 즉, 계속 공부를 해야 한다는 의미다. 덧붙이자면, 정보처리 능력과 유동지능은 운동하고 생각하고 공부할 때 좋아진다.

　지능이 건강과 사망에 영향을 준다는 또 다른 연구가 있다. 2009년 배티Batty G. O.와 게일Gale C. R.은 논문에서 "지능이 신체 건강에도 영향을 준다."고 했다. 이들은 18세 때 IQ 검사를 했던 111만 6,442명의 스웨덴 남자들을 22년 후에 다시 조사했다. 그 결과, IQ 하위 25퍼센트에 해당하는 사람들이 상위 25퍼센트에 해당하는 사람들에 비해 약물중독으로 인한 사망 다섯 배, 익사 세 배, 교통사고 사망 두 배에 달했다고 한다. 또한 18세 때 검사받은 IQ수치가 15점씩 낮아질 때마다 중년 시기에 사망할 위험이 3분의 1가량 증가했고 사고로 병원에 입원할 확률도 2분의 1씩 증가했다고 보고했다.

하트[Hart C. L.]와 테일러[Taylor M. D.]도 1921년에 태어난 스코틀랜드 성인을 대상으로 조사한 결과 "11세 때 측정한 IQ가 15점 낮을수록 65세에 사망할 위험이 36퍼센트 증가한다."는 결과를 보고했다. 사회적 지위, 어린 시절의 애정결핍과 같은 인자를 모두 고려한 결과다. 또한 지능은 살해당할 위험, 고혈압 뇌졸중 심장병, 조기 폐경과 관련이 있고, IQ가 15점씩 올라갈 때마다 49세에 폐경에 들어갈 위험이 20퍼센트 감소한다는 결과도 함께 내놓았다.

독학으로 무학자에서 전자기학의 아버지가 되다

전자기학의 아버지이자 19세기 최대의 실험물리학자라고 평가받는 마이클 패러데이 Michael Faraday 는 "어떤 물질을 전기 분해할 때 생성되거나 소모되는 물질의 양은 흘려준 전하량과 비례한다."는 관계를 밝혀 패러데이 법칙 Faraday's Law 을 남겼다.

패러데이는 1791년 9월 22일 영국 서레이 지방의 뉴잉턴 빈민가의 대장장이 아들로 태어났다. 그는 어린 시절 집안의 가난 때문에 학교 문턱에도 가지 못했다. 대신 1805년 책 제본 공장에 견습공으로 들어가 제본 기술을 배웠다. 책을 제본하면서 패러데이는 종이의 위력에 사로잡혔고, 인쇄물에 담긴 활자가 주는 묘한 마력과 다양한 그림들에 마음을 빼앗겼다. 그는 때로 제본이 끝난 책을 읽으며 향학열을 불태웠다.

그러던 어느 날 한 학자의 책을 정성껏 제본해준 답례로 당시 유명한 교수의 화학 강연 입장권을 얻게 된다. 그 교수는 바로 영국의 화학자 험프리 데이비 Humphry Davy 경이었다. 패러데이는 데이비 교수의 강연을 듣고 그 내용을 꼼꼼히 노트에 기록했다. 그리고 자신의 기술을 총동원해 노트를 제본한 후 데이비에게 보내어 자신을 조수로 써달라고 제안했다. 우여곡절 끝에 패러데이는 대학 연구실에서 일할 수 있는 행운을 얻는다.

그는 데이비 교수를 도우면서 화학지식을 하나씩 배워나갔고 틈날 때마다 자신만의 실험을 했다. 그러던 1820년 에틸렌에서 수소를 염소로 치환해, 최초로 탄소와 염소의 화합물을 만든다. 1825년에는 벤젠을 분리했으며 1831년에는 '전기긴장' 상태를 제안했고, 유도되는 전류의 세기는 단위 시간당 도체에 의해 끊어지는 역선의 수에 따른다는 법칙을 발견했다. 1832년에는 모든 전기들이 정확히 같은 특성을 가지고 같은 효과를 나타낸다는 증명을 시도한 끝에 '패러데이 법칙'을 밝혀냈다. 코일 속에 막대자석을 넣고 상하움직임을 반복하면 코일에서 전류가 흐르고, 이것을 검전기로 확인하는 실험이 바로 패러데이가 발견한 법칙이다.

그 외에도 상자성과 반자성 물질을 발견했으며, 장이론을 탄생시키는 등 그의 업적은 어마어마하다. 패러데이가 학교에도 가보지 못하고, 모든 것을 독학으로 배워 실험으로 이루어냈다는 사실이 놀랍지 않은가?

패러데이가 그랬듯 창조와 융합은 학교와는 상관없이 스스로 자기 즐거움에 끌려 공부할 때 나타난다. 스스로 외울 것은 외우고, 필요에 따라 전략을 세우고, 자기가 좋아하는 것을 위해 일생을 투자한 패러데이의 공부가 융합공부였다는 것은 너무나도 당연하다. 그의 비망록에는 그가 공부를 할 때의 마음을 엿볼 수 있는 글이 남아 있다.

"무엇이 나를 성공한 자연철학자로 만들었을까? 생각해보면 정말 알 길이 없다. 훌륭한 감각과 지성이 있고 이에 의해 근면과 인내가 있었기 때문인가? 적당한 자신감과 열정이 필요조건이 아닐까? 순수하게 지식을 얻는 것에 만족하지 않고 이를 통한 명성을 바라보기 때문에 다른 사람들이 실패하는 것은 아닐까? 많은 사람들이 훌륭한 과학자로 성공도 하고 명성을 얻을 수 있겠지만 대부분의 사람들이 명성과 세상 사람들의 칭찬을 받기 원하는 것을 보아왔다. 그런 사람들의 마음에는 질투와 서운함의 그림자가 드리워져 있기 때문에 위대한 발견을 이룩하는 것을 상상하기란 쉽지 않다."

그의 학문적 성취가 결코 성공을 향한 열망에서 이루어진 것이 아님을 볼 수 있다. 현대의 동기심리학에서는 외재동기 extrinsic motivation가 사람을 망치는 사례를 무수하게 보고하고 있다. 스스로 하려는 힘, 즉 내재동기 intrinsic motivation에 따를 때 진정한 성취를 이룰 수 있다는 것이다. 보상이나 명예, 칭찬 같은 외재동기는 결코 오래가지 않는다. 진짜 지식의 즐거움을 위한 깊고 단단히 연결된 융합공부를 하며 끝없는 호기심과 열정, 노력을 지속할 때 놀라운 결과물이 나타난다.

PART 2

마음
사용법

마음과 뇌를 제대로 끌고 나갈 수 있을 때
공부 능력을 키울 수 있을 뿐만 아니라 인생의 변화도 시작된다.

지능을 원격 제어하는 마음

교육학자, 교육심리학자, 인지심리학자들은 더 효과적인 공부법과 공부의 비결을 알아내기 위해 오늘도 연구하고 있다. 지금까지 밝혀진 학습 연구들은 "공부를 잘하려면 마음의 도움을 받고 마음을 잘 이용해야 한다."라고 일관되게 이야기한다. "공부하되 마음을 다해 공부하라."는 것이 공부의 비결, 공부의 왕도라는 것이다. 마음이 만드는 교육효과에 대한 연구들을 살펴보면 학습동기, 학습 유능감, 자신감, 메타인지 등을 고려한 공부가 학습의 효율성을 높여준다고 발표하고 있다. 마음이 뇌와 지능에 긴밀히 연결되어 있기 때문에 마음을 다한, 마음 기반의 공부는 뇌와 지능에 자극을 주고 더 좋은 학습 성과를 만들어낼 수 있다.

아무리 공부에 집중하려 해도 마음이 혼란스럽다면 머릿속에 공부한 것이 하나도 남지 않는 경험을 누구나 했을 것이다. 엄마에게 야단맞은 아이가 시험공부에 집중할 수 없고, 여자친구가 헤어지자고 하는데 취업 준비가 잘될 리가 없다. 마음이 안정되지 않으면 공부 효율성은 저하된다. 그래서 마음을 다해 공부해야 하고, 마음의 성분들을 함께 고려한 공부법을 생각해야 한다.

마음과 공부의 상관관계

최근 교육심리학이나 인지심리학 분야에서는 지능(뇌)으로만 공부하는 것이 아니라고 주장한다. 지능이 제대로 작동하기 위해서 마음이 중요한 역할을 한다는 것이다. 마음에 문제가 생기면 지능이 제대로 작동하지 않는다는 주장은 코넬대학교 심리학과 교수 로버트 스턴버그^{Robert Sternberg}가 이미 오래전에 밝혔다. 그는 "마음에 문제가 생기면 지적 자기 관리자로서 실패하게 되어 지능의 발현을 막는다."면서 "마음이 기반이 되어야 지능을 제대로 쓸 수 있다."고 말했다. 스턴버그가 지능의 발현을 막는 문제로 제시한 것은 동기 부족, 충동 통제력 부족, 끈기 부족, 생각을 행동으로 옮기지 못함, 결과 중심적인 생각의 부족, 과제 추진 및 완성 능력 부족, 주도성 부족 등이다. 모두 다 마음의 문제다.

마음이 문제를 일으켜 무기력이나 우울증, 저항에 막힐 때는 공부나 일을 제대로 해낼 수 없다. 마음이 제 기능을 하지 못한다면 지능의 작용에 문제가 생기기 때문이다. 우울증이 정신분열로 이어진 수많은 사람들의 근본적 원인은 마음의 병이었다. 나 역시 중년의 어느 날 찾아온 마음의 문제로 일과 공부를 제대로 하지 못하고 세월을 탕진했던 경험이 있다. 그만큼 마음이 제대로 작용해야 지능을 잘 쓸 수 있고, 그때 우리는 더 나은 사람으로 성장할 수 있다. 자신의 정신, 즉 마음과 뇌를 제대로 끌고 나가는 힘을 가질 때 공부 능력도 높아질 뿐 아니라 인생도 변화시킬 수 있다.

마음에는 여러 기능이 있지만 현대 심리학과 인지과학이 밝혀낸 마음의 세부 요소는 크게 동기, 정서, 의지, 인지, 행동으로 분류할 수 있다. 이들은 각각 공부에 막대한 영향을 준다. 공부를 위한 첫 번째 전제는 마음의 다섯 가지 성분을 건강하게 유지하는 것이다. 다섯 가지 마음의 요소가 버티고 지지할 때 공부든 일이든 잘할 수 있다. 마음은 토양이다. 뇌는 그 토양을 먹고 자라는 나무라고 볼 수 있다. 나무가 튼실해야 아름다운 꽃과 튼실한 열매가 맺어진다. 하지만 무엇보다 좋은 토양에서 건강한 나무가 자랄 수 있다. 건강한 마음에서 훌륭한 공부 성과가 나타나는 것이다.

이 파트에서는 마음의 다섯 가지 성분이 공부에서 어떤 역할을 하는지 살펴보려고 한다. 먼저 공부해야 하는 이유는 동기가 만든다. 학습동기라고 부른다. 공부할 이유가 있는 사람은 공부할 용기가 있고, 어려움을 넘어설 수 있다. 용기가 있는 사람은 열정이 생기므로 긍정의 정서가 강화된다. 공부하고 싶고 공부하면서 기쁨이 생겨난다. 공부할 열정이 있는 사람은 의지가 강하다. 의지가 있으면, 끝까지 해낼 인내심이 생긴다. 의지는 인지를 강화한다. 인지는 공부하는 자신을 냉정하게 직시하며 주의력과 집중력을 만들어주며 메타인지를 통해 더 나은 공부법을 찾아가게 한다. 그렇게 집중하여 공부할 때 공부의 목적이 달성된다. 의지와 인지는 행동의 결과를 만들어낼 때까지 집중하고 인내하며 끝까지 견디게 해준다. 행동이 반복되면 우리는 끌고나가는 힘인 추진력을 갖게 된다. 하나를 완성하면 다음 것을 시도할 수 있다. 행동의 결과가 새로운 동기를

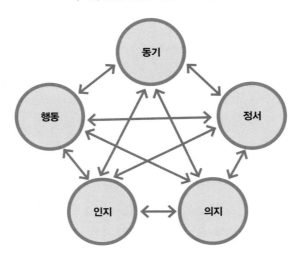

〈그림〉 완전 연결된 마음의 요소들

만든다는 의미다.

　이처럼 마음의 요소는 동기, 정서, 의지, 인지, 행동의 순서로 자극되고 행동은 다시 동기로 피드백되는 연결고리가 만들어진다. 마음의 성분들은 각각 전부 연결되어 〈그림〉에서 보듯이 완전히 연결Fully Connected된 형태가 된다. 이렇게 연결된 마음이 함께 융합력을 만든다. 마음을 다해 깊이 생각할 때 뇌도 연결된다. 동기, 정서, 의지, 인지, 행동이 관장하는 뇌의 부위가 다르기 때문이다. 생각을 깊게 하고 마음을 통합하면 해당되는 뇌 부위의 시냅스가 연결되면서 뇌에 불이 들어온다고 생각할 수 있다. 지금부터 동기, 정서, 의지, 인지, 행동이 공부에서 어떤 역할을 하는지 알아보자.

동기의 힘

모든 것은 마음에서 시작한다. 동기는 행동의 기폭제이자 연료통이다. 학습동기가 분명하면 스스로 공부를 시작해 멈추지 않고 계속할 수 있다. 그래서 교육심리학을 비롯한 학습 연구에서도 학습동기를 가장 먼저 평가하고 강화시키는 훈련을 한다.

KBS의 글로벌 기획 〈공부하는 인간〉이라는 프로그램에서도 학습동기라는 부분을 가장 많이 다루고 있다. 제작진은 인간이 왜 열심히 공부하는지, 어떻게 공부하는지를 밝히기 위해 동양과 서양을 비교하고 열심히 공부하는 사람들을 취재했다. 특히 공부에 탁월한 능력을 보이는 세계 각국 학생들의 모습을 조명하기 위해 미국의 탐스 고등학교를 찾았다.

탐스TAMS, The Texas Academy of Mathematics and Science는 미국 내 최상위권 학생들만 들어가는 북텍사스대학교 산하의 영재 고등학교다. 이 학교의 학생들은 일반 고등학생들과는 달리 대학 과정을 2년 동안 이수하고 그

점수를 인정받아 남들보다 일찍 대학에 진학하고 졸업한다. 탐스는 깊은 지적 자극과 심화과정을 원하는 학생들에게 마음껏 공부할 수 있는 기회를 제공하여, 장차 미국 발전에 기여할 수 있는 과학자나 공학자를 배출하고자 하는 야심찬 포부로 세워졌다.

특히 미국 학생들이 다른 나라 학생들에 비해 과학, 수학, 공학 능력이 떨어진다는 우려 속에서 출발했다. 성적 상위 10퍼센트 안의 학생만 입학할 수 있고, 입학 후에는 1년에 30번에 걸쳐 시험을 치르고, 시험 성적이 저조한 학생들을 탈락시킨다. 당연히 졸업도 까다롭고 중도 탈락자도 많다. 그런데 이런 독보적인 영재학교에 한국계, 중국계, 베트남계, 인도계 등 동양인이 많다고 한다. 게다가 성적 우수자의 대부분이 동양인이었다. 그들은 어떻게 그런 성과를 낼 수 있었을까.

강력한 학습동기를 만드는 방법

동양인이 서양에서 공부에 두각을 나타내는 사례는 많다. 하버드대학교 재학생 20퍼센트와 버클리대학교 재학생 45퍼센트가 아시아인과 아시아계 미국인이라는 수치뿐만 아니라, 수학·과학의 성취도를 국제적으로 비교한 연구에서는 일본, 대만, 싱가포르, 홍콩 학생들의 수학·과학 점수가 미국 학생보다 높다고 보고되었다. 또한 2008년 웨스팅하우스 과학경시대회에서는 우승자 다섯 명이 모두 아시아계였다.

미국의 한 연구팀에서 중국, 대만, 일본, 미국의 5학년 학생들을 대상으로 수학능력을 비교한 결과, 미국에서 가장 뛰어난 학교의 수학 실력이 아시아 학교 중 가장 떨어지는 학교와 같은 수준이었다고 한다. 이처럼 동양인이 서양인보다 높은 학업성취를 보이는 이유는 무엇일까? 동양인이 더 좋은 성적을 거둔 이유는 IQ의 차이가 아니라 "공부해야 하는 동기, 즉 공부할 이유가 명확했다."는 것이다. 그렇다면 동양인은 왜 학습동기가 더 강할까? 그 이유는 미시간대학교 심리학과 석좌교수 리처드 니스벳Richard Nisbett의 연구에서 단서를 찾을 수 있다.

첫째, 동양인은 본인만을 위해 공부하지 않기 때문이다. 가족, 지역 사회, 나아가 모국을 위해 공부하고 그런 점이 더 강한 동기가 되어 결과적으로 우수한 학업성취를 이루어낸다고 한다. 공헌의식이 학습동기를 계속 만들어내는 연료가 된다는 것이다. 지금의 세대는 조금 다르지만, 베이비부머 세대는 한 명의 똑똑한 아이가 열심히 공부해서 가족 전체의 명예를 높이던 사례가 많았다. 그렇기에 대부분 열심히 공부해 부모를 기쁘게 해드리는 것뿐만 아니라 사회를 바꾸고 세상도 변화시키려는 꿈을 가지고 있었다. 이런 마음이 강한 공부 동기로 작용해 열심히 공부하게 만든 것이다. 앞에서 동기는 행동의 기폭제이자 연료라고 했다. 당연히 강한 동기를 가진 사람이 공부든 일이든 열심히 한다.

둘째, '동서양의 문화 차이' 때문이다. 니스벳은 "서양은 독립적이고 개인주의적인 문화 전통을 가졌으나, 동양은 상호의존적이고 관계를 중시하는 문화를 가졌다."고 보았다. 이런 문화의 차이가 세상과 사회를 보는 시각을 달리하고 그런 점이 학습동기에 영향을 주어 학업성취도의 차이를 만든 것이다. 쉽게 말해, 서양은 쪼개고 자르는 반면, 동양은 연결하고 통합하고 융합하는 문화적 특성을 갖고 있다. 이런 특성은 세상과 자신을 보는 방식뿐만 아니라 공부방식 자체에도 영향을 준다. 그런 점에서 융합공부는 동양인의 본성에 더 가깝다.

왜 IQ보다
동기인가

한때 동양인이 서양인보다 지능이 높기 때문에 뛰어난 학업성취도를 보인다고 알려졌었지만, 지금은 그렇지 않다. 뉴질랜드의 심리학자 제임스 플린James Flynn이 동양인이 서양인보다 뛰어나다는 주장이 틀렸음을 밝혀냈기 때문이다. 그는 "동양인의 지능이 높다는 일부 심리학자들의 논리는 현재의 IQ 검사 규준에 기초하지 않았고, 또 매우 적은 수의 사람들만 실험했기 때문에 신빙성이 없다."고 주장했다. 그러면서 자신이 16건의 연구를 통해 확인한 결과, 적은 차이이긴 하지만 서양인이 동양인보다 IQ가 더 높았다고 보고했다.

그의 연구대로 서양인이 IQ가 더 높다면, 동양인이 서양인보다 공부를 더 잘하고 더 좋은 직업을 갖는 이유가 다른 데 있다고 봐야 된다. 앞서 소개한 리처드 니스벳 교수는 그 이유를 '동기의 차이'라고 봤다. IQ가 아니라 마음의 문제라는 말이다. 또 스턴버그도 지능을 강화시키는 것이 마음이라고 했다. 건강한 동기가 제 기능을 하기 시작하면 연료 공급이 계속된다.

니스벳 교수는 동기가 IQ보다 학업성취에 더 큰 영향을 주는 이유에 대해 심리학자 안젤라 덕워드Angela Duckworth와 마틴 셀리그만Martin Seligman의 연구결과를 인용해 설명하고 있다. 덕워드와 셀리그만은 미국의 한 대안학교 8학년 학생들을 대상으로 자제력 측정 실험을 했다. 유명한 마시멜로 실험처럼 학생들에게 지금 당장 1달러를 받을 것인지 일주일 뒤에 2달러를 받을 것인지 묻는 식으로 연구를 진행했다. 이런 방식으로 도출한 측정치를 모두 합산해 자제력을 구한 뒤 자제력 점수와 IQ 중 어떤 것이 학생들의 학업성적과 더 밀접한 관계가 있는지를 비교했다.

그 결과 IQ보다 자제력이 두 배 더 학업성적에 영향을 미치는 것으로 나타났다. 이를 두고 니스벳은 지금 당장 자신의 욕구를 참으면 더 큰 보상을 받을 수 있다는 사실에 강한 동기부여를 받아 자제력을 보인 학생이 머리가 똑똑한 학생들보다 우수한 성적을 받을 가능성이 높다고 설명했다. 강한 동기를 가진 학생일수록 일에 대한 집중도가 높고 계획을 철저하게 세우며 좌절을 잘 견디고 스트레스에 성숙하게 대처하기 때문이라고 했다. 그러면서 그 연구결과만으로 동기가 IQ보다 학업성취에 강한 영향을 미친다고 단언할 수는 없지만, 분명한 것은 이 연구를 통해 동기가 IQ보다 높은 학업성취를 이루는 주요인이 될 수 있다는 것을 시사한다고 했다.

여기서 동기가 자제력을 높인다는 것을 신중히 살펴봐야 한다. 자제력이란 의지가 만들어내는 일종의 통제력이고, 학습 인내를 만들어내는 힘이다. 일주일 뒤에 2달러를 받겠다는 동기에 의해 자제력이 높아졌고 그 자제력이 IQ보다도 더 학업성취를 도왔다는 것은 동기 하나만의 문제가 아니라 마음의 전체적인 협력과 힘이 학업성취를 돕는다는 것을 알려준다. 동기가 의지를 강화한 것이다. 이처럼 마음은 전부 연결되어 있다. 따라서 동기는 정서도 강화하고 의지도 높인다. 또한 정서는 인지의 정확성을 높이고 의지도 높여줄 수 있다. 마찬가지로 정확한 인지는 의지력을 높이고 행동을 지속시켜준다. 즉, 마음의 성분을 함께 통합적으로 움직일 수 있을 때 학업성취도가 더 올라간다. 스턴버그의 주장처럼 마음이 지능을 떨어뜨릴 수 있듯이 역으로 마음이 지능을 높일 수 있다. 이러한 마음의 다섯 가지 성분을 늘 생각하면서 이루어내는 공부가 바로 우리가 주목하는 융합공부다.

IIT는 떨어져도 MIT는 갈 수 있다?

세계에서 가장 어려운 시험은 인도의 JEE^{Joint Entrance Exam}로 알려져 있다. JEE는 인도라는 거대한 나라의 뜨거운 교육열의 결과다. JEE에서 높은 점수를 받아야만 인도공과대학인 IIT^{Indian Institute of Technology}에 입학할 수 있다. 미국에는 인도 유학생이 많다. 세계 최고의 공대 중 하나인 MIT에 다니는 인도 학생에게 왜 IIT에 가지 않고 MIT에 왔냐고 물었더니 "IIT에 떨어져서 MIT에 입학했다."라고 답했다는 일화는 유명하다. 인도의 IT 회사 인포시스^{Infosys}의 회장 나라얀 무르티^{Narayan Murthy}도 미국 CBS에 출연해 자신의 아들을 IIT에 보내고 싶었지만 성적이 나빠서 미국 코넬대학교에 보냈다고 밝혔다. IIT 입학의 관문인 JEE가 너무나 어렵기에 아무나 IIT에 들어갈 수 없다는 것이다.

서울대학교 교수들이 JEE 문제를 분석한 결과, 문제의 50퍼센트가 대학교 1학년 과정을 마쳐야만 풀 수 있는 수준이고, 나머지 문제들도 수능시험의 최고 난이도 수준에 해당하는 문제들로 구성되었다고 한다. JEE 응시자 수가 IIT 정원의 100배가 넘는 40만 명 이상이라고 하니 변별력을 키우기 위해 JEE의 난이도가 높아질 수밖에 없는지 모른다.

JEE는 IIT 교수들로 구성된 출제위원들이 최대한 독창적으로 만든 문제로 구성되는데, 놀랍게도 JEE에서는 단 한 번도 똑같은 문제가 출제된 적이 없다고 한다. 항상 새로운 독창적인 문제가 출제되니 제아무리 모의고사를 많이 치르고 예상문제를 많이 풀어도 한 번도 보지 못한 문제가 튀어나와 수험생을 당황시킬 수밖에 없다. 이것이 바로 2차원 공부만으로는 JEE에서 고득점을 받기 힘든 이유다.

기출문제조차 소용없는 시험을 치르기 위해서는 평소 3차원 심층적 공부를 하지 않으면 안 된다. 실력으로 뽑는 진검 승부에 편법 입학 따위는 통하지 않으니 무조건 공부할 수밖에 없다. 뿐만 아니라 피상적 공부나 전략적 공부로는 어림없다. 심층적 공부나 융합적 공부를 해야 한다. 전략이 먹히지 않는 그 시험을 위해 그들은 자신의 모든 것을 불사르듯 공부할 것이다.

유일한 희망이 공부일 때

IIT는 인도의 초대 수상이었던 자와할랄 네루Jawaharlal Nehru가 1951년에 인도의 근대화를 목표로 MIT를 벤치마킹해서 만든 대학교다. 인도의 엘리트를 양성할 뿐만 아니라 미래를 상징하는 곳이다. 인도 라자스탄주 남동부에 있는 인구 60만 명의 중소도시 코타Kota시는 IIT에 입학하기 위해 학생들이 다니는 학원들이 밀집해 있는 도시로도 유명하다. 도시 인구 중 10만 명이 ITT에 들어가기 위해 다른 도시에서 이주해온 학생들이다. 우리나라 학원에서 '서울대 ○○○명 합격'이라고 광고하듯 코타시의 학원 간판에도 'IIT ○○○명 합격'이라는 광고가 붙어 있다. 그들은 학교 다니듯 학원을 다니는데 심지어 정규학교를 그만두고 학원만 다니는 경우도 많다.

인도인들이 이처럼 기를 쓰고 IIT에 들어가려는 이유가 뭘까? 바로 신분제도 때문이다. 신분이 대물림되는 하층민에게 IIT 졸업장은 자신을 옭아매고 있는 신분과 가난의 사슬을 단숨에 끊어버릴 수 있는 유일한 탈출구다.

인도의 계급제도 중 가장 하층민인 달리트는 '핍박받는 자'라는 뜻으로, 인도인들 사이에서는 손이 닿기만 해도 부정해지는 천민으로 분류된다. 1955년에 인도 정부는 달리트에 대한 종교적, 직업적, 사회적 차별을 법적으로 금지했다. 그럼에도 불구하고 여전히 달리트는 사람들이 기피하는 오물수거, 시체처리, 세탁, 가죽 가공 같은 일에 종사하고 있다. 달리트 계급에 속하는 인구만 해도 인도 전체 인구의 10퍼센트인 1억 명이나 된다. 이러한 달리트 출신도 IIT 졸업장만 따면 신분을 탈피할 수 있으므로 IIT에 들어가기 위해 목숨을 건 공부를 할 수밖에 없다. 그러한 절박함이 학습 동기를 만들고 자신의 모든 것을 다 사용하는 공부를 하게 만든다.

IIT를 졸업하기만 하면 구글, 마이크로소프트, 인텔, 맥킨지와 같은 세계 초일류 기업들이 모셔가고, 당연히 천문학적인 급여를 받게 된다. 미국 경제지 〈포춘〉이 선정한 세계 500대 기업 중에 IIT 출신의 중역이 없는 기업이 없을 정도다. 실리콘밸리 창업자 중 15퍼센트, 미국 항공우주국 나사NASA 직원 중 32퍼센트, 미국 의사 중 12퍼센트가 IIT 출신이다. IIT의 위력을 느낄 수 있는 통계수치 아닌가?

지금은 비록 로스쿨 제도가 도입되면서 사법고시의 열풍이 사그라들었지만, 우리나라도 한때 사법고시가 신분을 역전시킬 수 있는 시험으로 믿어졌던 때가 있었다. 법조인 수가 제한적이던 시절에 사법시험 합격은 신분 상승을 보장하는 티켓이었고, 합격과 불합격으로 뒤바뀌는 처지의 변화를 '코페르니쿠스적 전회'라는 말로 표현하기도 했다. 간절함을 학습동기로 삼는 이들에게는 더 이상의 동기가 무색하다. 그리고 공부가 가난과 신분의 굴레를 확실히 벗게 해주는 출구가 되어준다면 누구라도 공부하지 않을 수 없다. 그것만큼 강렬한 동기는 없기 때문이다.

즐거움을 더하는 비결

인도의 학생들이 죽기 살기로 공부하는 것은 그들에게 공부해야 할 명확한 이유, 즉 학습동기가 분명하기 때문이다. 스턴버그가 지능발현을 막는 마음의 문제로 가장 먼저 꼽은 것 역시 '동기 부족'이었다. 무기력이 생기면 동기가 약화되고 동기가 사라지면 무기력은 더 강화된다. 따라서 학업 무기력을 극복하기 위해서도 명확한 학습동기가 필수적이다.

교육심리학자들은 명확한 학습동기를 가진 학생들이 "학교에 대해 긍정적인 태도를 가지고 학교를 만족스러워하고, 어려운 과제를 포기하지 않고 해결하기 위해 노력하고 학교에서 문제를 일으키지도 않으며 제시되는 정보를 깊이 처리하려 하고 학습 능력도 뛰어나다."고 입을 모은다. 반면 공부하지 않는 아이들은 공부해야 할 명확한 이유를 찾지 못한 것이다.

행동의 기폭제이자 연료인 동기는 무엇을 하게 만드는 마음의 성분으로 '어떤 일이나 행동을 일으키는 힘, 어떤 행동을 발생시키고 그 행동을 유지시키고 그 행동의 방향을 정해주는 것'을 의미한다. 심리학에서는 동기를 '어떤 개체의 행동이 활성화되고 목표를 향해 나아가도록 밀어주는 힘'이라고 정의하고 있다. 학습동기에 관해 연구를 진행한 노스캐롤라이나대학교의 교육심리학자 데일 슝크^{Dale H. Schunk}와 미시간대학교의 교육심리학자 폴 핀트리치^{Paul R. Pintrich}는 동기를 '목표 지향적인 활동이 유발되고 지속되게 하는 과정'이라고 했다. 같은 의미로 학습동기는 학습자가 학습목표를 향해 행동하게 하고 노력과 에너지를 증가시키고 활동을 시작하게 하고 지속하게 하는 힘을 준다. 그런데 그 동기가 내부에 있을 때 동기는 사라지지 않고 계속 유지된다. 내부에서 만들어지는 동기는 내재동기, 이유가 외부에 있을 때는 외재동기라 부른다. 보상이나 성과물을 얻기 위해 행동하는 것이 외재동기이고, 행동 그 자체가 주는 즐거움을 위해 행동하는 것이 내재동기다.

동기는 내적 및 외적 조건에 의해 만들어지지만, 돈이나 상 같은 보상에 의한 외적 동기 유발보다는 긍정적 자아 효능감이나 재미와 같은 내적 동기 유발이 학습에 더 중요하다고 교육심리학자들은 말한다. 공부나 일을 하는 행위 자체가 주는 기쁨이 우리를 그 행동에 참여하게 만들 때 내재동기에 의해 움직였다고 말한다. 즉, 어떤 행위에서 즐거움이나 보람, 긍정적인 자아 유능감 등을 경험할 때는 외부에서 주는 보상이 없어도 기꺼이 참여한다.

외재동기는 1·2차원 공부에 영향을 많이 주고, 내재동기는 3차원 이상의 공부에 자극을 준다. 단지 성적을 잘 받기 위해 공부하는 사람은 외재동기에만 영향을 받아 1등을 목표로 2차원의 전략적 공부를 한다. 만약 성적을 잘 받으려는 목적도 분명하고 공부 주제에도 흥미를 느껴 공부 자체를 즐긴다면 외재동기와 내재동기의 영향을 모두 받아 2·3차원 공부를 함께 할 수 있다. 반면 성적과는 무관하게 순전히 주제가 즐겁고 흥미에 끌려 공부한다면 내재동기가 작용하여 3차원 이상의 공부를 하게 된다.

성적이나 취업을 위해 공부할 때는 당연히 외재동기가 좋은 결과물을 줄 수 있지만 그런 목적 없이 계속 공부하려면 스스로의 기쁨을 위한 내재동기가 있어야 한다. 자신이 원하는 대학에 입학했지만 새로운 동기가 없고, 자신이 원하는 기업에 취업했지만 일할 이유나 재미가 없다면 내재동기 없이 대충 살아가게 된다.

이러한 내재동기는 보다 높은 수준의 정신에서 나온다고 한다. 이를 고차동기Higher order motives라고 부른다. 하버드대학교 심리진료소의 성격학자 헨리 머레이Henry Murray를 비롯한 연구팀은 성격을 연구하던 중 인간에게 고차동기라는 것이 있음을 발견했다. 연구진은 배고픔이나 목마름 같은 생물학적 욕구와는 다르고, 타액 증가나 위 수축 등의 생리적 변화도 일으키지 않는 동기가 인간에게 있다고 보았다.

에이브러햄 매슬로Abraham H. Maslow의 자기초월욕구와 비슷한 고차동기는 우리가 가치를 두는 목표나 성과에 대한 심리적인 욕망인 소망과 연관되어 있다. 고차동기가 있을 때는 기본적인 생활이 충족되어도 새로운 동기를 만들며 노력한다. 고차동기는 외재동기에도 영향을 받긴 하지만 자기 내부에서 나오는 것이 많으므로 내재동기와 더 관련이 깊다.

내재동기를 강화시키려면

3차원 공부나 융합공부는 내재동기에 의해 촉발되고 유지될 수 있다. 그렇다면 내재동기를 강화시키거나 약화시키는 것은 무엇일까? 내재동기는 마음에서 만들어지는 것으로, 공부에서는 '과제가 주는 흥미, 호기심, 자기만족감, 성취감' 등이 내재동기로 작용할 수 있다. 남들이 생각하지 못하는 창의적인 것을 만드는 융합공부를 오래 지속하려면 당연히 내재동기가 지원해줘야 한다.

1. 내재동기를 강화시키는 요소들
- 공부 목표가 인생의 최종 목표와 결부될 때
- 학습 목표, 공부하는 이유를 늘 생각할 때
- 자신의 흥미와 적성에 맞는 과제를 본인이 선택했을 때
- 학습한 내용에 대한 피드백이 즉각 있을 때
- 공부한 것을 스스로 점검할 때
- 모의점수를 높이기 위해 노력하며 스스로 피드백할 때
- 학습 결과에 대해 스스로 칭찬이나 보상을 줄 때
- 적당한 경쟁자와 공동 작업을 할 때
- 현재 하는 공부가 자신에게 미칠 긍정적 영향을 기대할 때

2. 부모, 교사, 타인이 공부 동기를 만들어주는 방법들
- 적당히 어려워서 도전이 되는 과제로 공부한다.
- 통제 및 선택권이 있다는 느낌을 준다.

- 긍정적인 사회 결속을 제공하고 격려한다.

- 호기심을 적극 지지한다.

- 수업 시 게임이나 시뮬레이션 등과 연결해 학습을 흥미롭게 한다.

- 부정적인 정서를 긍정적인 정서로 변화시키는 노력을 한다.

- 신기한 것과 친근한 것을 적절히 섞어서 사용한다.

- 적절한 보상과 타당한 칭찬을 한다.

- 다중지능을 생각하고 통합한다.

- 성공적인 스토리를 함께 생각한다.

- 공감해준다.

- 피드백의 빈도수를 높이되 적당한 피드백 텀을 유지한다.

- 생리적 상태를 체크한다.

- 성공할 수 있다는 희망을 준다.

- 목표를 달성했을 때는 칭찬해준다. 스스로에게 칭찬한다.

- 물리적, 정서적 안정을 취할 수 있게 학습 환경을 꾸민다.

- 학생들의 개별학습 양식들을 결합한다.

- 자신의 능력과 주위 환경에 대한 긍정적 믿음을 갖는다.

출처:《뇌 기반 학습》

___ 내재동기 지수 체크리스트 _____

다음은 내재동기에 따라 공부하는지 알 수 있는 체크리스트다. 해당되는 것에 체크한 후 6개 이하면 내재동기를 더 강화해야 한다.

① 공부를 자발적으로 시작한다. [　]
② 도전적인 과제를 선호하거나 과제의 도전적인 측면을 추구한다. [　]
③ 공부(직장의 업무)를 학교(직장) 밖 활동과 자발적으로 연결시킨다. [　]
④ 과제에 의문을 갖고 관련 지식을 계속 확대시킨다. [　]
⑤ 필수과제뿐 아니라 다른 영역에도 관심이 많다. [　]
⑥ 완성하지 못한 과제를 중간에 그만 두지 않는다. [　]
⑦ 성적이나 숙제점검, 업무평가 등에 상관없이 과제를 수행한다. [　]
⑧ 과제나 공부를 할 때마다 성취감을 느끼며 그 공부나 과제를 즐긴다. [　]
⑨ 내가 이해할 수 있는지에 더 큰 의미를 두며 성적에는 큰 관심이 없다. [　]
⑩ 많은 노력이 들어가더라도 무언가를 배울 수 있는 공부를 즐긴다. [　]

용기도
훈련할 수 있다

공부해야 하는 이유가 명확하면 동기왜곡이 일으키는 문제를 극복할 수 있다. 동기는 많은 욕망을 일으키기도 한다. 만약 욕망을 적절히 제어하지 못한다면 원하는 결과를 낼 수 없고 성과 없이 우왕좌왕하다가 모든 것이 끝날 수도 있다. 그러므로 욕망을 적절히 제어하는 용기가 필요하다. 자신이 해야 할 것은 하게 만들고, 자신이 하지 말아야 할 것은 포기하게 만드는 힘, 이것이 진정한 용기다.

새로운 연구를 할 때 지금 내가 하는 일이 올바른 것인지 두려울 때가 종종 있다. 그때마다 자신을 설득해 용기를 가지고 계속 앞으로 나아가야 연구 성과를 얻을 수 있다. 시험을 준비할 때는 시험에 떨어질지 모른다는 두려움을 극복해내고 공부해야 한다. 사실 모든 공부는 자신을 이기는 용기를 동반한다.

학교에서 기존의 지식을 습득할 때는 1차원의 피상적 공부법과 2차원의 전략적 공부법만으로도 가장 빨리 가장 많은 지식을 흡수해 경쟁에서 우위를 점할 수 있었다. 그러나 세상의 모든 수학공식을 다 외우고, 모든 문학서적을 다 읽어도 수학식 하나 제대로 만들지 못하고 글 한 줄 써내지 못하는 사람이 대부분이다. 단순하게 정보를 습득하고, 배운 것을 써먹기만 하다가 끝나기 때문이다. 인류의 지성사와 과학사에 남을 새로운 것을 내놓으려면 자신만의 것을 만들어야 한다. 그렇게 남들과 다른 새로운 것을 내놓기 위해서는 엄청난 두려움과 싸워야 한다. 그만큼 창조를 위해서는 용기가 필요하다. 즉, 용기는 천재성의 중요한 조건인 셈이다.

용기는 굳세고 씩씩하게 매순간 절망하는 자신을 일어서게 만드는 힘이다. 키르케고르, 니체, 카뮈, 사르트르 같은 철학자들도 '용기는 절망이 없는 것이 아니라 절망이 있음에도 불구하고 전진할 수 있는 능력'이라 했다. 심리학자이자 실존주의의 거장 롤로 메이Rollo May는 "용기는 무분별과 혼동되어서는 안 된다. 남에게 보여주기 위한 용기는 그의 무의식적인 공포를 감추기 위해 만들어낸 단순한 허세일 가능성이 크다."라고 말했다. 용기는 고집이나 허세가 아니라 두려움과 불안을 이기고 새로운 행동을 시작하게 하는 깊은 힘이다.

특히 융합공부를 할 때 용기를 발휘해야 하는 경우가 많으며, 반대로 융합공부를 통해 효과적으로 훈련할 수 있기도 하다. 새로운 것을 만드는 사람은 방법론 하나를 선택할 때조차도 세상과 맞서는 용기가 요구되기 때문이다. 그래서 천재들이 가진 하나의 특징을 용기라고 하는 것이다. 또한 용기는 자연스레 동기와 연결되어 있다. 자신이 해야 할 이유가 있다면 그게 무엇이든 하려고 할 것이고 그때 세상과 맞서는 용기가 계속 만들어지기 때문이다.

인지의 힘

인지^{Cognition}는 자신과 세상을 바라보는 틀이다. 동기는 공부를 시작하게 하지만 인지는 자신이 어떻게 공부하고 있는지, 제대로 공부하고 있는지를 감시하는 감독자이자 방향키이면서 나침반의 역할도 한다. 그 역할을 제대로 수행하기 위해서는 메타인지^{Meta Cognition}와 주의집중력이 무엇보다 중요하다.

메타인지란 무엇인가

인간은 오류에 잘 빠진다. 습관대로 해서 놓치거나 잘못된 것을 알아보지 못하는 오감과 지각의 한계는 공부할 때도 여지없이 드러난다. 우리는 늘 자신을 감시할 필요가 있으며, 인지와 메타인지를 통해 더 나은 학습

방법을 선택할 수 있다. 인지가 세상과 자신을 보는 틀이라면, 메타인지는 인지에 대한 인지, 생각에 대한 생각, 상위인지 또는 초인지라고 한다. 자신이 제대로 보는지를 지켜보고, 무엇을 아는지 확인하고, 무엇을 모르는지 아는 것이 메타인지의 역할이다.

인간은 잘못되거나 비효율적인 방법을 계속 고집하면서도 자신이 옳다고 믿는 경향이 있다. 인지의 한계 때문이다. 한편 습관은 뇌의 에너지 소모가 줄어들도록 회로가 생긴 것을 말한다. 그래서 한 번 습관이 생기면 상대적으로 쉬운 방법을 발견하더라도 낯설다는 이유로 꺼리고, 자신이 하던 방식을 계속 고수하려 한다. 관성의 법칙이 마음에 나타난 것이다. 이런 현상을 '아인슈텔룽 효과Einstellung Effect' 또는 '갖춤새 효과Mental set Effect'라고 부른다. 갖춤새란 과거에 작동했던 '마음의 자세나 태도'로 새 문제에 접근하는 경향성을 말한다. 아인슈텔룽은 독일어로 '태도'라는 뜻인데, 갖춤새와 같은 의미로 보면 된다. 즉, 분명 더 나은 대안이 있는데도 이미 지니고 있는 마음의 자세와 태도를 버리지 않고 익숙한 방식대로 생각하고 행동하는 것을 말한다.

심리학자 에이브러햄 루친스Abraham Luchins와 이디스 허시 루친스Edith Hirsch Luchins는 인간의 인지가 어떻게 선택오류를 일으키는지에 대해 연구했다. 그들은 실험을 통해 "피험자들이 수학문제를 쉽게 풀고 나면 다음 문제를 풀 때 더 간단한 방법이 있음에도 불구하고 이전에 풀었던 방식을 계속 사용하는 경향이 있다."는 것을 알아냈다. 우선 피험자들에게 크기가 다른 세 개의 물병을 사용해서 지정된 양의 물을 만들도록 시켰다. 예를 들어 A물병은 21리터, B물병은 127리터, C물병은 3리터라고 제시한 뒤, 물병들을 최소로 사용해 100리터를 만드는 조합을 찾으라고 지시했다. 실험의 답은 '127-21-3-3', 즉 'B-(A+2C)'였다. 피험자들이 문제를 풀고 나면 실험자들은 동일한 공식인 'B-(A+2C)'로 풀 수 있는 다른 문제들을 연달아 제시했다. 피험자가 공식에 익숙해졌다고 판단될 즈음 'A=23', 'B=49', 'C=3'으로 20리터를 만들라는 새로운 문제를 제시했다. 물병을 가장 적게 사용해야 하므로 답은 'A-C'이다. 하지만 피험자 중 63퍼센트가 이미 익숙해진 공식 'B-A-C-C'를 이용해 '49-23-3-3'이라고 답했다. 답안지에 '생각없이 풀지 마시오', '문제를 푸는 동안 어리석은 판단을 주의하시오'라는 경고문을 써두었지만, 이미 익숙해진 방법대로 답을 찾은 것이다.

단순 암기를 하는 1차원 공부에서는 메타인지가 그다지 필요하지 않다. 하지만 융합과 창조를 위한 3차원 공부를 하려면 자신이 제대로 생각하고 판단하고 상상하는지 살피는 메타인지가 늘 작동해야 한다. 융합이나 창조를 위한 과정에서는 자기 방식만 고수하려는 오류가 특히 많이 발생할 수 있기 때문이다. 융합의 연결고리를 잘못 끼우고서 자신이 옳다고 고집을 부릴 수도 있다. 그럴 때마다 메타인지가 감시해야 한다.

일상생활에서 흔히 접하는 인지오류의 실험 사례를 보자. UCLA 심리학과에서 교직원과 학생을 대상으로 자기 사무실과 가장 가까운 소화전을 찾는 실험을 실시했다. 놀랍게도 소화전을 찾은 사람이 거의 없었다. 25년간 재직한 한 교수는 소화전 위치가 어디인지 찾아보았으나 도저히 기억나지 않았다고 한다. 나중에 확인해보니 소화전은 연구실 문 바로 옆에 있었다. 안경을 손에 쥐고서 안경을 찾거나 휴대전화를 손에 들고 휴대전화를 찾는 사람이 흔하듯 많은 교직원과 학생들이 소화전을 수년간 보았지만 기억하지 못했다. 평소 신경 써서 기억해두지 않으면 무심코 반복적으로 본다고 해서 기억에 남지 않는다.

이와 비슷한 실험으로 12개의 1달러 중에서 진짜를 찾는 동전 기억 테스트Penny memory test가 있다. 1달러 동전 12개 중 진짜는 1개뿐이다. 실험에 참가한 사람들 중 가짜 동전들을 많이 볼수록 진짜 동전을 찾을 확률이 낮았다. 평소 진짜 다이아몬드만 봤던 사람이라면 가짜 다이아몬드를 쉽게 알아볼 수 있다. 하지만 반대로 큐빅을 많이 본 사람은 진짜처럼 잘 만들어진 큐빅 속에 숨은 진짜 다이아몬드를 쉽게 찾지 못하는 법이다.

미국 국방장관을 지낸 도널드 럼스펠트Donald Rumsfelt는 2002년 이라크의 대량학살 무기 보유 가능성에 대한 미국 정보기관의 판단과 관련된 기자회견에서 '무능의 이중고'라는 말을 언급했다. 모르면서 안다고 착각하는 행위를 의도한 말이다. 모르면서 안다고 착각하지 않으려면 메타인지로 정확하게 자기를 직시해야 한다.

이러한 이유로 융합공부는 마음을 다해 신중하게 깊이 생각하며 진행되어야 한다. 여기서 메타인지는 인지가 균형을 잡고 집중하되 오류에 빠지지 않도록 감시한다. 생각 없이 반복하는 것은 기억에 도움이 되지 않는다. 그저 익숙해졌기 때문에 잘 알고 있다고 착각하는 것이어서, 메타인지가 정확히 상황을 보는 것을 막을 뿐이다.

저능아도 천재로 만드는 교육법

칼 비테Karl Witte 부자父子는 조기교육과 영재교육 역사에 큰 획을 그었다. 목사였던 아버지 칼 비테는 미숙아로 태어나 어릴 적 저능아로 불렸던 아들 칼 비테 주니어를 천재로 키워낸 것으로 유명하다. 칼 비테는 자신의 교육 경험을 바탕으로 책을 저술했고, 그의 책은 조기교육의 지침서이자 영재교육의 '경전'으로 알려졌다.

비테 부자가 살던 19세기에는 지능과 재능이 당연히 선천적인 것이라고 믿었다. 선천적으로 우수하지 않으면 아무리 가르쳐도 안 된다고 생각되던 시절에 아버지 칼 비테는 "영재는 태어나는 것이 아니라 교육에 따라 만들어진다."라고 주장했다. 당시의 보편적인 믿음과는 상반되는 주장으로 많은 비판을 받았다. 그러나 그는 52세에 낳은 칼 비테 주니어에게 기독교 신앙을 바탕으로 한 자신만의 조기교육을 시킨다. 그 결과 칼 비테 주니어는 9세 무렵부터 6개 국어를 자유롭게 구사했고, 10세에 최연소로 라이프치히대학교에 입학한다. 13세에 기젠대학에서 철학 박사 학위를 수여받는다. 그의 최연소 박사 학위는 현재까지도 기네스북에 등재되어 있다. 16세에 하이델베르크대학교에서 법학박사 학위를 받고, 곧바로 베를린대학교 법학부 교수가 되었다. 철학과 법학을 전공한 그는 과학 분야의 천재들에 비해 상대적으로 덜 알려져 있지만, 저능아에서 천재로 탈바꿈한 영재교육의 모델이 되었다.

칼 비테는 아들이 태어나기 전부터 세밀한 교육 계획을 세워놓았다. 그리고 아이가 사회와 가정에 꼭 필요한 인재가 되도록 전력을 다하겠다는 철학을 가지고 있었다. 그는 늘 "나는 아이를 천재로 키울 겁니다."라고 말했다. 그런데 칼 비테 주니어는 어머니가 임신 9개월 차에 발을 헛디뎌 넘어지는 바람에 탯줄을 목에 감은 채 태어났다. 의사는 아기가 일찍 죽거나 선천적인 장애를 가질 수 있으니 포기하라고 했다. 하지만 아버지는 첫아들을 잃고 얻은 귀한 아들을 포기할 수 없었다. 태어난 지 며칠 만에 장티푸스로 죽은 형처럼 칼도 몸이 매우 허약했다. 사람들은 그도 형처럼 단명할 것이라 했지만 칼은 병을 이기며 살아남았다. 그러나 또래보다 반응이 느려 몇 번의 검사를 받았고, 저능아라는 판정을 받았다. 선천적인 결함에 후천적인 질병까지 더해져 대뇌 발육에 심각한 결함이 있다는 진단이 내려졌다. 아들을 천재로 키우겠다는 아버지의 계획은 물거품으로 돌아갈 상황이었다. 하지만 목사였던 아버지는 하나님이 미숙한 아들을 준 다른 이유가 있을 것이라는 믿음으로 포기하지 않고 자신의 교육법대로 아들을 키워, 최연소 박사라는 놀라운 성과를 얻게 된다.

칼 비테가 아들에게 적용한 교육철학과 교육법은 칼 비테의 8대 교육법이라고 부른다. 대부분 현대 교육학에서 쓰이고 있는 기법들이다. 최고의 식단으로 먹이기, 요람에서부터 운동시키기, 신체 저항력을 길러주기 위한 냉수마찰, 규칙적인 생활습관 길러주기, 출생 15일 때부터 시작된 지능훈련, 유년기부터 시킨 관찰력·기억력·상상력 훈련 등은 현대 조기교육과 영재교육에 사용되는 방법들이다. 모두 다 마음의 인지적 기능과 메타인지를 사용하고 있는 방법들이다.

법칙 1. 공부가 잘되는 환경을 만들어라

어디에서든 공부하면 된다는 생각은 틀렸다. 뛰어난 요리사에게는 잘 갖춰진 주방이 있어야 맛있는 요리가 만들어지듯 학습 환경이 잘 갖춰져야 훌륭한 성과를 낼 수 있다. 누구에게나 공부가 잘되는 곳은 분명히 있다. TV가 켜진 거실보다 도서관이 좋은 것은 당연하다. 그럼에도 어디서든 공부하겠다고 덤비는 것은 어리석은 고집이다. 더 좋은 길이 있을 때 그것을 선택하는 것이 인지의 역량이다.

법칙 2. 공부에도 휴식이 필요하다

학구열에 불타서 밤낮없이 공부해도 기대 이하의 성과가 나오는 것은 휴식 부족 때문이다. 칼 비테는 아들이 가장 효과적으로 공부하는 시간이 20분 정도라는 것을 알아내고 20분 공부 후에 반드시 휴식하도록 했다. 몇 시간씩 책상에 앉아 있어도 성과가 없다면 자신의 자원을 잘 사용하지 못하기 때문이다. 아무리 노력해도 안 될 때는 당장 밖으로 나가서 하늘이라도 보고 다시 공부하는 것이 책상에서 졸고 있는 것보다 낫다. 이 법칙 역시 최근 인지심리학이 밝힌 공부의 법칙에 등장한다. 그러므로 10시간 공부하는 것보다 2시간씩 5회에 나눠서 공부하는 게 낫다. 쉬지 않고 장시간 공부하는 것은 '뇌의 피로도'를 전혀 생각하지 않은 지혜롭지 못한 억지다.

법칙 3. 배움을 즐겁게 유도하라

칼 비테 주니어는 어릴 때부터 자신이 좋아서 스스로 공부를 선택했다고 한다. 아버지는 아들에게 인생의 즐거움을 알도록 가르쳤고 아들은 어린시절부터 단순히 지식을 알기 위한 것이 아니라 공부의 즐거움을 유지하며 공부했다고 한다. 아들은 가장 중요한 공부의 원칙인 어린아이처럼 즐기면서 공부하는 3차원 공부법을 배운 것이다.

법칙 4. 학습 시간을 효율적으로 활용하라

칼 비테 주니어가 어린 나이에 6개 국어를 구사하고 역사, 지리, 식물학, 수학 등에서 두각을 나타내자 주변에서 "아이에게 과도한 공부를 억지로 시킨 것이 아니냐."고 물었다. 하지만 아버지는 하루 2~3시간 정도만 공부한다고 대답했다. 사실 이 부분은 불분명하다. 저능아였던 칼 비테 주니어가 하루 2~3시간 정도 공부해서 9세에 6개 국어를 구사할 수 있었다는 것은 교육법의 혁명이거나 다소 거품이 섞인 아버지의 하얀 거짓말일 수도 있다. 그럼에도 불구하고 칼 비테 주니어가 오래 공부하는 것을 좋아하지 않았다는 것은 맞는 듯하다. 사실 공부 시간이 길다고 많이 배울 수 있는 것은 아니다. 얼마나 이해했느냐가 더 중요하다. 시간을 효율적으로 분배하지 못하면 아무리 많은 시간이 주어져도 목표에 도달할 수 없다는 것이 칼 비테의 생각이었다.

법칙 5. 잘 노는 아이가 공부도 잘한다

칼 비테는 아들에게 늘 잘 노는 사람이 공부도 잘한다고 가르치면서 스트레스를 제때 풀 수 있게 해줬다. 여기서 말하는 노는 것은 아무것도 하지 않고 빈둥거린다는 의미가 아니다. 운동이든 취미든 자기가 좋아하는 것에 몰두하며 에너지를 쏟는 아이들이 공부에도 매진한다는 뜻이다. 집에서 빈둥거리는 시간이 길어지면 일이든 공부든 시작하기가 어려워지고 효율도 떨어지며 성과도 나오지 않는다.

법칙 6. 반복 암기법을 사용하라

공부를 할 때 암기는 기본이다. 1차원 공부인 피상적 공부는 암기로 시작된다. 암기는 빠르고 정확하게 외우고 오래 기억하는 것이 핵심이다. 칼 비테는 아들에게 반복을 통한 암기를 강조했다. 단, 한 번에 다 외우려 하지 말고, 대충 보고 넘기면서 반복할 때 암기가 더 잘된다는 것을 가르쳤다. 반복은 암기의 기본전략이다.

법칙 7. 공부에도 리듬이 필요하다

칼 비테 주니어는 하루에 2~3시간씩 공부하고, 한 번에 20~30분 이상 공부하지 않았다. 그리고 10분 이상 쉬지 않았다. 휴식 없는 공부는 뇌를 피로하게 하지만 장시간 쉬게 되면 뇌의 긴장상태가 풀어져서 다시 긴장 상태로 돌입까지 시간이 많이 소요된다. 이 방법은 공부하기 싫은 게으름을 극복하기에 좋은 전략이다. 너무 쉬고 나면 다시 뇌가 정상 가동되기까지 오랜 시간이 걸린다. 나는 지금도 공부하거나 글을 쓰다가 휴식이 길어지면 다시 시작하는 데 에너지 소모가 많다는 것을 느낀다. 2시간 정도 일하고 15분 정도 쉴 때 가장 생산성이 높다. TV나 SNS에 빠지면 남은 하루를 망칠 수 있고, 심한 경우 불안과 우울로 번질 수 있으니 주의해야 한다.

법칙 8. 교차학습법을 사용하라

교차학습이란 학습내용을 시기적절하게 전환시켜주는 것을 말한다. 이것은 현대의 인지심리학에서 매우 효과적인 학습법이라고 말하는 기술이다. 사람은 새로운 사물이나 내용을 받아들이는 데 한계가 있다. 아무리 좋아하는 것도 오래 하면 싫증나고 효율이 떨어진다. 그래서 수학을 하다가 역사를 공부하는 식으로 성질이 조금 다른 과목을 교차해 공부하면 효과적이다. 실제로 칼 비테 주니어가 수학 문제를 풀고 있었는데, 너무 문제가 풀리지 않자 잠시 책을 덮고 지리책을 10분간 보고 났더니 수학문제가 풀렸다는 이야기도 전해진다. 확실히 공부하거나 책 읽을 때 여러 분야를 섞으면 피로가 적은 것은 사실이다.

당시에 많은 사람들이 칼 비테의 교육법을 무시했지만, 스위스의 교육가 페스탈로치Johann Heinrich Pestalozzi는 "당신의 교육은 반드시 성공할 것이다."라고 인정해주었다. 무엇보다 칼 비테가 아들에게 적용했다는 여덟가지 공부법을 살펴보면 단순히 공부를 시킨 것이 아니라 매우 전략적으로 지도했음을 알 수 있다. 여덟 가지 공부법에 주로 사용된 마음의 기능이 바로 인지와 메타인지다. 더 효율적으로, 더 올바르고 빠르게 공부하는 법을 인지와 메타인지를 이용해 가르친 것이다. 공부 효율을 높이기 위해서는 먼저 뇌를 깨워서 자신이 제대로 공부하는지 감시해야 한다. 그게 바로 메타인지다. 칼 비테도 자신의 아들이 공부를 잘할 수 있게 된 것이 여덟 가지 교육법 덕분이었다고 《칼 비테의 자녀교육법》 후기에서 밝히고 있다.

> "나는 눈부신 성과를 이룬 아들이 자랑스럽다. 하지만 이보다 더 기쁜 사실은 내 교육이론이 다른 사람들이 비웃은 대로 잠꼬대가 아니라 실제로 효과가 있음이 증명된 것이다. 나는 합리적으로 교육하면 대부분의 아이들이 훌륭해질 수 있다고 믿는다. 칼이 훌륭한 성과를 낼 수 있었던 것은 교육법이 적절했기 때문이다."

칼 비테 주니어가 놀라운 성과를 보이자 칼 비테의 교육법은 조기교육의 교본으로 알려지며 많은 사람들이 그 방법을 교육에 적용했고 지금까지도 사용되고 있다.

메타인지,
어떻게 사용할 것인가

천재로 태어나지 않은 평범한 사람도 제대로 공부하면 자기 안의 천재성을 끌어낼 수 있다. 제대로 공부하기 위해서는 인지와 메타인지가 기능을 잘하고 있어야 한다. 1970년대 발달심리학자인 존 플라벨J. H. Fravell이 메타인지라는 개념을 소개했다. 플라벨은 학업성취도가 높은 학생과 낮은 학생을 연구한 후 학습에서는 "아는 것에 대해 아는 것"이 가장 중요하며 우등생과 열등생의 차이는 메타인지 여부로 결정된다고 했다. 그는 "공부할 때 자신의 인지적 기능에 대해 아는 것이 핵심이며 그게 메타인지"라고 주장했다. 인지 감시 모델cognitive monitoring model인 메타인지는 네 가지 기능으로 세분할 수 있다. 그림에서 보듯 인지적 목표에 따른 인지적 행위를 하기 위해서는 메타인지적 지식과 메타인지적 경험이 작용한다. 여기서 메타인지적 지식이란 학습이나 지식에 의해 갖게 된 메타인지다. 메타인지적 경험은 자신만의 경험으로 알게 된 메타인지다.

예를 들어 내가 공무원 시험 합격이라는 목표(인지적 목표)를 가지고 매일 10시간씩 공부한다고 하자. 이때 한 과목을 10시간 동안 공부하는 것보다 몇 개의 과목을 섞어서 공부할 때 더 효율적이라는 것을 머리로 아는 것이 메타인지적 지식이다. 하지만 실제 공부하면서 자신은 2시간 공부하고 15분 쉬고 다음에 다른 과목을 공부하는 것이 피로도가 적고 효율적임을 알게 된 것은 메타인지적 경험이다. 또한 기본 교재로 공부하는 것보다 기출문제를 먼저 풀고 나서 교과서를 공부할 때 머리에 더 잘 남는다는 것을 경험(메타인지적 경험)으로 알게 되어 이런 정보를 가지고 시험 합격이라는 자신의 목적(인지적 목표)에게 맞게 매일 공부계획을 세우

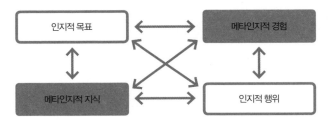

〈그림〉 인지 감시 모델

고 실행(인지적 행위)할 수 있다.

앤 브라운A. Brown은 메타인지의 통제와 조절 기능이 매우 중요하다고 보았다. 아는 것과 경험보다 실행이 더 중요하다는 것이다. 브라운은 학습부진아 연구를 통해 '학습부진이 주로 의도적인 학습 조절력의 결핍 때문'임을 밝혀내며 메타인지에서 집행 기능executive function이 매우 중요하다고 했다. 의도적인 조절력이 없으므로 학습부진아가 된다는 것이다. 그는 행동을 일으키기 위해 메타인지의 역할을 다음 네 가지로 설명했다. 전부 실행과 관련 있다.

① "내가 무엇을 알고 있는가?"를 안다.
② "내가 얼마나 잘할 수 있는가?"를 안다.
③ "이 과제를 수행하기 위해서 어떤 순서로 할 것인가?"를 생각한다.
④ "지금까지 잘했었나? 또 잘하고 있는가?"를 평가한다.

즉, 내가 무엇을 알고 무엇을 모르는지, 내가 무엇을 잘하고 어떤 순서로 하는 것이 효과적인지, 지금까지 잘해온 것이 무엇이고 잘못한 것은 무엇이며, 현재 무엇을 잘하고 있는지 파악하고 아는 것이 메타인지다. 공부가 안 된다고 한탄할 것이 아니라 집에서 할 때, 도서관에서 할 때, 동네 카페에서 할 때, 공원 벤치에서 할 때 얼마나 다른지 각각 실험해보고 아는 사람은 매우 똑똑하다. 하지만 이를 실천하는 사람은 소수다. 무엇보다 공부를 해야 한다고 강박적으로 생각하거나 초조하게 자신을 학대하지 말아야 한다. 자신의 공부방식과 효과에 대해 아는 메타인지를 자각하고 실천할 수 있어야 한다.

2500년 전, 공자도 제자들에게 메타인지에 대해 가르쳤다.

> "유야, 너에게 안다는 것이 무엇인지를 일깨워주겠다. 아는 것을 안다 하고 모르는 것을 모른다 하는 것, 이것이 곧 아는 것이니라."
>
> -《논어》, 위정편

자신이 모른다는 것을 알지 못하면 진짜 어리석어진다. 내가 무엇을 아는지 무엇을 모르는지를 분별하는 것에서부터 공부는 시작되는 것이다. 메타인지를 작동시키는 법을 단계별로 살펴보자.

① 문제 확인: 과제에서 해결해야 할 내용이 무엇인지를 먼저 확인하는지 스스로 체크한다.
② 이미 아는 문제인지 확인: 과제를 수행하기 전에 그 과제에 대해 자기가 알고 있는지 아닌지를 확인하는 단계를 거치는지 본다.
③ 새로운 정보 연결: 과제를 해결하는 동안 새로운 정보가 들어오면 소화하고 그 의미를 기존의 정보와 연결하는 활동을 하는지 체크한다.

④ 오류 교정: 잘못하고 있는 것을 발견하면 즉시 그 오류를 바로잡고 목표에 도달하는 새로운 방향을 모색한다.

⑤ 평가: 과제 해결 전체 과정이 옳았는지 평가한다. 단계마다 문제 해결 과정을 잘 진행했는지 체크한다.

자신이 열심히 공부했고 공부한 내용을 다 안다고 생각하지만 막상 시험을 치르면 많은 것을 틀리는 경우가 있다. 바로 메타인지가 약하기 때문이다.

집중력과 주의력

집중력은 한 가지 과제나 일, 공부에 몰두하는 힘을 말한다. 하나의 주제에 몰두하는 3차원 이상의 공부에서는 집중력이 매우 중요하다. 수행 과제와 공부에 집중하려면 나머지 자극은 모두 무시하고 필요한 자극에만 선택적으로 반응할 수 있어야 한다. 시시각각 우리의 오감으로 수많은 정보와 자극이 들어올 때, 그 모든 것에 정신을 빼앗기다가는 내가 할 일이나 공부를 할 수 없다. 집중력이 높으면 동일한 시간을 투입하고도 학업과 업무의 효율성과 생산성이 높다.

칼 비테의 8대 교육법에서 본 것처럼 공부는 시간보다 능률이 더 중요하다. 짧은 시간을 투자해도 집중을 하게 되면 더 효율적이다. 칼 비테 주니어가 20~30분씩 쪼개서 공부하고 하루에 3시간 이상 공부하지 않았던 이유도 집중력을 높이기 위해서다. 하지만 집중력은 하루 종일 유지되지 않으므로 집중력이 높게 유지되는 사이클에 따라 공부하는 것이 똑똑한 전략이다. 집중력의 사이클은 일반적으로 90~110분 정도의 단위로 순환한다. 90분 단위로 집중력이 나타난다고 할 때 대략 하루에 약 16사이클을 경험하게 된다. 외부 자극으로 인해 갑자기 긴장할 때 높은 집중력이 발휘되지만 그때도 약 10분 정도만 유지할 수 있다고 알려져 있다. 뇌가 무한정 에너지를 쓸 수 없기 때문이다. 나도 책을 쓸 때 2시간이 넘어가면 집중되지 않고 머리가 아파온다. 그때는 딱 멈추고 쉬는 것이 능률을 위해서 좋다.

집중력을 만들어내는 인지기능 중 주의력注意力이라는 것이 있다. 주의란 어떤 것에만 의식을 집중시키는 것으로, 부적절하거나 시선을 분산시키는 것들을 무시하는 동시에 적절한 생각 또는 행동을 처리하도록 해주는 뇌의 인지적 기제다. 또 주의력은 어떤 한 가지 일에 마음을 집중시키는 힘으로, 공부나 일을 할 때 집중력을 조절하는 힘이 된다. 인지가 바로 그런 역할을 한다. 사람은 새로운 것을 배우거나 새로운 행위를 할 때 집중하고 세심한 주의를 기울인다. 이러한 주의에는 수동적인 것과 능동적인 것이 있다. 수동적 주의란 의식적인 노력 없이 자극에 자연스럽게 반응하는 것이고, 능동적 주의는 의식적인 노력으로 과제와 문제해결에 집중하는 것이다. 능동적인 주의를 보통 주의집중력이라고 한다. 이 기능이 약한 증상을 보일 때 흔히 주의력결핍 과잉행동장애ADHD라고 한다. ADHD는 주의집중력이 매우 약해 집중하지 못하고 한시도 가만히 있지 않으며, 충동적인 행동을 보이는 질환으로 분류된다.

주의력을 높이는 법

하나의 문제에 집중해서 능동적으로 생각하는 3차원 심층적 공부에서는 주의집중력이 매우 중요하다. 미국의 교육심리학자 켈러^{Keller}는 주의력이 호기심, 주의환기, 감각추구와 연결되어 있으며 그중에서 특별히 호기심이 주의를 만들어내고 계속 유지하는 데 가장 중요한 요소라고 했다. 호기심을 가지고 즐겁게 공부할 때 좋은 성과가 나온다. 그리고 호기심이 주의력을 높여주고 주의력이 집중력을 유지시켜준다. 호기심은 '새롭거나 신기한 것에 끌리는 마음'이다. 새로운 것에 끌릴 때, 다른 것에는 신경 쓰지 않는 것이 당연하다.

사람들은 신기한 것을 보면 순간적으로 시선이 그쪽으로 끌린다. 이러한 현상을 '주의를 끈다'고 말한다. 기존의 것과 다르거나 이상하고 놀라운 것을 만나면 누구나 주의를 빼앗긴다. 그러나 신기한 것은 금방 식상해지고 주의력은 소멸된다. 그래서 켈러는 주의를 끄는 것보다 유지하는 것이 더 어렵다고 했다. 주의를 유지하려면 어떻게 해야 할까? 켈러는 주의를 계속 유지하기 위해 "보다 심화된 수준의 흥미를 자극하는 탐구 기회"가 필요하다고 했다. 쉽게 말해 더 큰 자극을 줘야 한다는 말이다.

주의력은 본인이 높일 수도 있고 타인이 높여줄 수도 있다. 타인이 주의력을 높여주는 것을 '지각적 주의환기^{Perceptual arousal}', 본인 스스로 주의력을 유지하는 것을 '인식적 주의환기^{Epistemic arousal}'라고 한다. 즉, '지각적 주의환기'란 교사나 지도자가 학습자에게 새롭고 신기한 것을 보여주고 호기심과 주의를 유발하는 방법이다. 반면 '인식적 주의환기'는 학습자 본인이 스스로 새로운 정보를 추구하고 문제해결을 위한 주의와 호기심을 유지하는 것이다.

1. 지각적 주의환기: 타인이 주의력을 높여주는 법

주의와 집중을 유지시키기 위해 외부에서 자극을 주는 것이 지각적 주의환기다. 주로 교사나 교육자가 의도적으로 많이 쓰는 방식이다. 교사는 새롭거나 놀라운 것, 이전에 알고 있는 것과 모순되는 정보, 이상하거나 불확실한 사건이나 정보를 제시하며 학생이나 교육생의 환기나 주의를 유발한다. 이 방법을 적절하게 사용하면 효과가 있지만 너무 남용하면 식상해지고 효과가 떨어진다. 예를 들어 오프라인 강의나 온라인 강의에서는 시청각 자료를 사용해 지각적 주의환기를 유도한다. 주로 애니메이션, 삽화, 도표, 그래프, 흰 공백, 다양한 글자, 소리, 반짝임, 역상문자 등을 사용해 주의를 끈다. 파워포인트 슬라이드쇼에서 애니메이션을 사용하는 기법 등도 일상에서 많이 활용된다. 자주 볼 수 없었던 이상한 내용, 특이하거나 자극적인 사건, 이전에 경험한 것과 전혀 다른 사실, 괴상한 일, 믿기 어려운 통계수치 등을 사용해 주의를 끌기도 한다.

2. 인식적 주의환기: 스스로 주의력을 높이는 법

공부하는 사람이 스스로 새로운 문제나 난해한 질문을 만들어 계속 정보를 탐색하고 깊이 공부하는 전략으로, 3차원 심층적 공부와 융합공부에 꼭 필요하다. 예를 들어 지금 공부하는 주제와 관련 있는 비유나 사례를 찾거나, 관련된 새로운 문제를 만들고 풀어보도록 한다. 또 부모나 교사가 학습자의 지적 호기심을 유발시키는 특이한 숙제나 프로젝트 주제를 내주고 학생이 스스로 선택하게 하여 주의를 집중하도록 도울 수 있다. 문제를 풀 때 어려움에 부딪치면 단서를 한 번에 다 주지 않고 일부만 줘서 실마리만 제공하면 학습자가 주의력을 유지하며 그 문제를 스스로 푼다.

사실 주의집중을 계속 유지하기는 힘들다. 따라서 공부할 때 20~30퍼센트 정도만 집중하고 나머지 에너지는 휴식에 쓰거나 정보를 공고화consolidation하는 데 쓰는 것이 좋다. 예를 들면 집중해서 공부하다가 약간의 시간이 지나면 공부한 것을 회상하고 반추해보거나 복습하는 것이 좋다. 또 주의집중 사이클에 맞게 10~15분 정도의 짧은 시간이라도 휴식을 갖는 것이 좋다. 이때 스트레칭이나 간단한 운동, 심호흡 등이 지친 주의력을 다시 일으키는 데 도움을 준다.

집중력을 높이는 법

뭔가에 집중하고, 배우고 있는 것에 몰입할 때 뇌 속에서는 집중하는 그 정보를 인출할 길이 만들어진다. 하지만 일에 완전히 집중하지 않으면 그 일을 방해하는 신경회로도 함께 자극된다. 따라서 중요한 정보의 신경회로가 강하게 연결되지 않아 정보 저장이 어렵고 인출도 되지 않는다. 집중하는 강도가 클수록 뉴런들이 주고받는 신호의 강도가 강해져 신경망이 더 강하게 연결되고 활성화도 잘 된다.

뇌 가소성 연구 권위자인 마이클 메르제니히Michael Merzenich 교수의 연구를 통해 신경회로의 원리를 알 수 있다. 그는 "집중할 때 새로운 신경회로가 만들어진다."면서 모든 자극이 뇌에 회로를 만들지만 "집중하지 않으면 뉴런은 절대 강하고 지속적인 연결을 만들지 못한다."고 주장했다. 뇌에 정보를 제대로 입력시키려면 먼저 집중해야 한다. 책에 집중하고 있을 때 누군가 자신을 부르는 소리를 듣지 못하는 경우가 많다. 뇌는 집중하고 있을 때 주변의 자극을 차단하고 현재 집중하고 있는 회로만 활성화하고 있기 때문이다. 이처럼 집중은 학습과 기억에 매우 중요하다. 하지만 우리 주변에는 집중을 방해하는 요인들이 많다. 집중을 방해하는 것과 해결방법을 하나하나씩 살펴보자.

① 공부할 목표가 없거나 불분명할 때(동기의 부재): 학습 목표가 없거나 불분명하다면 힘든 공부에 집중하기 어렵다. 자신이 왜 공부하는지를 늘 잊지 않으면 집중력을 유지할 수 있다.

② 여러 가지 목적이 혼재해 있을 때(동기의 문제): 하나의 목표만 있으면 달성하기 쉽다. 그런데 공무원 시험을 공부하다가 유학도 가고 싶고, 공인중개사도 되고 싶다면 어느 것 하나도 이루지 못할 수 있다. 우선순위를 정해 가장 중요한 것부터 하나씩 차례대로 진행해야 한다.

③ 계획성이 부족할 때(인지와 행동의 문제): 계획하지 않으면 많은 학습량에 치이고, 외부에서 간섭하는 일들에 좌우되어 결국 공부를 하지 못한다. 따라서 자신이 해야 할 일을 위한 시간을 따로 정해두고 집중할 때 효율적으로 공부할 수 있다.

④ 할 일을 계속 미루는 습관이 있을 때(행동의 문제): 계획한 일을 계속 미루게 되면 압박감과 부담이 더해진다. 일단 공부를 시작하면 그

부담이 좀 줄어든다. 따라서 먼저 쉬운 일부터 시작하라.

⑤ 공부환경이 좋지 않을 때(메타인지로 알아차려야 함): 소음, 실내 기온, 조명, 책상 정돈 상태, 집 안 환경 등의 쾌적함 유지가 매우 중요하다. 공부하기 전에 방 청소를 하면 기분이 상쾌해지면서 공부에 집중할 수 있다.

⑥ 공부 내용이 잘 이해되지 않을 때(인지의 문제): 내용이 이해되지 않을 때 집중하기 어려운 것은 당연하다. 자신의 수준에 맞춰서 낮은 단계부터 공부하는 것이 좋다. 단순히 암기할 것은 외워두는 1차원 피상적 공부도 필요하다.

⑦ 걱정, 고민이 많을 때(인지와 정서의 문제): 정서적 지원 없이는 뇌가 제대로 기능할 수 없다. 일단 마음의 고민 등을 먼저 해결하고 나서 공부해야 집중을 유지할 수 있다.

이 외에 집중력을 높이는 방법으로 다음의 내용들을 살펴보자.

① 공부하는 내용에 호기심이 클 때, 즉 내적동기가 강할 때 공부 효과가 높다. '공부하는 내용이 가치 있고 중요하다'고 생각해야 집중할 수 있다. 자신의 집중력 관리를 잘하는 사람이 항상 자기 내부에서 의욕이 솟아나게 하는 동기유발도 잘한다.

② 마감효과를 이용한다. 마감효과는 시험일, 제출기한 등 시일이 임박해졌을 때 집중력이 증대되는 현상을 말한다.

③ 건강한 심신 상태를 유지한다. 심신이 지쳤을 때나 안정되지 않을 때는 휴식을 취해 빠른 시간에 건강을 회복한다.

④ 공부해야 할 분량을 작은 단위로 나누고 각각을 작은 목표로 만든다. 계속 집중할 수 있는 시간이 그리 길지 않으므로 작게 만들고 그 하나만 집중하는 것이다.

⑤ 공부하는 장소를 따로 정해두고 그곳에서만 주로 공부한다.

⑥ 공상과 딴 생각을 위한 시간을 만들어둔다.

⑦ 반드시 지켜야 할 약속처럼 공부시간을 지킨다.

⑧ 공부를 하기에 앞서 쉽게 마무리할 수 없는 다른 일은 시작하지 않는다.

⑨ 공부할 때 연필, 노트, 메모지를 항상 준비해둔다.

⑩ 공부 시작 전에 지나친 불안과 긴장을 명상이나 음악을 들으며 미리 풀고 공부한다.

⑪ 흥미를 유발할 수 있는 자료를 보고 자극을 받는다.

⑫ 시청각, 촉각, 운동감각 등 모든 감각을 다 자극한다.

⑬ 학습 자료를 다양화한다. 한 권의 책만 보지 않고 여러 권의 책과 비디오 자료 등을 함께 볼 때 머리에 남는 것이 더 많다.

⑭ 목표는 성취 가능한 수준으로 정한다.

⑮ 경험한 것이나 선행 학습내용과 관련성을 갖도록 한다.

⑯ 단계적인 학습이 이루어질 수 있도록 공부과제를 체계적으로 조직화한다.

── 주의집중력 환기 훈련 ────────────────

다음은 집중력을 높이기 위한 훈련이다. 공부를 하기 전에 이런 문제를 먼저 풀어
보면 집중이 잘되고 공부에도 도움이 된다.

(1) 암호 풀기 전두엽을 활성화하는 주의집중 및 유추 활동

각 자음과 모음에 해당하는 기호표를 참조하여 제시된 암호 풀기

◆	❖	✗	■	⊠	⬦	✈	Ⅎ	Σ	Δ	∈	▼	★	×	>	<	R	?	W	%	$	@
ㄱ	ㄴ	ㄷ	ㄹ	ㅁ	ㅂ	ㅅ	ㅇ	ㅈ	ㅊ	ㅋ	ㅌ	ㅍ	ㅏ	ㅑ	ㅓ	ㅕ	ㅗ	ㅛ	ㅜ	ㅠ	ㅡ	ㅣ

문제_ ❖★❖$❖ ❖W◆W Ⅎ@❖◆★

풀이_ 나는 누구인가

**(2) 기호로 계산하기 전두엽과 왼쪽 두정엽을 활성화하는 주의집중 및 수리적 활동력을
높임**

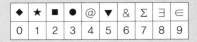

◆	★	■	●	@	▼	&	Σ	Ⅎ	∈
0	1	2	3	4	5	6	7	8	9

문제_ ■@Ⅎ + Ⅎ& − ●▼ = ?

@★ + ★Σ◆ × &∈ = ?

풀이_ 248 + 86 − 35 = 299

41 + 170 × 69 = 11,771

(3) 번갈아 이름 대기 전두엽을 활성화하는 분리 주의 및 단어의 유창성 활동

여름 하면 떠오르는 단어, 겨울 하면 떠오르는 단어들을 번갈아 50개씩 써보기

예_ 수영복 ⇨ 눈사람 ⇨ 바다 ⇨ 난로

어머니에게 연상되는 단어, 아버지에게 연상되는 단어도 역시 50개씩 써보기

예_ 밥 ⇨ 담배 ⇨ 따뜻함 ⇨ 술

(4) 기억훈련

기억이란 경험하고 학습한 것을 뇌에 저장했다가 나중에 재생, 인출, 재구성해내는 정신의 기능이다. 기억에는 정보를 저장하는 기능, 저장된 내용이 망각되지 않도록 유지하는 기능, 유지하고 있는 기능을 회상해 인출해내는 것이 있다. 이 훈련은 작업기억 강화에 도움이 되므로 유동지능을 증가시켜줄 수 있다.

㉠ 작업기억 훈련: 전두엽을 활성화하는 작업기억 활동
- 100에서 14씩 순차적으로 빼기: 100, 86, 72 … 이런 식으로 머릿속으로 빼본다. 1,000에서부터 시작해보자.
- 전화번호를 거꾸로 말하기: 자기 휴대전화 번호를 거꾸로 말해본다. 처음엔 잘되지 않을 것이다.
- 긴 단어를 거꾸로 말하기: "나는 학생이다."를 거꾸로 말해보자. 더 긴 문장을 생각하고 거꾸로 말해본다.

㉡ 단어 외우기: 측두엽을 활성화하는 언어적 기억 활동
- 시간 제한을 두고 단어를 외우는 연습: 단어를 10개 쓰고 3분 안에 외운다. 반복하며 시간을 줄이거나 늘리고 단어의 개수도 늘려갈 수 있다.

㉢ 묶어서 외우기: 왼쪽 측두엽을 활성화하는 언어적 기억 활동
- 많은 단어를 암기해야 할 때 단어들을 그룹으로 묶어서 외워본다. 다음 단어들을 외울 때 비슷한 개념이 있는 그룹으로 만들면 외우기 쉬워진다.

선생님, 귀걸이, 눈사람, 목걸이, 난로, 분필, 연필, 겨울, 머리핀, 크리스마스, 스커트, 도시락, 썰매, 루돌프, 스키, 군고구마, 청소당번, 팔찌, 칠판, 학교, 운동장, 트리

- 위의 예에서 공통점이 있는 것끼리 2개 그룹으로 나눈다

1. 선생님, 귀걸이, 목걸이, 분필, 연필, 머리핀, 스커트, 도시락, 청소당번, 팔찌, 칠판, 학교, 운동장
2. 겨울, 눈사람, 크리스마스, 난로, 썰매, 루돌프, 스키, 군고구마, 트리

풀이_ [학교 선생님이 오늘 스커트를 입고 귀걸이, 목걸이, 팔찌에 머리핀을 하고 오셨다. 양손에 분필과 연필을 들고 청소당번에게 칠판을 지우라고 하시고는 혼자 운동장에 나가셔서 도시락을 드셨다.] 라는 식으로 연상되는 문장을 만들면 더 쉽게 외워진다.

2번은 직접해보자.

풀이_

4

정서의 힘

공부는 정서와 함께 기억된다

동기는 공부를 시작하게 해주고, 인지는 제대로 공부하게 해주며, 정서는 공부가 잘되고 계속되도록 해준다. 마음이 불안하면 절대로 공부에 집중할 수 없다. 일단 정서가 안정되어야 공부할 수 있고, 공부가 재미있고 자신감이 생겨야 계속할 수 있다.

UC샌디에이고의 신경생물학자 래리 스콰이어 Larry Squire는 "정서는 공부에 매우 중요하다. 정서에는 그들만의 기억력 경로가 있다."고 했다. 정서가 기억되면서 함께 암기한 내용도 같이 회상된다는 것이다. 어린 시절에 특별히 즐거웠던 일은 오랫동안 기억되며, 충격적이었거나 커다란 슬픔을 준 사건은 잊으려 해도 잊혀지지 않는 경우, 정서와 함께 기억되었기 때문이다. 단순한 강의나 재미없는 암기보다 친구의 죽음, 현장 답사,

과학실험 등 정서가 개입된 공부 내용이 훨씬 오래 기억되는 것도 이와 관련 있다.

웃음과 즐거움이 공부에 도움 된다는 연구결과를 보자. 노스웨스턴대학교 마크 비먼Mark Beeman과 그의 동료들은 학생들에게 로빈 윌리엄스Robin Williams의 코미디 몇 편을 보여준 뒤 낱말퍼즐을 풀게 했다. 이 실험에서 코미디를 본 학생들은 불안감을 유발시키는 영상을 본 학생들보다 훨씬 문제를 잘 풀었다.

또 하버드대학교 심리학과 엘렌 랭어Ellen Langer 교수는 여러 번의 실험을 통해 "더 즐길수록 더 많이 배울 수 있고", "웃음을 통해 긍정적이고 즐거운 기분이 들면 갑자기 통찰이 생기면서 복잡한 문제를 풀 가능성이 높아진다."고 했다. 그는 두 그룹의 피험자에게 똑같은 과제를 주면서 한 그룹에게는 그 과제가 일이라고 말했고, 다른 그룹에게는 그 과제가 게임이라고 했다. 일이라고 들은 그룹은 집중하지 못하고 지루하게 여겼지만, 게임이라고 들은 그룹은 같은 활동을 재미있게 진행했다.

이처럼 즐거운 마음이 생기면 같은 활동도 오래 할 수 있다. 따라서 어린아이처럼 즐기며 호기심을 가지고 하는 융합공부가 억지로 하는 피상적 공부보다 더 효과적이고 효율적인 것이다. "우리는 세상을 즐기도록 만들어져 있다."라고 한 밴더빌트의과대학의 신경과학자 지넷 노든Jeanette Norden의 말처럼 인간은 즐기도록 만들어졌으며, 본성대로 웃고 즐기고 기뻐할 때 무엇이든 가장 잘 할 수 있다.

공자도 공부에 정서가 중요하다는 것을 가르쳤다. 《논어》, 옹야雍也에서 "지지자불여호지자 호지자불여락지자知之者不如好之者, 好之者不如樂之者, 아는 것은 좋아하는 것만 못하고 좋아하는 것은 즐거워하는 것만 못하다."라고 했다. 하고 싶은 공부를 즐겁게 하면서 공부를 통해 새로운 즐거움을 얻을 수 있다면 우리는 꽤 오랫동안 하나의 주제를 연구하며 문제를 풀고 성취할 수 있을 것이다. 융합과 창조는 긍정정서의 지지를 받아 하나의 주제에 대해 오래도록 능동적으로 생각하는 3차원 심층적 공부를 할 때 이루어진다.

자신감과 유능감의 연결고리

학습한 내용을 정서와 묶으면 '장기기억의 활성화', '무의식과 본능적 판단으로 빠른 의사결정', '고차원적인 의사결정' 등에 도움을 줄 수 있다. 하지만 이보다 더 중요한 것은 정서가 자신감이나 유능감과 연동해 즐거움을 만들어준다는 사실이다. 공부에 있어서 자신감과 유능감은 단순한 즐거움 이상의 역할을 한다. 자신감과 유능감은 공부를 지속할 수 있도록 돕는다. 그렇게 계속 공부하다 보면 언젠가 성과가 나타나게 된다. 특히 3차원 심층적 공부는 하나의 주제에 대해 끝까지 물고 늘어져야 하는데 자신감과 유능감이 없으면 중도에 포기할 수 있다. 자신감과 유능감은 결국 자신이 이루고자 하는 바를 이루게 한다.

피그말리온 효과Pygmalion effect가 공부와 연관되어 나타난다는 사실을 보여준 심리학 연구들이 있다. 하버드대학교 심리학과 로버트 로젠탈Robert Rosenthal 교수가 그의 동료 레노어 야콥슨Lenore Jacobson과 함께 시행한 오크-홀 실험이다. 로젠탈 효과라고도 부른다. 이들은 샌프란시스코의 한 초등학교에서 전교생을 대상으로 지능검사를 한 후 검사결과와 무관하게 무작위로 한 학급에서 20퍼센트 정도의 학생을 선발했다. 그리고 담임교사에게 명단을 주면서 '지능과 학업성취 향상 가능성이 높은 학생들'이라고 말했다. 8개월 후 이전과 같은 지능검사를 다시 실시한 결과 그 명단에 속했던 20퍼센트 학생들의 평균점수가 다른 학생들보다 높게 나왔다. 연구팀은 명단에 오른 학생들에 대한 교사의 기대와 격려가 중요한 요인이라고 발표했다. 피그말리온 효과처럼 권위자의 칭찬이나 예언이 동일한 결과를 만들어낸 것이다.

MIT의 데이비드 벌루David E. Berlew와 더글러스 홀Douglas T. Hall도 비슷한 실험을 진행했다. 그들은 지능지수가 비슷한 두 학급에 담임교사를 새로 배치하면서, 교사들 모르게 한 학급은 지능지수를 높이고 다른 한 학급은 낮추는 조작을 했다. 조작된 자료에 의해 교사가 학생들에 대한 편견을 갖도록 유도하고 학생들을 지도하게 한 후 시험 결과를 확인했다. 그러자 지능을 높게 조작한 학급의 점수가 훨씬 높게 나타났다. 권위자가 칭찬할 때 학생들은 할 수 있다는 자신감과 유능감이 생기며 점점 그런 사람으로 변해갈 수 있다. 스스로 믿지 못하면 곧 그만두고 말 것이다.

마음이 믿으면 실제로 그 일이 일어난다는 플라세보 효과나 노시보 효과처럼, 공부에 대한 자신감은 결국 하고자 하는 바를 해낼 수 있게 해준다. 특히 3차원 심층적 공부를 통해 융합과 창조를 만들려면 자신감과 유능감이 매우 중요하다. 할 수 있다고, 답이 있다고, 스스로 믿고 끝까지 밀고 나갈 때 새로운 것을 만들 수 있다. 원래 자신감은 인지에서 만들어지지만 자신감이 유능감으로 바뀌면 긍정정서가 나타나므로 정서와 깊은 연관이 있다. 깊은 공부를 하면 기쁘고 즐겁다가 어느 순간 공부하는 자신이 행복하다고 느낄 것이다. 그런 정서하에서 점점 더 잘하고 더 좋아하게 된다.

자신감도
훈련할 수 있다

자신감과 유능감은 공부에 매우 중요하다. 할 수 있고, 남보다 더 잘할 수 있다는 믿음이 그 공부를 포기하지 않게 만들기 때문이다. 공부든 일이든 일단 자신감이 있어야 잘해낼 수 있다. 자존심pride이 아니라 자신감self confidence이다. 자존심은 남과의 비교를 통해 나오기 때문에 자기보다 뛰어난 사람을 만나면 언제든 무너져 열등감으로 바뀔 수 있다. 자신감은 어떤 상황에서도 할 수 있다고 자신을 믿는 마음이다. 공부든 일이든 성과를 만들려면 자신감이 중요하다. 더불어 자존감self esteem은 갖되 자존심은 버리고, 자신감을 갖되 자만심Conceit은 가지지 말아야 한다.

칼 비테가 저능아로 불렸던 아들에게 어떻게 자신감 훈련을 시켰는지 살펴보자. 1808년 당시 8세였던 칼 비테 주니어의 영특함이 소문나자 메르제부르크 공립 중학교 교장은 칼 비테의 교육법에 관심을 보였다. 칼 비테 주니어가 학교에 와서 실력을 보여주면 학생들이 자극받을 것이라 생각해 칼 비테를 설득했다. 처음에 아버지는 아들이 자만하게 될까 봐 거절했다. 하지만 교장은 계속 아버지를 설득했고, 결국 '절대로 칭찬해서는 안 된다'는 조건을 내세워 아들을 데리고 학교로 갔다. 아들에게는 '너의 실력을 한번 보여주자'는 식의 말을 전혀 하지 않았다. 대신 '다른 학생들이 어떻게 공부하는지 보러 가자'고 가볍게 말했다.

교장은 칼 비테 주니어를 자신의 수업에 데리고 들어갔다. 마침 플루타

르크에 관해 그리스어로 수업하는 시간이었다. 교장이 어려운 문제를 냈고 아무도 답을 하지 못하자, 교장은 칼에게 슬쩍 질문을 던졌다. 칼은 큰 고민 없이 논리정연하게 답을 내놓아 학생들을 놀라게 했다. 이후 교장은 칼에게 이탈리아어를 읽어보게 하고 프랑스어로 질의응답을 시켰고, 칼은 정확한 발음으로 유창하게 말하고 답했다. 그리스 역사와 지리에 관한 질문, 수학 문제도 거침없이 풀었다. 이날의 사건은 〈함부르트 통신〉에서 '지역 역사상 가장 놀라운 사건'이라는 제목으로 소개되었다.

칼 비테는 아들이 교만해지는 것을 경계하며 아들에 대한 이야기나 교육법에 대해 말하지 않았지만 소문은 금세 퍼져나갔다. 유명한 학자와 교육전문가들이 칼을 찾아오면서 하룻밤 사이에 유명인사가 되었다. 라이프치히대학교 교수와 시당국 직원은 칼에게 라이프치히대학교 입학을 권유했고, 토머스 중학교 교장 러스터 박사는 칼을 테스트할 수 있게 해달라고 요청해왔다. 하지만 칼 비테는 자신은 아들이 똑똑해지기를 위해서 교육을 시킨 것이지, 테스트를 받게 하려는 목적이 아니라고 말했다. 하지만 러스터 박사와 대화를 나눈 후 칼의 미래를 위해 테스트를 허락했다. 테스트를 마친 러스터 박사는 칼의 추천서를 써주었고, 라이프치히대학교는 칼이 편히 교육받을 수 있게 지원해줬다. 게다가 정부에서는 아버지도 칼의 곁에서 교육할 수 있도록 아버지를 새로운 교구로 배치하고 월급도 두 배나 올려 지급했다고 한다.

칼 비테의 교육방식에서 가장 중요한 것은 무엇보다 '자신감 증진'이었다. 칼 비테가 아들에게 가장 많이 해준 말은 "너는 정말 똑똑한 아이야." 라는 칭찬의 말이었다고 한다. 한때 저능아로 불린 적이 있어 공부에 자신감을 잃을 것을 우려해 아들이 좌절할 때마다 칭찬을 했고, 아들은 그런 아버지의 말에 힘을 얻고 좌절에서 벗어났던 것이다.

열등감의 뿌리는 죽을 때까지 잘리지 않을 수 있다. 한번 자리 잡은 열등감은 무성한 나무가 되어 우리를 짓누르기도 한다. 명문대 학생이, 대기업 CEO가, 뛰어난 대학교수가 능력이 부족하다고 우울증에 걸리고 자살까지 하는 현상의 이면에는 이러한 열등감이 뿌리 깊게 자리 잡은 경우가 많다. 아버지 칼 비테는 한때 저능아로 불렸던 아들에게 칭찬을 반복하면서 열등감이 자리 잡지 않도록 했다. 메르제부르크 공립 중학교에 테스트를 받으러 갈 때도 미리 테스트라고 말하지 않았다. 8세에 불과한 아이가 주눅이 들어 자칫 실수하면 열등감이 생길 수 있기 때문이다. 그저 학교를 구경하러 가자고 가볍게 말해 긴장을 주지 않았다. 대단한 것을 만들려고 시도하면 긴장감이 생기고, 혹시라도 실패하면 열등감이 커진다. 그래서 오히려 기대하지 않는 것이 일을 잘할 수 있게 도와주기도 한다.

아버지 칼 비테는 자신의 책에서 의도적으로 아들에게 자신감을 준 일화도 소개하고 있다.

"칼은 글을 쓸 때 매우 자신 없어 했다. 글을 초조하게 건넬 때 칼의 눈빛은 마치 심판을 기다리는 것마냥 불안해 보였다. 칼의 글은 주제가 명확하지 않고 문맥도 자연스럽지 않았다. 난 잠시 어떻게 말해야 할지 고민했다. 그러지 않아도 자신감 없는 칼에게 '글이 형편없구나'라고 말하면 문제만 더 복잡해질 것이 뻔했다. 그래서 '훌륭하구나. 아빠가 처음 글을 썼을 때보다 훨씬 더 잘 썼어'라고 했다. 예상치 못한 칭찬에 칼은 얼굴이 밝아졌고 며칠 뒤에 가져온 글은 처음보다 많이 나아져 있었다. 적절한 칭찬은 아이의 자신감을 키우는 효과적인 방법이다."

공부나 일을 할 때 자신감을 만들어내는 것이 좋다. 자존심이 아니라 자신감이라는 것에 주의해야 한다. 자신감은 스스로 노력해서 이룬 성과에 기반한 자신에 대한 믿음이다. 근거가 분명한 자신감은 우리를 계속 노력하게 만들지만, 근거 없는 자신감은 허세에 불과하다. 그리고 자신감이 자만심으로 바뀌는 것을 늘 주의해야 한다.

통제할 수 있어야 자신감이 생긴다

자신감은 환경, 사람, 사건 등 자기 앞에 일어나는 일을 통제할 수 있을 때 생긴다. 선택이론을 창안한 미국의 정신과 의사 윌리엄 글래서William Glasser는 "통제력이 자신감을 증가시켜주는데, 실제로 통제할 수 있든 착각이든 상관없다."고 했다. 이것과 관련된 소음 통제 실험이 있다. 두 피험자 그룹을 각각 다른 방에 들어가게 한 다음 천둥소리에 버금가는 100데시벨의 소음을 들려준다. A그룹은 이 소음에 대한 통제력이 전혀 없고, 본인들도 통제하지 못한다고 느낀다. 반면 B그룹은 가짜 플라세보 통제 끈placebo control knob을 주어 자신이 소음을 통제할 수 있다는 기분을 느끼게 한다. 하지만 실제로는 B그룹도 통제하지 못한다. 가짜 정보에 속고 있는 것이다.

실험을 마친 후, 소음을 통제하지 못했다고 느낀 A그룹은 우울증, 불안, 무기력, 스트레스, 긴장감이 상승했다. 반면, 통제력이 있다고 착각한 B그룹은 소음에 약간의 불편함만을 호소했고 다른 증상은 없었다. B그룹도 실제로 통제한 것이 아니라 착각에 불과했지만 그 착각이 우울이나 무기력에 빠지지 않게 해준 것이다.

통제불가능이라는 요소는 무기력을 일으키는 인자로 우울, 불안, 두려움을 동반하며 심한 경우 우울증이나 강박증, 공황장애 같은 정신질환으로까지 발달할 수 있다. 공부할 때도 마찬가지로 문제를 통제하지 못하면 자신감이 떨어지고 자괴감과 함께 우울이나 무기력을 느낄 수 있다. 그래서 문제를 통제 가능하게 만들어야 하는데, 이 능력을 계산력이라고 한다. 글래서의 연구대로 통제력이 자신감을 준다면 공부에서 문제를 통제할 수 있다는 생각은 자신감을 주는 선순환을 만들어낸다. 특히 2차원 전략적 공부의 경우에는 자기주도하에 스스로 스케줄을 세우고 과목과 시간을 통제해 일정대로 공부해나가면서 통제력과 자신감을 가질 수 있다.

자기효능감 높이는 법

자기효능감self-efficacy이란 '어떤 상황에서 적절한 행동을 할 수 있다는 기대와 신념'이다. 자신감과 비슷하다. 즉, 자기 능력을 확신하고 주어진 상황을 극복하며 과제를 성공적으로 수행할 수 있다는 자신감을 말한다. 자기효능감은 스탠퍼드대학교 심리학부 앨버트 반두라Albert Bandura 명예교수가 제시해 발전시킨 개념이다. 그는 "실제 그 일을 수행할 수 있는 능력보다도, 능력이 있는가 없는가에 대한 개인의 신념이 그 일을 실제 실행해내는 데 더 중요한 영향을 미친다."라고 했다. 실력보다 스스로에 대한 믿음이 더 큰 역할을 한다는 것이다. 따라서 자기효능감이 높은 학생은 어떤 상황에서든지 성공적으로 공부를 마칠 수 있고, 학습할 때 어려움에 직면하더라도 쉽게 포기하지 않는다. 다음에 나오는 네 가지 전략을 사용해 자기효능감을 높일 수 있다.

전략 1. 작은 성공 경험을 만든다

한 번이라도 성공한 경험이 있는 사람은 실패만 경험한 사람보다 높은 자기효능감을 가지고 있다. 따라서 작은 일을 성공하면 자기효능감이 자극되어 미래에 다른 큰일을 할 수 있게 된다. 성공한 경험이 쌓일수록 자기효능감은 더욱 높아진다. 그러므로 매일 성공을 경험하는 게 중요하다. 예를 들어 '하루에 물 2리터 마시기'라는 목표를 정하고 성공하면 그것이 자신감을 주어 다음날 영어 단어를 외우는 데 집중할 수 있다.

전략 2. 다른 사람의 성공 경험에서 배운다

다른 사람이 성공을 거두는 것을 보면 나도 할 수 있겠다는 자기효능감이 증가한다. 따라서 좋은 친구들을 많이 두는 것이 좋다. 그들의 성공이 우리를 자극하여 노력하게 하기 때문이다. 또한 그들의 성공 전략을 구체적으로 알 수 있다면 더욱 좋다.

전략 3. 타인이 준 신념도 자기효능감을 높여준다

부모나 교사, 멘토가 아이에게 잘할 수 있다는 신념을 주면 아이의 자기효능감은 커진다. 부모나 교사가 학생에게 갖는 성공에 대한 기대와 확신이 클수록 학생이 실제로 그 일을 해낼 가능성이 높아진다. 누군가가 자신에게 그런 신념을 주지 않는다면 스스로 신념을 가지는 것이 좋다. 기도 내용이 이루어지는 것은 신에게 기도하는 과정에서 스스로에게 힘을 주어 해낼 수 있다는 자기효능감이 높아질 수 있기 때문이다. 늘 자신

을 설득하고 할 수 있다고 믿는 마음이 중요하다.

전략 4. 실패의 두려움이 생기면 즉시 인지방식을 바꾼다

"할 수 없다."는 마음이 생길 때는 그 인지방식을 적극적으로 바꾼다. "나는 할 수 있다."라는 인지전환이 누적되면 자신감을 가질 수 있다.

TIP

—— **자기효능감 지수 체크리스트** ——————————

다음은 자기효능감을 진단하는 체크리스트다. 자신에게 해당되는 것을 체크한 후 6개 이상이면 자기효능감과 자신감을 높이는 노력을 해야 한다.

① '나는 할 수 없어' 또는 '이것은 너무 어려워' 라는 말을 자주 한다. [　]

② 성공의 원인을 외적 요인, 즉 타인의 도움이나 행운으로 돌린다. [　]

③ 조금만 노력하면 완성할 수 있는 쉬운 과제를 좋아한다. [　]

④ 쉽게 좌절하고 주의가 산만하다. [　]

⑤ 시도해보지도 않고 도움을 요청하곤 하지만, 정작 도움이 필요할 때는 도움을 청하지 않는다. [　]

⑥ 누군가의 질문에 자발적으로 대답하지 않는다. [　]

⑦ 과제를 완성하지 못한 것에 대한 변명을 늘어놓는다. [　]

⑧ 과제수행을 지연시키고는 충분한 시간이 없었다고 한다. [　]

⑨ 지나치게 집착하고 몇 번씩 반복적으로 복습한다. [　]

⑩ 과제수행에 대해서 걱정이 많고 소심하다. [　]

유능감 높이는 법

공부에서 중요한 것은 자신감이다. 그리고 자신감이 유능감을 만든다. 자신감이 떨어질 때 생각의 전환을 통해 유능감을 회복시키는 것이 중요하다.

평소 긍정적인 감정과 유능감이 나타나도록 생각을 전환시키는 훈련을 하면 좋다. 아래와 같은 방법으로 자기 생각을 늘 통제하고 있어야 한다.

유능감을 이끌어내기 위한 대표적인 생각 전환의 사례를 살펴보자.

① 꼭 최고가 아니어도 공부는 계속하는 것이 중요하다.
② 완전하게는 못 하더라도 다른 사람이 하는 것만큼 해내면 된다.
③ 나의 능력이 부족해서가 아니라 노력이 부족했기 때문이므로 다음에 더 노력하면 된다.
④ 공부가 뜻대로 되지 않는 것은 좋은 일은 아니다. 그러나 그것 때문에 모든 것이 끝장난 것은 아니다.

누구나 실수는 할 수 있다. 하지만 그 실수나 실패가 자신을 좌절시키지 않도록, 잘못된 생각으로 흐르지 않게 단단히 마음을 잡고 있어야 한다. 열등감으로 흐르지 않고 자신감과 유능감, 긍정정서가 뒷받침될 때 무슨 일이든 즐기면서 끝까지 해낼 수 있다.

〈표〉 유능감 향상을 위한 생각의 전환

자신감을 저하시키는 생각		긍정정서(유능감)를 만드는 생각의 전환
친구와 함께 열심히 공부했는데 나만 시험을 못 봐서 속상하다.	···▶	친구와 비교해 나만 시험을 못 본 것을 우울해 하지 말자. 열심히 공부한 것 자체가 나의 뇌를 변화시켰을 것이고 성적에도 도움이 되었을 것이다.
수업시간에 집에서 조사해온 것을 발표할 예정인데, 다른 사람들보다 잘할 수 있을지 걱정이다.	···▶	다른 사람들보다 잘해야 한다는 생각은 하지 말자. 내가 가진 실력을 보여주면 된다. 이번에 발표 실력이 꼴찌라고 해도 이번 일을 통해 나는 자료조사라는 공부의 첫 단계의 단추를 끼운 것이라 생각하자.
회의 시간에 내 생각을 말하려고 하는데 자꾸만 숨이 가빠지고 긴장되어 말문이 열리지 않는다.	···▶	내 능력보다 잘하려고 해서 그렇다. 잘하려는 생각은 자신감이 아니라 열등감에서 유래한 것이다. 내가 할 수 있는 만큼만 하자.
엄마 생신에 음식을 만들다가 실수로 그릇을 깼다. 혼날까 두렵다.	···▶	나의 선의를 말씀드리면 엄마가 혼내지 않으실 것이다.
시험이 있는 날인데 지각을 해서 선생님께 혼나고 공부할 책도 집에 두고 왔다. 오늘은 어쩐지 예감이 좋지 않다.	···▶	이번 일을 계기로 더 정신차리고 시험과 공부에 집중하자. 예감 같은 것은 없다. 내가 주인이니까 내가 끌고 간다.

정서지능을 활용한 공부

혹시 화가 날 때 오히려 공부가 잘되던 경험이 있지 않은가? 정서를 역이용해도 공부효과를 높일 수 있다. 분노와 슬픔을 공부의 에너지로 삼을 수 있는 사람은 정서지능이 높다. 예일대학교 피터 샐로비^{Peter Salovey}와 존 메이어^{John Mayer}는 정서지능의 개념을 처음으로 공식화했다. 그들은 "정서지능이란 자신과 타인의 정서를 이해하고 감정들을 구별할 줄 알며, 사고와 행동을 이끌기 위해 정서 정보를 활용할 줄 아는 능력이다."라고 했다. 정서지능은 자신과 타인의 정서를 평가하고 표현할 줄 아는 능력, 자신과 타인의 정서를 효과적으로 조절할 줄 아는 능력, 그리고 자신의 삶을 계획하고 성취하기 위해 정서를 활용할 줄 아는 능력을 말한다. 공부나 일을 할 때 목표를 달성하기 위해 정서를 사용하고 조절하는 것도 정서지능이다. 샐로비는 글을 쓸 때 정서지능을 이용했다고 한다. 그는 글을 써야 할 때면 지하실에 들어가 침울한 음악을 틀어 감정을 차분하게 가라앉히고 글을 쓴다고 했다. 너무 들뜬 감정 상태에서 공부가 잘 안되는 것을 떠올려보라. 슬픔에 빠져 있어도 공부가 안될 것이다. 정서지능이 높은 사람은 꼭 공부해야 할 이유 때문에 느껴지는 분노 같은 감정을 연료로 삼아 공부에 더 매진하는 것이 가능한 사람들이다.

청색 LED를 개발해 상용화한 공로로 2014년 노벨 물리학상을 수상한 나카무라 슈지中村修二 교수는 자신이 분노의 힘 덕분에 노벨상을 받았다고 말했다. 일본 사회의 학벌에 대한 불공정성, 기업의 부당함 등에 맞서 멈추지 않고 연구한 결과 노벨상을 받게 되었다는 그의 말에서 정서지능의 사용전략을 하나 배울 수 있다. 정서지능은 다음과 같이 사용될 수 있다.

① 융통성 있는 계획 세우기: 기분 전환을 통해 공부를 적절히 할 수 있는 새로운 방안을 세운다.
② 창조적인 사고: 정서는 기억 속에 있는 정보를 조직하고 활용하는 데 영향을 줌으로써 문제해결을 돕는 역할을 한다.
③ 주의집중의 전환: 공부에 부정적인 감정이 생겼을 때는 새로운 관점을 생각하며 지금의 감정을 벗고 집중한다.
④ 동기 강화: 정서는 과제를 지속할 수 있도록 동기를 제공한다. 또한

자기 속의 자신감을 증진하여 일이나 공부를 지속할 수 있는 힘을 만들어낸다.

또 정서지능을 활용하기 위해 평소에 자기 정서를 모니터링하고 감정의 이름을 붙여보는 것이 좋다. 그 작업을 통해 정서를 이해하고 그 정서를 공부의 연료로 쓸 수 있다. 먼저 일터나 학교에서 집으로 돌아갈 때 하루 동안 자신도 모르게 발생한 감정을 평가해본다. 그중 긍정적인 것과 부정적인 것이 생긴 이유를 분석해본다. 그리고 하루의 시간대별 기분을 생각해본다. 예를 들어 아침의 기분, 집으로 갈 때의 기분, 잠자리에 들 때의 기분, 새벽에 잠에서 깨었을 때의 기분 등을 체크하는 것이다. 다음으로 공부 중 기분 변화가 어떤 식으로 일어나는지를 체크하는 것이다. 마지막으로 자기 기분 변화를 예민하게 파악하고, 자기 감정을 정확히 알며, 자신의 기분을 타인에게 설명하는 연습을 한다.

5

의지의 힘

어린 시절 사고로 청각장애자가 된 에디슨에게 누군가 이렇게 물었다. "선생님은 청각장애로 귀가 잘 들리지 않았는데 연구가 힘들지 않습니까?" 에디슨은 대답했다. "나는 귀머거리가 된 것을 감사하게 생각합니다. 다른 소리에는 신경 안 쓰고 오직 연구에만 몰두할 수 있었으니까요."

구세군을 창설한 윌리엄 부스William Booth도 비슷한 처지를 겪었다. 그는 83세에 안질환으로 실명선고를 받았다. 그러자 그의 아들 윌리엄 브람웰 부스William Bramwell Booth가 슬퍼하며 아버지에게 말했다. "아버지가 앞을 보지 못한다는 사실이 두렵습니다." 그러자 부스는 아들의 손을 잡고 말했다. "내가 두 눈을 가진 상태에서 이웃을 위해 봉사할 수 있는 일은 끝났다. 이제부터는 두 눈 없이 사람들을 위해 봉사할 수 있는 일을 찾으려 한다." 이후 브람웰은 아버지가 창시한 구세군의 핵심조직가로 활동하며 아버지가 구상한 사회봉사를 실천했다.

에디슨이나 윌리엄 부스처럼 자신에게 주어진 자원을 완전히 사용하고 어떤 상황에서도 자기가 할 일을 하고 마는 사람들은 그것을 끝까지 해낸다. 어떤 상황이 닥쳐도 자신을 믿고 계속할 수 있는 힘이 곧 의지다. 의지는 좌절을 딛고 계속 노력하며 인내하게 만드는 힘이다. 공부에서 의지는 노력을 지속하게 한다.

프리실라 브링코 Priscilla Blinco는 일본과 미국의 초등학교 1학년 어린이들에게 어려운 퍼즐 문제를 내주었다. 그녀는 아이들이 문제를 푸는 시간에 주목했는데, 측정 결과 미국 어린이들은 평균 9.47분, 일본 어린이들은 13.93분간 문제를 풀었다. 일본 아이들이 미국 아이들보다 40퍼센트 정도 더 오랫동안 문제를 풀려고 노력했던 것이다. 앞서 동양인은 공부해야 할 동기가 분명하기 때문에 더 열심히 공부한다는 것을 살펴봤다. 이 실험에서도 서양인보다 동양인이 어떤 일을 지속할 수 있는 능력, 즉 어떤 일을 끈기 있게 열심히 하는 정도가 높다는 것을 보여준다. 당연히 이러한 성향은 학업성취로 이어진다.

미국 버클리대학교 수학과 앨런 쉰펠트 Alan Shoenfeld 교수는 "성공은 보통 사람이 30초 만에 포기하는 것을 22분간 붙잡고 늘어질 수 있는 끈기와 지구력 그리고 의지의 산물이다."라고 했다. 어떤 목표를 이루는 데 중요한 것은 타고난 재능이나 능력보다도 그 일에 접근하는 태도, 즉 노력하는 자세라는 것이다. 의지가 곧 인내를 만들어낸다. 의지는 공부를 지속하고 결과를 이끌어내는 가장 강력한 힘을 만들어내는 곳이다.

"학문을 하는 것은 산을 만드는 것과 같다. 마지막 흙 한 삼태기를 붓지 않아 산을 못 이루더라도 그 중지하는 것은 내가 중지하는 것이며, 평지에 흙 한 삼태기를 붓더라도 그 나아감은 내가 나아가는 것이다."라는《논어》의 말씀처럼 모든 것을 마음이 끌고 가야 한다. 새로운 창조를 만드는 융합공부는 멈추지 않고 끝까지 해야 이루어진다. 내가 하지 않으면 아무 일도 일어나지 않는다는 의지를 갖고 멈추지 말아야 한다. 내가 일어나 나아가면 딱 그만큼 나아가는 것이 일이고 공부다. 공부할 때도 버티면서 앞으로 나가야 한다.

반복과 의지의 시너지 효과

자신이 바라는 것을 성취하기 위해서는 행동의 지속, 즉 반복과 숙달이 가장 중요하다. 그러나 단순한 반복보다 마음가짐, 의지가 더 중요하다는 연구가 있다. 한 연구에서 음악학교에 다니는 학생들을 교사들의 평가점수에 근거해 두 그룹으로 나누었다. 교사들은 학생들의 재능을 평가해서 분류했다. 학생들의 의욕, 활동, 성취도에 영향을 주지 않기 위해 점수로 분류한 사실은 비밀에 부쳤다. 몇 년 지난 후 가장 높은 성취도를 보인 학생들은 교사들이 내린 '재능'에 대한 평가와 전혀 무관했다. 가장 높은 성취도를 보인 학생들은 가장 연습을 많이 한 학생들로 드러났다. 즉, 성취는 재능보다 연습하는 노력에 의존한다는 것을 알 수 있다.

연습이 재능보다 우위라는 것은 받아들일 수밖에 없다. 그래서 연습하고 또 연습하라고 말한다. 1만 시간의 법칙을 창시한 신경과학자 대니얼 J. 레비틴Daniel Levitin은 "연습이야말로 성취의 요인이며 막연하게 관련 있는 게 아니다."라고 단정적으로 말하고 있다.

그런데 같은 연습을 해도 마음을 어떻게 가지는지에 따라 성취도가 다를 수 있다는 것을 알아야 한다. 음악 심리학자인 게리 맥퍼슨^{Gary McPherson}은 레슨을 시작하기 전에 아이들에게 다음과 같이 질문했다. "여러분은 새 악기를 얼마나 오래 연주할 것이라 생각합니까?" 이 질문에 대해 아이들이 '올해만', '초등학교까지', '고등학교까지', '평생'의 네 가지 중 선택해서 답변하도록 유도했다.

맥퍼슨은 짧은 기간, 중간 기간, 긴 기간을 답변한 그룹으로 아이들을 분류하고 그 사실을 알리지 않았다. 그러고 나서 각각 아이들의 주당 연습 시간을 측정했고, 시간에 따라 다시 연습량이 적은 그룹(주당 20분), 중간 그룹(주당 45분), 많은 그룹(주당 90분)의 세 그룹으로 나누었다. 이후 아이들의 연주 능력을 도표로 그리자 세 그룹 간에 확연한 차이가 나타났다. 새 악기로 장기간 연주할 거라고 말한 아이들은 연습량이 적은데도 불구하고, 짧은 기간 연주할 거라고 대답하고 연습을 훨씬 많이 한 아이들보다 기량이 더 좋았다. 즉, '나이 들 때까지 오래오래 연주하겠다'고 생각한 아이들은 연습을 적게 했지만 훨씬 더 연주를 잘했다는 것이다. 평생 연주하겠다고 마음먹은 사람은 연습 시간이 짧아도 높은 집중력을 유지하며 연습했다는 것을 유추할 수 있다.

물론 맥퍼슨은 "연습을 많이 한 아이들이 부모의 강요에 의해 마지못해 연습했을지 모른다."라면서 다소 보수적인 관점도 피력했다. 아무리 연습을 많이 해도 강요에 의한 것이면 기량은 별로 향상되지 않는다. 그럼에도 불구하고 연습량이 적었던 아이들의 기량이 더 높았다는 것은 충격적이라 할 만하다. 이것은 집중력의 문제다. 평생 연주하겠다는 아이들은 연습에 더 집중했을 것이고, 충실한 훈련을 통해 기량을 더 높인 것이라 볼 수 있다. 또 연습량과 연습 수준이 비슷한 경우에는 평생 배우겠다던 아이들이 잠깐 동안만 하겠다고 말한 아이들보다 '네 배나 우수한 실력'을 보였다고 한다. 같은 시간과 노력을 투자할 때 마음을 강하게 먹은 아이들이 네 배나 높은 성취도를 보였다는 것은 정말 놀라운 결과다. 훈련 시간보다 마음이 더 중요하다. 연습 시간이나 노력보다 자신이 왜 그 공부를 하는지, 언제까지 할 것인지를 생각하는 마음이 더 중요하다. 동일한 노력을 쏟았을 경우, 이런 결의가 집중력을 높여주고 의지를 강하게 만들어 더 큰 성과를 가져다준다.

하나의 문제에 대해 모든 것을 동원해 끝까지 포기하지 말고 물고 늘어지라던 공자는 "어찌할까, 어찌할까, 라고 말하지 않는 사람은 나도 어찌할 방도가 없다."고 했다. 특히 융합공부에서는 어려움이 많이 찾아올 수 있다. 세상에 아직 없던 것을 만드는 개척자의 마음으로 공부해 나갈 때 얼마나 고비가 많을지 모른다. 그때 끝까지 우리를 지탱시켜주는 것이 바로 노력과 인내다.

동기는 용기를, 의지는 인내를 만든다

의지will는 '일을 이루려는 적극적인 마음'을, 의지력willpower은 '어떤 뜻을 세워 이루려는 마음을 굳세게 지켜나가는 힘'을 말한다. 따라서 의지는 공부를 끝까지 해내려는 노력과 인내를 만들어낸다. 공부를 하기 싫은 저항을 이겨내려 할 때에도 의지가 기능해야 한다. 공부할 의지가 없어 자신을 뛰어넘지 못하면 스스로 만든 저항에 막혀 한발도 나가지 못한다.

하인즈 헥하우젠Heinz Heckhausen 등은 행동제어이론Action Control Theory으

로 의지에 관련된 재미있는 의견을 내놓았다. 이들은 동기를 결정 이전predecisional의 상태로, 의지를 결정 이후postdecisional의 상태로 봤다. 무언가를 하고자 결정하기 전에는 동기가 역할을 하지만, 결정하고 난 이후에는 의지에 의해 결과를 낼 수 있다는 것이다. 즉, 무언가를 시작해 끝까지 하는 것은 동기가 아닌 의지의 힘에 좌우된다. 결정하기 전에는 희망과 욕구에 의해 실행 여부를 가늠한다. 이때 엄청난 두려움에 노출될 수 있다. 우리 내면에서는 과연 그 일을 해낼 수 있을지, 다른 사람들이 비웃지는 않을지, 그 일을 할 만한 가치가 있을지 등을 따지며 두려움과 전쟁을 한다. 그때 용기가 필요하다.

하지만 일단 결정하고 난 이후에는 목표를 끝까지 추구하는 데 필요한 의지가 작동한다. 의지는 처음 시작할 때의 마음인 동기를 계속 유지하면서, 목표달성을 위해 자기통제를 이끌어내고 노력하게 한다. 물론 이때 정서, 인지, 행동이 모두 작동해야 한다. 영국의 노팅엄대학교 언어심리학자 졸탄 되르네이Zoltán Dörnyei도 결정 이후에는 실행하기 위한 행동과 결과를 내기 위해 장애를 극복하는 인내와 노력이 필요하다고 했다. 그도 결정 이후에는 의지가 작용하므로 인내와 노력이 핵심이라는 말을 하고 있다. 모든 일은 용기로 시작하지만 의지가 인내하고 노력하게 만들어 결과를 이끌어낼 수 있다. 동기만으로 부족하다. 그래서 동기강화 프로그램을 들어도 하루 이틀 정도만 뜨거운 열정을 유지하다가 이내 시들해지는 것이다. 마음 전체가 함께 동조해 움직여야 성과를 이룰 수 있다. 동기는 어떤 일을 시작할 용기를 만들지만 그 일을 계속할 노력과 인내는 의지가 만들어낸다.

6

행동의 힘

공부는 1차원 피상적 공부에서부터 시작된다. 1차원 공부는 암기를 통해 이루어진다. 아무리 어려워도 계속 반복하면 외워진다. 반복할 때 뇌의 시냅스 연결이 강화되기 때문이다. 뇌는 아주 유연하기 때문에 연습과 반복을 통해 변화시킬 수 있다. 신경과학연구에서도 연습과 노력이 뇌를 실제로 변화시킨다는 증거를 계속 밝혀내고 있다.

런던대학교 인지신경학자 엘리너 매과이어Eleanor Maguire와 동료 연구자들은 기능적 자기공명영상fMRI를 이용해 런던 택시기사들의 해마를 조사하는 연구를 진행했다. 해마는 장기기억이 만들어지는 장소다. 런던에서 택시 면허증을 따려면 런던시의 지도를 완벽히 외워야 한다. 연구자들은 택시기사들에게 특정 목적지로 가는 노선을 떠올리라고 한 다음, 그들의 뇌를 fMRI로 스캔했다. 그 결과 그들이 노선을 회상하는 동안 해마가 활발히 활성화되는 것이 관찰되었다. 또한 그 택시기사들의 해마가 일반

인보다 훨씬 크며, 운전을 오래 한 사람일수록 해마가 더 크다는 점도 밝혀냈다. 런던 시내를 외우는 공간기억을 연마하는 동안 그들의 해마가 다른 사람들에 비해 커진 것이다. 이렇듯 많이 외우고 공부하면 해마가 변하고, 단기기억이 장기기억으로 잘 전환된다.

음악인들에게도 비슷한 연구가 진행됐다. 오케스트라 단원들은 연주를 할 때 지휘자의 지시에 따라 악기를 다루면서 음표를 읽고 동시에 다른 동료들과도 호흡을 맞춰야 한다. 동시에 여러 가지 일을 해야 하므로 그들은 연주 중에 청각, 시각, 공간, 촉각을 모두 사용한다. 오케스트라 단원들의 뇌 구조도 오랜 시간 연주와 연습을 통해 달라진다.

리버풀대학교의 신경과학자 바네사 슬러밍Vanessa Sluming과 동료 연구진들은 형태계측적자기공명영상mMRI이라는 기기를 사용해 혈류의 변화가 아닌 뇌의 해부학적 구조를 조사했다. 런던 택시기사의 연구에 사용된 fMRI는 혈류 변화를 조사하는 것이지만, mMRI는 뇌의 해부학적 구조를 보여준다. 그들은 mMRI를 이용해 26명의 교향악단 남성 연주자들과 대조그룹의 뇌를 비교했다. 그 결과 음악가들의 대뇌피질 브로카 영역Broca's area이 대조그룹보다 더 두꺼운 것으로 나타났다. 브로카 영역이란 프랑스 신경해부학자인 폴 피에르 브로카Paul Pierre Broca에 의해 밝혀진 영역으로, 대뇌 좌반구 전두엽에 존재하며 주로 언어 처리를 담당한다. 연주자들이 악보를 읽을 때 바로 이 브로카 영역이 사용된다.

오케스트라 연주자의 브로카 회백질 부분이 두꺼워졌다는 것은 중요한 의미가 있다. 인간의 뇌가 연한 회색이나 흰색으로 보이는 것은 뇌 바깥 부분에 있는 회백질 때문이다. 회백질에는 신경세포가 모여 있다. 회백질 부분이 두껍다는 것은 신경세포가 많다는 뜻이다. 즉, 신경세포가 많고 그 세포들 간의 연결이 많을 때 뇌는 기능을 잘하고 똑똑해진다. 런던 택시 기사의 해마가 커진 것과 연주 연습을 많이 한 음악가의 회백질이 두껍다는 것을 통해 우리는 연습과 훈련, 공부와 기억하려는 노력 등이 뇌의 기능뿐 아니라 물리적 구조까지 변화시킨다는 것을 알 수 있다.

뇌를 업그레이드하기

　뇌는 공부하고 훈련하고 연습하면 점점 변한다. 이처럼 '경험이나 학습에 의해 뇌의 물리적 구조가 변하는 성질'을 뇌가소성neuroplasticity이라 한다. 뇌에 적절한 자극을 주면 신경세포 구조도 변한다. 미국의 심리학자 사울 로젠츠바이크Saul Rosenzweig는 "풍부한 환경 속에서 자란 쥐의 대뇌피질이 다른 환경에서 자란 쥐들의 대뇌피질보다 더 두껍고 무겁다. 특히 후두엽 부분에서 가장 큰 변화가 나타났다."라고 보고했다. 또한 아인슈타인의 뇌를 연구한 것으로 유명한 신경과학자 매리언 다이아몬드Marian Cleeves Diamond 등도 "좋은 환경의 쥐들은 미로 학습 실험에서 평균적인 환경이나 빈약한 환경에서 자란 쥐보다 훨씬 더 뛰어난 학습 능력을 보여주었고, 풍부한 환경 속에서 지낸 나이 든 쥐의 경우 가소성의 특징을 보인다."는 사실을 밝혀냈다.

　심지어 상상만 해도 뇌 구조가 변한다고 한다. 한 그룹의 피험자들에게 하루 2시간씩 1주일 동안 피아노 연습을 시키자 손가락 동작과 연결된 뇌의 운동피질 영역이 발달했다. 당연한 결과다. 그런데 놀라운 것은 상상만으로도 운동피질 영역이 변했다는 것이다. 실제로 연습하지 않고 상상으로만 연주를 했던 피험자 그룹도 실제 연습한 그룹처럼 운동피질 영역이 발달했다. 생각만으로도 두뇌의 물리적인 구조가 바뀐 것이다.

따라서 마음과 인지방식을 바꾸면 뇌가 변할 수 있다. UCLA의 인지신경과학자 제프리 슈워츠Jeffrey M. Schwartz 박사 연구진도 "생각을 바꾸면 뇌가 변한다."는 사실을 밝혀냈다. 그들은 "강박장애 환자에게 10주간 인지행동치료를 한 결과 18명 중 12명의 증상이 상당히 호전되었다. 치료 전후 뇌 스캔 결과에서 강박장애 회로인 안와전두피질의 활동이 극적으로 감소했다."라고 했다.

인지행동치료로 생각을 바꾸는 연습을 할 때에도 뇌의 물리적 구조와 화학적 구조가 변하는 증거도 발표되었다. 토론토대학교 심리학자 진델 시걸Zindel Segal 팀이 성인 우울증 환자 14명에게 인지행동치료를 실시한 결과 증상이 뚜렷하게 호전되었다. 환자들의 뇌를 스캔했더니 끝없는 반추를 담당하는 전두피질의 과도한 활동이 약화되었다고 한다. 상담이나 마음의 훈련으로 뇌 활동이 변할 수 있다는 것은 약물치료에만 의존하던 정신치료 분야에 또 다른 대안이 될 수 있는 근거다. 미국의 임상심리학자이자 인지치료 창시자인 아론 벡Aron T. Beck은 실제로 우울증에는 인지행동치료가 약물치료보다 더 효과가 있다고 말한다. 인지훈련이나 상담치료가 뇌의 물리적 구조까지 변화시킬 수 있다면 부작용의 가능성이 있는 정신과 약물 대신 훈련과 심리치료기법을 안심하고 사용할 수 있을 것이다.

뿐만 아니라 정신수련은 뇌 신경회로를 재구성한다. 명상이나 뇌훈련으로 뇌를 바꿀 수 있다는 말이다. 명상으로 자비심을 만드는 훈련을 한 숙련자들은 공감이나 모성애와 연관된 뇌 네트워크의 활동이 더 활발해진 것으로 밝혀졌다. 특히 좌측전두부에서의 활동이 우측전두부의 활동을 압도했다고 한다. 일반적으로 우측 뇌는 부정정서, 좌측 뇌는 긍정정서를 만드는 것으로 알려져 있다. 따라서 명상이 긍정을 강화하고 부정을 억제하는 뇌로 변환시켰음을 암시한다. 명상은 주의력과 정보처리 영역을 강화시켜주고, 전전두엽과 섬이랑의 회색질 두께도 증가시킨다. 이런 효과는 명상수련 기간이 길수록 더 두드러진 것으로 나타났다. 3년 이상 매일 참선 수행한 사람들의 경우, 정상적인 노화에 따른 뇌 피질 두께의 감소가 나타나지 않았다. 뇌는 훈련, 자극, 경험, 학습, 명상 등으로 변한다.

핵심은 '매일'

무엇이든 매일 반복하면 쉽게 할 수 있다. 습관이 되면 저항과 무기력 없이 하고자 하는 바를 순조롭게 이룰 수 있기 때문이다. 공자는 시냇물을 보면서 말했다. "가는 것이 저 물과 같도다. 밤낮을 그치지 않는구나." 이처럼 물 흐르듯 쉬지 않고 공부해야 한다. 《중용》에서는 다음과 같이 말하고 있다.

> "널리 배우고, 자세히 묻고, 신중하게 생각하고, 밝게 분변하고, 독실하게 행하여야 한다. 배우지 않으면 모르겠거니와 배울진댄 능하지 못함이 없어야 하며, 묻지 않으면 모르겠거니와 물을진댄 알지 못함이 없어야 하며, 생각하지 않으면 모르겠거니와 생각할진댄 얻지 못함이 없어야 하며, 분변하지 않으면 모르겠거니와 분변할진댄 밝지 못함이 없어야 하며, 행하지 않으면 모르겠거니와 행할진댄 독실하지 않음이 없어야 한다. 남이 한

번 해서 그것에 능하다면 자기는 백 번 할 것이며 남이 열 번 해서 그것에 능하다면 자기는 천 번 할 것이다."

연습과 반복된 노력을 통해 사물에 대한 이치를 깨닫게 된다. 모르면 알 때까지 하고, 안 되면 될 때까지 하고, 또 하라는 의미다. 그러면 뇌에는 신경세포를 감싸는 수초(미엘린)가 만들어진다. 이를 수초화라고 한다. 수초는 마치 전선의 피복과 같이 신경세포를 감싼다. 수초가 두꺼우면 정보가 외부로 누수되지 않고 전달되므로 정보전달의 속도가 빨라진다. 머리 회전이 빨라져 똑똑해진다는 말이다.

미국 국립건강연구소 발달신경생물학 연구실장인 더글러스 필즈 R. Douglas Fields는 "백질은 오랜 연습과 반복을 요하는 모든 형태의 학습에 대단히 중요하다. 대뇌피질 안에 분리되고 편재해 있는 여러 영역을 두루 통합하는 일도 그러하다. 뇌 안에서 미엘린을 계속 생성 중인 아이는 새로운 기능을 습득하는 일이 훨씬 용이하다."고 말했다.

계속 반복해 대뇌 속에 수초를 만들면 지금 하는 공부뿐 아니라 새로운 공부도 수월히 할 수 있다는 의미다. 수학문제를 많이 풀어 수학을 잘하는 아이가 국어도 잘할 수 있게 된다는 말이다. 공부를 반복하면 뇌에 지도가 만들어지고 수초화되면서 더 잘 알게 되고 다른 것도 잘할 수 있게 된다. 전반적으로 똑똑해진다는 것이다.

외국어 교육 분야의 선구자였던 워싱턴대학교 시어도어 휴브너 러드커 Theodore Huebener Roethke 교수는 "배움이란 근본적으로 어떤 생물이 경험을 통해 변화되는 과정이다. 습관은 배움의 최종 단계. 습관은 지속되기 때문이다. 따라서 배움이란 결국 습관을 형성하는 것이다. 새로운 언어를 배운다는 것은 단지 새로운 언어습관을 들이는 것이나 다름없다."
라고 했다. 공부는 습관으로 완성된다. 습관이 되려면 반복해야 한다. 날
마다 반복하지 않으면 안 된다. 멈추면 막히고, 막히면 추락이 시작된다.

학습시스템을 만들기

캐나다 의학자이자 존스홉킨스의과대학교 첫 의학교수로 초빙되었던
윌리엄 오슬러William Osler 박사가 갓 입학한 의대생들에게 질문했다. "어
떻게 하면 최소한의 노력으로 학습 능력을 극대화할 수 있을까요?" 그는
이 질문을 던지고 나서 다음과 같이 자신의 생각을 말했다.

"학습 능력을 극대화하려면 우선 체계를 세우라고 말하고 싶습니다. 어
려움을 겪더라도 체계를 세우는 데 성공한 사람은 극소수일 것입니다. 체
계를 세우는 데 실패한 사람은 오랫동안 산만함과 부주의 같은 천성과 싸
워야 합니다. 평소에는 전쟁터에서 힘들게 싸워야 하는 군인처럼 살더라
도 공부할 때만큼은 체계의 가치를 깊이 공감하는 사람으로 자신을 변화
시켜야 합니다. 강의시간표대로 따르기는 쉽지만 생활 전반을 자신의 규
칙대로 보내기는 어렵습니다. 몇 시간 동안 할 일을 정하고 그것에 익숙
해지도록 집중력을 키워야 합니다. 주의력을 분산시키지 않고 집요하게
당신 앞에 놓인 주제에 몰입하십시오. 끊임없이 반복하면 좋은 습관이 생
깁니다. 이 습관이 마음속에 굳게 자리 잡으면 학년이 끝날 때쯤에는 지
식 중에 가장 값진 지식 체계와 습관을 얻게 될 것입니다. 바로 이것이 효
율적으로 공부하는 방법입니다."

일이든 공부든 시스템으로 만들지 않으면 혼란이 온다. 무엇이든 닥치는 대로 할 때 저항이 작동한다. 인간 본성 속에 있는 타마스Tamas라는 어두운 성질이 라자스Rajas라는 혼란한 영역 속에서 전쟁을 일으키기 때문이다. 그때 우리의 마음은 혼란을 겪고 그 속에서 우리 자아는 전쟁터의 군인처럼 소진된다. 오슬러 박사가 학생들에게 말한 '전쟁터의 군인' 같다는 말은 비유적인 상징 이상의 의미다. 해야 할 일을 하지 못하고 있을 때 정말로 우리는 자신과 전쟁을 벌이는 전사를 닮았다. 이런 현상은 할 일이 있음에도 불구하고 일요일 내내 소파에서 뒹굴고 TV만 보다가 저녁 즈음에는 자신이 너무나 싫어져 자괴감에 빠지고 죽을 것 같은 마음에 지쳐 포기하고 잠드는 우리 자신의 모습에서 찾을 수 있다. 저항과 혼란의 대표적인 모습이다. 그때의 우리는 전사 같다. 스스로 초주검이 된다. 나 역시 그 상황을 오래 겪었다. 글을 쓸 수 없이 몇 달을 보내면서 단 하루도 발 뻗고 자지 못했다. 그러다가 일어나 무조건 도서관으로 가는 시스템을 만들고 나서부터 생산성이 높아지기 시작했다.

저항을 이겨내려면 시스템을 만드는 것이 가장 좋다. 오슬러 교수의 말처럼 '집중력을 유지하고 주제에 몰입하고 끊임없이 반복하고 좋은 습관'을 만드는 것이 공부에 가장 중요한 행동 훈련인 셈이다. 습관이 되면 숙달이 되고 그때 끌고나가는 힘인 추진력이 생긴다. 무엇이든 하다 말다 드문드문하면 힘이 빠진다. 시스템을 만들어 반복할 때 '좋은 습관'을 얻는다는 오슬러 교수의 말과 폴 베이커가 '능력의 통합' 수업에서 '태도의 습득을 통한 성장이 공부의 가장 중요한 목적과 효과'라고 했던 말은 같은 의미다. 그리고 실제로 자신만의 시스템을 만들어 연구한 오슬러 박사는 1873년 당시까지 혈액 속에서 확인되지 않았던 소체가 세 번째 종류의 혈구라는 사실을 밝혀냈다. 그가 밝힌 세 번째 혈구는 이후 혈소판으로 명명되었다.

시간을 구조화하기

공부를 시스템으로 만들기 위해서는 시간을 구조화하는 것이 좋다. 시간을 정례화하라는 말이다. 예를 들어 평일 오전 9시부터 오후 5시까지는 도서관에서 자격증 공부를 하고, 오후 7~9시는 영어 공부를 하고, 토요일은 새벽에 수영장을 갔다가, 오후에는 서점에 가서 신간을 살펴보고, 일요일에는 교회를 다녀와서 도서관에 가는 식으로 자신의 상황에 맞춰 일주일과 24시간의 패턴을 만들어 그대로 실천하는 것이 좋다. 그렇지 않으면 그날 그날의 일에 끌려다니며 혼란과 저항을 느끼고 1년을 마치 한 달 보내듯 성과 없이 흘려보낼 수 있다.

역사 속 대가들도 시간을 구조화했던 것으로 기록되어 있다. 레오나르도 다 빈치와 앙리 푸앵카레Jules-Henri Poincaré, 아인슈타인 등은 자신의 시간을 구분해 사용한 것으로 유명하다. 푸앵카레의 경우 하루에 두 번, 아침과 오후에 각 2시간씩 반드시 수학연구를 했다. 아인슈타인은 특허청 말단 직원 시절에도 중요한 논문을 쏟아냈다. 그의 비결은 삼등분 원칙이었다. 그는 자신의 업무를 과학연구, 특허청업무, 집안일의 세 종류로 나누고 시간을 3등분하여 각각 처리했다. 다 빈치는 아침에는 노트를 들고 다니면서 과학연구를 했고, 오후에는 후원자가 주문한 작품을 만드는 일을 했으며, 저녁에는 인체해부 같은 전혀 다른 유형의 탐구를 했다. 이들은 모두 시간을 나누고 구조화했다. 많은 일을 할 때 만날 수 있는 저항과 혼돈을 시간의 구조화를 통해 막을 수 있었다.

　무질서와 혼돈, 저항으로 인해 게으름, 미루기, 회피 등을 겪으며 제대로 공부하거나 일할 수 없다면 우선 시간을 구조화하고 하루나 일주일, 한 달의 체계를 세우기 바란다. 시간을 구조화하면 뇌에도 구획이 나뉘어 차분하게 일이나 공부에 집중할 수 있다.

시간 관리 검사

당신은 시간을 어떻게 쓰고 있는가? 다음은 당신이 시간을 어떻게 활용하고 있는지를 알아보기 위한 검사다. 다음 표를 읽고 당신이 시간 관리를 제대로 하고 있는지 생각해보고 해당 문항에 맞으면 '예', 맞지 않으면 '아니오'에 체크한다. 7개 이상 체크되면 시간 관리를 잘하고 있다고 할 수 있고, 3개 이하라면 점검이 필요한 수준이다. 참고로 나는 집에 있는 동안 0개인 적도 있었다. 지금은 8개 이상 해당된다. 여러분도 늘 변할 수 있다는 것을 기억하라.

	나의 시간 관리 능력은 어느 정도일까요?	예	아니오
1	매일 규칙적으로 공부(또는 일)한다.		
2	시험(공부나 일) 준비 시간이 부족하지 않다.		
3	하루 중 공부(일)가 잘되는 시간이 있다.		
4	공부(일)를 위해 일일 시간 사용 계획을 세운다.		
5	일일 시간 사용 계획대로 공부(일)한다.		

6	공부(일)에 가장 많은 시간을 배정한다.		
7	자투리 시간을 이용해서 공부(일)한다.		
8	앉으면 바로 공부(일)한다.		
9	우선 순위를 정해놓고 공부(일)한다.		
10	주어진 시간 동안 공부(일)할 수 있는 범위(또는 분량)를 알고 있다.		
	'예'라고 답한 개수 [ ]		

사실 시간을 관리한다는 것은 자신을 관리하는 것과 같다. 시간을 흘려보내는 것은 자신을 쓰레기통에 넣는 것과 다를 바 없다. 모든 것이 엉망진창이 되는 것을 곧 보게 될 것이다. 교육 전문가들이 공통적으로 제안하는 시간 관리 전략을 함께 살펴보자.

① 등교(출근 시간), 하교(퇴근 시간), 숙제(업무시간), 자기주도적인 공부(일) 시간, 직장 일 외에 따로 공부하는 시간, 집안일을 하거나 돕는 시간 등을 나누어 매일 일과표를 세운다.

② 하고 싶은 일(공부)의 리스트를 만든다. 만일 몇 시간째 빈둥빈둥 TV를 보거나 SNS에 빠져 있다면 할 일 리스트를 꺼내 확인하고 생산적인 일이나 공부에 다시 집중하는 연습을 하자.

③ 목표에 따라 공부와 일의 계획을 세운다. 목표는 구체적일수록 좋다. 목표가 구체적이면 달성하기 훨씬 쉽다.

④ 하고 싶은 일, 해야 할 일을 항목별로 구분하고 우선순위를 정한다.

⑤ 할 일이 있다면 그 일을 얼마 만에 끝낼 것인지를 정하고, 반드시 그 시간 안에 끝내도록 집중한다.

⑥ 다이어리에 해야 할 일이나 공부계획을 적고 점검한다.

⑦ 매일 규칙적으로 하는 일을 많이 만든다. 해야 할 일과 언제 해야 하는지가 명확해지면 더 많은 목표를 소화해낼 수 있다.

마음을 전투에 이용하여 백발백중 이긴 전설의 검객

자신이 가진 것 전체를 사용해 공부하고 일할 때 탁월한 것을 만들어내고 자신도 변해갈 수 있듯, 전투나 결투에서도 융합적 시각으로 모든 것을 고려해야 이길 수 있다고 말한 전설의 검객이 있다. 1643년에 《오륜서》라는 병법서를 남긴, 일본 에도시대에 활동했던 미야모토 무사시宮本武蔵라는 검객이다. 이 책은 아마존 경영 부문 최장기 베스트셀러에 올랐고, 하버드 경영대학원에서 경영의 원리에 접목하는 교재로 사용되기도 했다. 어떻게 370여 년 전 무사가 쓴 병법서가 현대 기업의 경영에 적용될 수 있었을까?

미야모토 무사시는 검객이었지만 서화와 조각에 능했고 노장사상의 영향을 받아 도道의 길을 추구했다. 그래서인지 그는 《오륜서》에서 단순한 전술만 설명하지 않는다. 이 책은 철저한 자기수련을 기초로 승리할 때까지 반복되는 전략들이 철투철미하게 하나의 도처럼 묘사되어 있다. 그는 적을 이기기에 앞서 자신을 이겨야 한다는 자기수련을 강조한다. 자기극복이 적을 이기는 기술보다 앞선다고 본 그의 병법은 상대를 이기는 전략이라기보다 자신의 마음을 다스리는 극기 원칙이라고 보는 편이 더 맞다. 《오륜서》는 마음을 모두 사용하여 자연의 순리를 따르는 융합공부의 실전이라고 할 수 있다.

무사시가 전설이 된 이유는 그가 당대 유명한 검객들과 60번 싸워서 한 번도 지지 않았기 때문이다. 검객에게 패배란 곧 죽음이다. 그는 일본 방방곡곡을 돌며 여러 유파의 검객들을 만나 29세까지 60여 회의 승부에서 단 한 번도 지지 않았다. 어떻게 모든 승부에서 승리할 수 있었을까?

그는 자신이 매번 이길 수 있었던 것은 병법의 우월함 때문이 아니라 하늘의 이치에 따라 행동했기 때문이라고 말한다. 이후에도 그는 더 깊은 도의 이치를 얻기 위해 밤낮으로 단련했고 병법의 진수를 깨닫는다. 그때 나이가 50세였다. 그리고 10년 뒤 60세가 된 10월 10일 새벽 4시, 긴포산에 있는 사찰 운간사의 동굴에 앉아서 자신이 60세까지 깨달은 병법 원리를 기록했다. 그 책이 바로《오륜서》다. 그가 정리한 병법들은 모두 하늘의 이치와 땅의 법칙으로 귀결된다. 그 자신도 자연법칙을 따랐고 그것이 통했기에 이길 수 있었던 것이다. 무사시가 검술에 적용한 자연법칙은 융합공부에도 적용할 수 있다. 모든 이치는 하나로 통하므로 전쟁의 병법이 기업의 성공원칙에도 통하고, 자기극복과 공부, 일 모두에 사용될 수 있다. 검술이든 공부든 자연의 이치를 따르면 원하는 바를 이룰 수 있다.

무사시가 깨달은 이치는 바람, 불, 땅, 비어 있음, 물이라는 자연의 성질로 표현된다. 다섯 가지 자연의 성질은 마음의 다섯 가지 요소인 동기, 정서, 의지, 인지, 행동과 연결된다. 인간도 자연의 일부이므로 자연에 순응하듯 마음의 흐름을 유지할 때 탁월한 것을 만들어내고 자신도 탁월해질 수 있다. 융합공부는 마음을 자연에 따르게 하는 공부법이다.

1. 동기는 바람風 – 하고 싶은 마음이 생기게 하라

동기란 '무엇을 하고자 하는 의욕'을 만드는 요소다. 무사시는 그것을 바람으로 표현했다. 바람의 전략은 하나의 형식에 갇히지 않고 모든 병법을 다 터득하는 것이다. 즉, 모두 알고자 하는 마음이 동기가 된다.

그는 결투에서 모든 검법을 다 알고 사용할 수 있어야 한다고 했다. 남을 알지 못하면 자기도 알지 못하고, 자신을 모르면 진실하지 못한 마음이 생기기 때문이다. 공부할 때나 일을 할 때 자신의 전략만 고수하면 갇히게 된다. 외부에서 제공되는 정보와 자신의 목적을 함께 생각하며 더 공부하고자 하는 마음을 다잡아야 한다. 융합하기 위해서는 더욱 멈추지 않고 모든 것을 합치고 연결해 나가야 한다. 외부에서 주어지는 환경은 외재동기를 만들고, 자신이 이루고자 하는 목적은 내재동기로 작용하며 그들이 합쳐져 공부하고 싶은 마음을 만들어준다. 그때 용기가 생긴다. 용기는 천재성의 첫 번째 특징이라 할 수 있다.

2. 정서는 불火 – 할 수 있다는 마음을 가지자

무사시는 적과의 싸움을 불에 비유했다. 불은 커지기도 하고 작아지기도 하는데 이러한 불의 무서움과 변화무쌍함이 싸움을 닮았다고 말한다. 일대일 결투를 하든, 10만 명이 전투를 벌이든 전쟁의 본질은 같기 때문에 전투의 규모는 신경 쓰지 말라고 한다. 작은 촛불이 번져 산불 같은 큰 불이 되기도 한다. 그러므로 칼잡이는 싸움을 불 다루듯 해야 하고, 싸움이 크든 작든 모두 다 신경쓰지 않으면 안 된다고 했다. 정서도 불을 닮아 있다. 작은 분노가 커지면 사고를 일으키기도 하고 슬픔이 사라지지 않아서 우울증에 시달리기도 한다.

또 무사시는 어떤 전투에 임하든 당황하지 말고 평상심을 기르라고 말한다. 공부할 때에도 무엇보다 즐거움의 정서를 유지하는 게 좋다. 즐거움은 유능감이나 자신감에서 비롯된다.

한편 정서는 할 수 있다는 긍정적인 마음을 기본으로 하지만 냉정한 현실도 무시하면 안 된다. 스톡데일 패러독스Stockdale paradox처럼 우리는 이상과 현실, 꿈과 능력을 모두 고려한 냉철한 현실주의자가 되어야 한다. 이러한 냉정함이 정직을 선사한다. 절대적인 정직은 천재성의 두 번째 특징이다. 학문에서의 정직함은 편법을 행하거나 표절하지 않고 진리에 가까워질 수 있게 돕는 중요한 자질이다.

3. 의지는 땅地 – 포기하지 않는 마음을 가져라

무사시는 땅을 통해 전략을 터득하고 지키라고 했다. 그는 검술만으로는 진정한 도를 얻을 수 없다면서 인재를 적재적소에 쓰고, 자신과 그들이 가진 재능을 모두 활용하고, 실력을 갈고 다듬어 상황에 따라 적절한 수단을 선택하라고 말한다. 땅의 모든 것을 모조리 사용하듯 크고 작은 것을 가리지 말고 모두 사용하는 것이 땅의 전략이다. 이런 무사시의 땅의 전략은 공부를 할 때 '의지'가 작동되는 원리와 닮아 있다. 땅이 모든 것의 바탕이 되듯 의지는 마음속에서 다른 성분들에게 에너지를 제공하는 바탕이 된다. 땅을 기반으로 서서 검술을 펼치듯 의지를 기반으로 마음이 작동되는 것이다. 의지는 마음에서 수용, 통합, 통제가 이루어지는 요소로, 땅처럼 모든 것의 바탕이 된다. 의지는 인내를 만들어 포기하지 않게 한다. 인내는 천재성의 세 번째 특징이다.

4. 인지는 비어 있음 虛 - 냉철한 마음을 가져라

무사시는 승부를 초월해야 이길 수 있다고 충고한다. 그것을 '비어 있음'이라고 했다. 비어 있음이란 시작도 끝도 없는 것을 말한다. 아무것도 없다는 것, 인간으로서 알 수 없는 경지가 있음에 대한 자각이다. 그는 사물의 이치를 깨달았을 때 비로소 '이치가 없음'을 깨닫는 역설을 말한다. 결국은 어떤 도리를 터득해도 그 도리에 얽매이지 않아야 자유롭고 더 뛰어난 역량을 발휘한다는 것이다. 때에 따라 장소에 따라 박자를 알고 손에 칼이 있다는 사실조차 잊는 경지가 '비어 있음'이라고 했다.

이처럼 아무것도 확실한 것이 없다는 것을 인지를 통해 깨달아야 한다. 우리가 가장 많이 범하는 인지오류는 내가 옳다는 생각, 내가 만든 세계, 즉 자기 스키마나 프레임에 갇히는 것이다. 매번 자신이 틀릴 수 있다는 것을 잊지 말고, 인지를 곧바로 전환할 수 있을 때 우리는 더 나은 사람이 되어간다.

융합공부도 마찬가지다. 내 것이 옳다고 고집하고 내가 알고 있다고 착각하는 동안 우리는 제대로 알지도 못하고 새로운 것을 창조할 수도 없다. 메타인지를 통해 늘 나의 부족함을 확인하고 내게 없던 것을 수용하며 자기를 직시하는 것이 바로 융합공부에서 인지가 맡은 기능이다. 메타인지는 인지를 주시하며, 내가 제대로 하고 있는지를 체크하는 자기 관찰자이자, 감시자다. 그러한 감시를 통해 생겨나는 냉정하고 냉철한 집중하는 마음, 집중력은 천재성의 네 번째 특징이다.

5. 행동은 물水 – 스스로 하는 마음이 생기게 하라

무사시가 말하는 물의 전략은 물을 거울 삼아 맑게 하라는 것이다. 행동은 물을 닮을 때 가장 유연하다. 물은 그릇의 모양대로 변한다. 물은 끝없이 흐르고, 작은 시내는 모두 바다로 향한다. 무사시는 한 방울의 물이 바다가 되는 것처럼, 한 명의 적을 이길 수 있는 검술의 이치가 세상 모든 사람을 이길 수 있게 해준다고 말한다. 또한 장수는 작은 것을 통해 큰 것을 터득하며, 병법은 물의 성질 하나에서 만 가지를 깨우치는 것이라고 했다.

공부든 일이든 물 흐르듯 해야 가장 잘된다. 자연의 이치에 순응하기 때문이다. 물은 계속 흐른다. 행동도 그처럼 꾸준하게 지속하며 멈추지 말아야 한다. 빗물이 한 방울 두 방울 떨어져 바위에 구멍을 내듯 매일 하는 공부가 목표를 달성하도록 도와준다. 행동은 반복과 숙달을 통해 습관이 되고, 결국은 습관이 자율성과 스스로 하려는 자발성을 만들어낸다. 이를 통해 우리는 계속하는 힘, 끝까지 할 수 있는 강한 힘, 일을 끌고나가는 강력한 추진력을 만들어낸다. 끌고나가는 힘, 추진력은 천재성의 다섯 번째 특징이다.

무사시의 다섯 가지 원칙은 폴 베이커의 '능력의 통합' 수업과 아리스토텔레스의 실천적 지혜처럼 마음과 뇌를 전부 사용하게 만드는 전략이다. 특히 무사시의 백전백승 검술의 다섯 가지 전략은 융합공부의 자세를 가르쳐준다. 마음을 얼마나 쓰고 있는지에 따라 뇌는 그 수준에서 가동된다. 뇌와 마음은 연결되므로, 우리가 주어진 문제를 풀려고 애쓰는 3차원 심층적 공부를 할 때 자신도 모르는 사이 마음과 뇌는 전부 사용되고 연결되며 뇌 안에서 융합이 일어나 새로운 지식이 창조될 수 있다. 즉, 우리가 마음을 다한 융합공부를 할 때 우리는 자연의 법칙을 따르면서 자기 속의 천재성을 발현하는 중이라고 할 수 있다.

3단계 공부법
원칙편

융합 지식은 1차원부터 3차원 공부를 전부 경험한 후
모두 결합해야만 만들어진다.

3단계 공부란 무엇인가

살아남기 위한
1차원 학습자

정신의 수준이 높아질수록 고차원의 공부법을 추구한다. 이를 니체가 말한 초인으로 진화하는 과정에 빗대어 설명할 수 있다. 즉, 낙타는 1차원 공부, 사자는 2차원 공부, 어린아이는 3차원 공부방식을 사용한다. 1980년대 예테보리대학교에서 실시한 '대학생의 학습방법'에 대한 연구에서는 학생들이 1 · 2 · 3차원의 공부방식을 이미 사용하고 있는 것으로 밝혀졌다. 연구팀은 각 차원의 공부법에 피상적 공부, 전략적 공부, 심층적 공부라고 이름을 붙였다.

연구를 진행한 심리학자들은 학생들에게 글을 한 편 보여주고 읽도록 지시했다. 실험결과 피험자들은 '글을 읽는 속도가 아니라, 글을 통해 배우는 방식에서 차이'가 있음이 밝혀졌다. 실험자들이 피험자들을 한 사람

〈그림〉 정신의 수준과 공부의 수준

낙타	사자	어린아이
1차원 공부	2차원 공부	3차원 공부
버티는 공부	이기는 공부	즐기는 공부

씩 면담하면서 발견한 차이점은 다음과 같다.

학생들에게서 나타난 첫 번째 공부 스타일은 '피상적 공부'다. 피상적이고 단편적으로 공부한다고 해서 '피상적 학습자Surface Learners'라고 불렀다. 이러한 스타일의 학생들은 실험자가 내준 글을 읽으며, 나중에 질문받을 것을 대비해 '질문을 예상하고 대답을 미리 준비하는 학습자'다. 질문을 예상하며 대답을 준비하는 학생이라면 똑똑하다고 생각할 수 있겠지만, 실험자들은 이들이 정보 자체보다는 대답에 초점을 맞추고 있었으므로 정보의 겉만 아는 피상적 공부를 한 것이라고 했다. 실제로 피상적 학습자는 정보의 깊이와 관련성에는 관심을 가질 수가 없었다. 실험자가 물어볼지 모르는 '글 속에 담긴 사실과 단어 암기에만 집중'한 것이다. 단순 암기의 공부법이다. 학생들은 읽은 글의 내용을 단편적으로만 기억했고, 시험에 통과할 수 있는 정보에만 집중했다. 또한 읽은 내용을 다른 곳에 활용하거나 응용하지 못했다.

피상적 학습자는 낙타처럼 공부한다. 피상적 공부를 하는 학생들은 실험자의 노예처럼, 낙타가 되어 1차원식 공부에 그친다. 자신이 주도하는 공부가 아니라 시험에 통과하는 목적을 달성하거나 무언가를 알고 외우기 위한 단편적인 1차원 공부를 한다. 공부 목표 또한 진리나 진실의 추구가 아니다. 질문이나 시험을 제시하는 문제출제자의 노예처럼 사고하기 때문에 '낙타식 공부'라 부를 수 있다. 버티는 공부, 살아남기 위한 공부이므로 '생존 공부'다.

만약 당신이 피상적 공부를 하고 있다면 그 순간 당신의 마음은 낙타의 수준이다. 하지만 이러한 공부도 반드시 필요하다. 모든 기초는 1차원에서 출발해야 다음으로 넘어갈 수 있기 때문이다. 다만 1차원 공부, 피상적 공부에 머물러 있어서는 안 된다는 것이다.

즐기는 3차원 학습자

예테보리대학교 실험에서 매우 뛰어난 학생들은 암기하고 기억하는 데 목숨을 걸지 않았다. 그들은 글 속에 숨은 뜻과 응용법을 생각하면서, 논지를 파악하고 결론을 끌어내는 방식을 이해하려고 노력했다. 이 그룹을 '심층적 학습자Deep Learners'라 불렀다. 심층적 학습자는 문장의 속뜻과 논증을 알기 위해 모든 것을 깊이 사고하는 3차원 학습자와 같다. 이들은 아이디어와 추론 방향, 사실이 글 전체 맥락에 미치는 영향을 이해하려고 했고, 현재 읽고 있는 글이 자기가 이미 알고 있는 지식들과 어떻게 연결되는지를 파악하려고 노력하는 부류다. 즉, 새로운 공부를 하면서 이전에 알고 있는 지식체계와 연결하며 두뇌 속 지식체계의 넓이와 깊이를 더해 간다. 깊이 사고하면 두뇌 속 뉴런들 간의 연결이 강화된다. 이런 식으로 글을 읽는 심층적 학습자는 글 속 깊은 의미를 이해하면서 자신의 지식과 연결하며 '공부를 즐기는 듯 보였다'고 한다. 또 공부 자체를 즐기고 호기심과 순수성, 열정을 유지하며 공부를 계속하므로 어린아이의 정신으로 공부하는 3차원 학습자다.

심층적 학습이 어린아이식 공부라 할 수 있는 하나의 근거를 켄 베인 교수의 분석에서도 찾을 수 있다. 그는 《최고의 공부》에서 "심층적 학습자는 마치 보물찾기를 하는 다섯 살짜리 아이처럼 열정적으로 과제에 임해 분석, 종합, 평가, 이론화 같은 기술을 사용했다."라고 했다. 융합을 이루는 공부는 3차원 공부를 기본으로 하되 1·2차원을 적절히 섞어서 하는 통합된 공부방식이다. 어린아이의 마음으로 공부할 때 융합과 창조가 일어난다. 새로운 이론을 내놓는 학자, 새 요리법을 만들어내는 주방장, 획기적인 기계를 고안하는 기술자 등은 모두 어린아이 정신으로 3차원 공부를 하며 세상에 없던 것을 만든다. 이때는 뇌를 전체적으로 다 사용한다. 오랜 세월 홀로 자신의 흥미를 따라가며 연구하고 진리를 추구한 결과, 노벨상을 받거나 자신의 본성에 충실한 예술작품을 세상에 내놓을 수 있는 것이다.

이기기 위한 2차원 학습자

2차원 학습자는 예테보리대학교의 연구결과가 나온 이후에 사회과학자들이 밝혀낸 유형으로 '전략적 학습자Strategic Learners'라고 부른다. 이들은 스스로 공부의 주인이 되어 자신에게 주어진 조건 내에서 가장 좋은 성적을 올리고 시험에 통과하고 스승의 인정을 받으려 한다. 합격과 좋은 성적에 집중하는 모습이 마치 사자가 사냥하는 것을 닮았다. 초원의 사자가 사냥하듯 목표를 정해 전략적으로 공부한다. 학원가에서 가르치는 고득점 전략, 입시 코디네이터가 만들어내는 명문대 합격 전략, 공부의 신들이 가르쳐주는 족집게 족보, 늘 전교 1~2등을 유지하는 아이의 자기주도학습법 등이 2차원 공부인 전략적 학습이다. 철저히 목표에 따라 움직이므로 학교에서 두각을 나타내고 명문대에 입학하고 우수한 성적으로 졸업하고 입사 시험이나 고시에 조기 패스한다. 이들은 이기는 자들이다.

2차원 학습자는 어떤 식으로 공부할까? 아이러니한 사실은 2차원 학습자들이 3차원의 심층적 학습자보다 더 영리하게 보인다는 점이다. 이들이 이기는 공부를 하기 때문이다. 2차원 학습자는 시험을 잘 치러서 명문대학에 들어가고 공부라는 경쟁에서 타인을 이겨내어 우등생이 된다. 따라서 문제를 풀 때 어려운 것을 시도하기보다 빨리 잘 풀리는 문제를 더 선호한다. 그래야 우수성을 드러낼 수 있고 이길 수 있기 때문이다. 예를 들어 입학사정관의 눈에 들기 위한 전략에 따라 설계된 생활기록부를 만들어 자신이 원하는 대학 학과에 입학하는 식이다. 이처럼 2차원 학습자들은 매우 전략적으로 공부한다. 하지만 이들은 일단 대학만 가면 공부는 끝이라 생각하고 깊은 공부 훈련을 하지 않아 대학 입학 이후에 어려움을 호소하기도 한다. 요즘 대학에서 쉽게 휴학을 하거나 방황하는 학생이 많이 나타나는 이유의 하나인지 모른다.

2차원 공부는 우리를 다른 환경에 데려다주지만 3차원 공부는 우리 자신을 변하게 한다. 2차원 학습자인 전략적 학습자는 3차원 심층적 학습자들과 비슷해 보이지만 전혀 다른 방식으로 공부한다. 2차원 학습자는 남을 이기기 위한 공부, 사냥하듯 공부하므로 교수가 원하는 바를 파악하고 점수를 따는 데만 집중하고 각종 시험의 조기합격을 목표한다. 가끔은 그 과정에서 생각과 행동, 감정이 바뀔 수 있는 새로운 것을 배우거나 산출해내기도 하지만 그건 우연이다. 그들이 의도적으로 새로운 패러다임을 찾으려 했던 것은 아니다.

공무원 시험에 단번에 합격한 수험생이 그 시험을 통해 득도했다는 말은 들어보지 못했다. 그러나 승려, 작가, 예술가들이 한번씩 내뱉는 말에서 인생의 철학과 진리를 보는 경우는 아주 많다. 승려나 예술가들이 오랫동안 정진하고 노력하며 더 좋은 것을 추구하고 진리를 찾는 동안 그 자신이 변했기 때문이다. 그들이 어느 날 들려준 한마디 말에 우리가 가진 이념이 뒤흔들리기도 한다.

융합을 향한 3단계 공부

공부工夫란 장인 공工과 지아비 부夫가 결합된 단어로, 사전적 의미로는 '학문이나 기술 등을 배우고 익히는 것'을 뜻한다. 교육학에서는 공부를 '과제에 포함된 정보를 이해하고 기억하며, 그 정보를 시간이 경과된 후에 인출하여 다시 사용할 수 있게 학습자가 행하는 활동들'이라고 정의하고 있다.

공부에는 암기, 이해, 계산, 적용, 추상화, 통합, 비교, 인출 등 수많은 과정이 포함되어 있다. 우리는 태어나 처음 말을 배우면서부터 공부를 시작하지만, 사람에 따라 공부의 수준이 다르고 시기에 따라 변해가기도 한

〈그림〉 6차원(1+2+3) 융합적 공부

다. 초등학생이 놀라운 발명품을 만드는 3차원의 깊은 공부를 하기도 하지만, 대학 졸업 후에도 1차원의 암기를 하지 못해 자격증 시험에 떨어지는 사람도 있다. 그러므로 자신이 어떤 수준의 학습자인지 알고 부족한 공부법을 익혀 자기 속에 잠재된 창의성을 발휘해야 세상에서도 살아남고 인생의 의미도 찾을 수 있다.

창의적인 지식을 만들기 위한 융합적 공부는 3단계로 이루어진다. 3단계 공부가 차례로 만들어내는 결과물은 사실(데이터) → 정보(단편적 지식) → 개념(연관된 지식) → 융합(창조된 지식)의 순서로 나타난다.

1. 사실(데이터)

여기서 말하는 사실은 세상에 존재하는 모든 것을 말하며, 데이터라고도 부른다. 책이나 사람과의 만남, 세상을 경험하며 공부한 것을 머릿속에 넣으면 지식과 정보가 된다. 일반적으로 의미가 없는 자료를 데이터라고 하고, 그중에서 의미를 가진 것을 정보라고 한다.

2. 정보(단편적 지식)

정보란 의미를 가진 데이터로, 암기를 통해 기억하거나 이해를 통해 알게 된 지식이다. 하지만 1차원 공부로 얻거나 암기한 지식은 아직 단편적 사실에 불과하다. 영어단어나 수학공식처럼 머릿속에 기억하고 있는 단편적 지식을 뜻하며, 체계적인 정보가 아니다.

3. 개념(연관된 지식)

개념은 단편적 지식들 간의 연관성을 찾아 체계화시킨 지식이다. 어떤 영어 문장을 보고 주어와 동사로 이루어진 1형식 문장임을 알아차린다면 1형식 문장에 대한 개념이 만들어진 것이다. 또한 영어와 중국어의 어순이 같다는 것을 알아차린다면 영어와 중국어의 문법을 연결한 지식과 개념이 만들어진 것으로 볼 수 있다. 정보가 체계화되며 개념이 만들어진다.

4. 융합(창조된 지식)

융합은 외부 환경과 사실에서 도출된 정보와 그 정보들에서 생성된 수많은 개념들이 우리 생각 속에서 결합되어 전혀 새로운 지식을 창조한 것을 말한다. 융합은 깊은 생각을 통해 공통점과 차이점을 구분하고 개념들을 연결하는 등 여러 가지 작업을 거쳐 일어난다. 따라서 융합은 1·2·3차원 공부를 모두 필요로 한다. 융합적 공부를 6차원 공부라고 하는 이유다. 예를 들어 영어를 배운 후 영어로 소설을 쓴다면, 먼저 단어와 숙어 등을 외우는 1차원 공부가 필요하고, 문장구조의 개념을 만드는 2차원 공부도 해야 한다. 그 이후 소설 주제에 대해 깊이 생각하는 3차원 공부가 결합되어 소설이라는 결과물이 나온다. 이때 그가 배워 알고 있는 영문

법, 단어, 문장 구조, 구절의 배치뿐만 아니라 문화나 인물의 특성, 심리학 지식 등 모든 것이 종합되어 융합의 결과물이 나타난다. 융합하기 위해서는 1·2·3차원 공부를 모두 차례로 해야만 한다. 사실과 정보, 개념들이 연결되어야 융합이 일어나기 때문이다.

세상에 존재하는 많은 사실과 데이터에서 필요한 것을 외우고 이해하는 1차원의 피상적 공부는 삶을 유지하기 위해 반드시 필요하다. 교통법규를 알지 못하면 운전면허시험에 합격하지 못하고 자동차 운전을 할 수 없듯 말이다. 이처럼 1차원 공부는 살기 위해 낙타의 마음으로 하는 버티는 공부, 생존 공부다. 하지만 2차원 공부는 시험에서 1등을 하고 경쟁에 이기고 싶다는 열망에서 비롯한 사자의 마음으로 하는 이기는 공부다. 3차원 심층적 공부는 즐기며 하는 공부다. 어린아이의 호기심으로 하나의 문제를 집요하게 풀고 더 좋은 것, 가장 좋은 것을 추구하며 즐거움을 만들어낸다. 이때 새로운 지식이 융합되고 창조된다.

기억의 3단계

우리가 공부하는 이유는 알고 풀고 통합하고 기억하기 위해서다. 이 과정은 부호화 → 통합 → 인출이라는 3단계를 거친다. 3단계 과정도 1·2·3차원 공부로 이루어진다.

1. 부호화 encoding – 1차원 방식

부호화란 공부한 것이 뇌에 기호로 남는 것을 말한다. 뇌에서는 우리가 지각한 것이 화학과 전기적 대체물로 변환되고, 특정 패턴을 가진 심적 표상 mental representation 으로 형성된다. 뇌에 새로운 표상이 생긴 것을 기억 흔적이라고 한다.

하지만 이런 기억은 금방 지워질 수 있는 단기기억이다. 우리가 책을 읽을 때, 새로운 것을 유심히 볼 때 그 정보를 부호화하고 있다고 볼 수 있다. 공부의 첫 단계는 뇌에 자극을 주는 부호화로 시작한다. 부호화는 1차원 공부에서 기본으로 이루어진다.

2. 통합 consolidation – 2차원 방식

단기기억을 장기기억으로 만들기 위해 심적 표상을 강화하는 과정을 통합이라고 한다. 부호화로 뇌에 자극이 생긴 것은 단기기억이다. 단기기억인 새로운 지식은 늘 불안정하다. 방금 봤던 상호가 기억나지 않거나 전화번호를 금방 외우고 잊어버리는 것은 입력된 새 지식이 뇌에서 장기기억으로 변환되지 않았기 때문이다.

통합은 뇌의 기억 흔적을 재조직하고 의미를 찾고 안정화시켜 장기기억으로 만든다. 재통합은 이미 알고 있는 기존 지식을 새로 배운 지식과 연결하는 것이다. 오래 기억하기 위한 노력, 즉, 지금 배운 것을 기존의 정보와 연결하고 관련성을 찾는 작업을 통해 이루어지므로 이 과정은 2차원 공부로 할 수 있다.

3. 인출 retrieval – 3차원 방식

자신이 기억하고 있는 것을 필요할 때 즉각 꺼낼 수 있는 능력이 인출이다. 힘들게 외웠는데 시험을 치를 때 생각해내지 못하면 무용지물이다. 그래서 사람들은 인출을 위한 단서를 만들어둔다. 예를 들어 첫 글자만 따서 외우거나 의미를 부여해 외운 것은 수십 년이 지나도 기억해낸다.

나는 중학교 때 배운 조선시대 왕들의 순서인 "태정태세문단세 예성연 중인명선 광인효현숙경영 정순헌철고순무"를 지금도 기억하고 있다. 참고로 마지막 무는 7자씩 운율을 맞추기 위해 넣은 것으로 더 이상 왕이 없다는 뜻이라고 배웠다. 그리고 당시에 고려시대 왕들의 순서도 외웠는데 지금은 "태혜정광…" 정도만 기억난다. 인출을 그다지 많이 하지 않아서 그런 듯하다. 고교 때는 주기율표도 전체 다 외웠지만 지금은 하나도 기억하지 못한다. 화학전공이 아닌 이상 원소에 대해 생각할 이유도, 사용할 이유도 없었기 때문일 것이다. 인출은 이처럼 기억에 중요한 요소다.

그런데 중1 때 가정시간에 배운 비타민 결핍증세는 지금도 기억한다. 그때 선생님이 알려주신 "밤에 각시가 괴상한 꼽추를 낳았다."라는 문장을 지금도 기억한다. 밤(야맹증), 각시(각기병), 괴상한(괴혈병), 꼽추(구루병), 낳았다(유산)는 차례대로 비타민 A·B·C·D·E가 결핍될 때 생기는 증상을 의미한다. 수십 년이 지나도 기억되는 것은 인출한 단서인 의미가 너무나 명확하기 때문이다. 이처럼 인출은 뇌 속에 들어 있는 것이 종합되어 나타난다. 마치 3차원 심층적 공부처럼 하나의 정보를 인출하기 위해 뇌 전체가 동원된다.

2 복잡한 문제를 해결하는 법

문제가 쉽다면 그냥 풀면 된다. 그러나 답이 없거나 풀기 어려운 문제를 마주하는 태도는 사람에 따라 달라진다. 미국 미네소타대학교 대학원 퍼트리샤 킹Patricia King과 캐런 키치너Karen Kitchener는 '비구조화 문제'라고 불리는 '정답이 없는 문제'나 '인생의 복잡한 문제'에 봉착했을 때 사람들이 어떻게 사고하는지를 연구했다. 문제를 풀기 위해 모든 것을 동원하는 사람들도 있지만, 모든 사람이 인생의 난제에 그렇게 도전적으로 대응하지는 않는다. 인생에서 만나는 어려운 문제나 답이 보이지 않는 난제를 만났을 때의 대응 방식에 따라 공부 수준과 정신의 수준은 달라진다. 연구자들은 피험자들에게 정답이 없는 비구조화된 문제를 주고, 그들이 고민할 때 일어나는 변화에 따라 3단계 모델을 만들었다. 이를 전반성적 사고단계, 유사반성적 사고단계, 반성적 사고단계로 분류한다.

전반성적 사고자

답이 없는 문제나 풀기 어려운 문제를 만났을 때 모든 사람이 스스로 답을 찾지는 않는다. 어떤 사람들은 전문가나 권위자에게 물어보고 그것을 답이라고 생각한다. 인생의 문제도 목사나 승려, 은사나 상사, 부모, 배우자의 결정에 의지해 실천하는 사람도 있다. 킹과 키치너는 이런 유형을 '전반성적 사고자'라고 했다. 낙타가 주인에 의존하듯 누군가를 믿고 따른다는 의미다.

이들은 포털사이트에 검색해 나오는 내용을 그대로 믿거나 친구나 부모가 말하는 기존 지식을 그냥 믿고, 권위자가 부정하면 자신도 따라 부정한다. 또 자신이 직접 눈으로 본 것만 진실이고 답이라고 생각해 주어진 것만 보고 기억하고 풀면 학습도 끝난다고 생각한다. 그래서 보고 들은 것에 대해 의문이나 의혹을 품지 않는다. 누군가가 가르쳐주는 대로 따르는 전형적인 낙타식 사고에 갇힌 1차원 피상적 학습자다. 우리 자신도 누군가가 만들어둔 정보를 그대로 흡수하고 이해할 때가 많지 않은지 생각해볼 필요가 있다.

유사반성적 사고자

답이 없는 문제를 만났을 때, 전문가나 권위자의 말에 무조건 순응하지 않는 사람이 있다. 그런 사람들은 전문가의 말이 맞는지 스스로 판단해서 결정한다. 만약 세 명의 전문가가 서로 다른 답을 제시한다면 어떤 것이 옳은지 자신이 판단하려 하며, 자신이 인생의 주인인 사자 같은 판단자들이다. 킹과 키치너는 이들을 '유사반성적 사고자'라고 분류했다. 이들은 여러 가지 증거 중에서 정답을 찾아내는 것이 각자의 능력이라고 생각한다. 이런 사람들은 정보가 뒤죽박죽 섞여 있어도 각각을 해석하고 이해하려 하지만 각 해석들이 나타나게 된 근본 이유를 비교할 수 있는 능력은 없다. 이에 대해, 킹과 키치너는 "이들은 전문가가 내놓은 증거를 이용하기만 하고 그 증거가 산출되는 원리나, 증거에서 결론이 도출되는 방식을 모른다. 그래서 여러 가지 중 정답을 찾는 것에 집중하고 그 능력이 개인의 자질이라고 본다."라고 했다.

철학자 리처드 폴Richard Paul은 이런 종류의 사고를 '약한 의미의 비판적 사고'라고 부른다. "사물의 본질이나 실재의 참모습을 사람의 경험으로는 인식할 수 없다."고 하는 불가지론자들이 이에 해당된다. 이 수준에서는 수많은 해석이 존재할 수 있는 것은 알지만 전체 통합이 이루어지지 않아 아직 하나의 결론에 이르지는 못한다. 2차원이므로 깊이를 모르지만 정보가 많다는 것은 안다.

또한 전략적으로 정답을 찾는 데 집중하지만 자신이 그 정답을 도출하거나 증명하지는 않는다. 그냥 정답을 찍어내면 끝이라 생각한다. 그러므로 3차원의 깊은 사고나 융합은 하지 못해서, 2차원에 머문 사자의 사고방식이다.

반성적
사고자

어떤 사람은 정답이 없는 문제의 답을 자신이 만들어내려고 노력한다. 이들은 통합적으로 모든 것을 깊이 고려해 생각하는 '반성적 사고자'다. 킹과 키치너는 이들이 '정답이 없거나 복잡하고 성가신 문제'를 만났을 때 문제를 "여러 가지 시각으로 평가하고 해석한 후 스스로 새로운 아이디어를 찾아낸다."라고 말했다.

이들은 여러 관점과 다양한 맥락으로 증거를 찾아 대조하고 비교한다. 복잡한 문제에 대해 나름대로의 해답을 만들기 위해 모든 증거의 타당성을 살펴본다. 자신이 만든 답이 맞는지 생각하고 또 생각하며 "이 증거는 유용할까? 꼭 결론을 내야만 하는 것인가? 이 문제는 답이 정말 없는 것이 아닐까?"라는 식의 의심도 하면서 문제를 풀려고 애쓴다.

반성적 사고자들은 문제에 대한 다양한 연구들을 살피고 증거를 숙고한 다음 조심스럽게 자신만의 결론을 내린다. 정답 없는 비구조화된 문제를 마주하면 '합리적인 탐구'를 통해 새 지식을 구축하고 나름의 결단을 내린다. 그들은 "원하는 대로만 믿으면 안 되고, 수집된 증거를 통해 합리적이고 개연성 있는 결론을 이끌어내야 한다."고 생각한다. 그러다가 새로운 증거, 참신한 시각, 새로운 연구 수단이 나타나면 바로 자신의 이전 결론을 재평가한다. 이것이 바로 통합이고 융합이다.

프로이트는 자신의 연구가 잘못되었다는 것을 말년에 고백했다. 그는 한곳에 갇히지 않고, 자신의 실수를 인정할 수 있는 반성적 사고자였다. 반성적 사고자는 문제의 정답으로 가장 정확하고 훌륭한 것을 찾기 위해 끝없이 생각하고 자문하며 어린아이 정신으로 3차원 심층적 공부를 한다.

3 교육현장에서 적용하는 법

3단계 공부법은 교육학과 교육심리에 응용되고 교육현장에도 적용되고 있다. 한때는 무조건 외우는 식의 피상적 공부법이 유행하다가, 자기주도식 공부라는 이름으로 전략적 공부가 최고의 성과를 보인 때도 있었다. 지금도 자기주도식 공부로 상위권을 유지하는 학생이 많기는 하지만, 그 공부법에 한계가 있다고 보는 이들도 늘어나고 있다. 자기주도라는 방식이 철저히 학생 본인의 자질에 따라 결정되므로 학생의 한계를 넘지 못하기 때문이다. 따라서 더 합리적이고 효율적인 방법이 있다면 교육자가 의도적으로 그 방법을 적용하고 뇌의 특성에 맞게 교육해야 한다는 주장이 많다.

또한 일부 영재 학교에서 보이는 토론이나 연구 중심의 심층적 학습도 교육현장에 보급되고 있다. 경기도가 고등학생의 등교시간을 9시로 늦춘 것은 청소년의 뇌활동이 오전 늦게 시작된다는 뇌과학의 이론을 현장에 적용한 사례다. 그리고 자율학기제 같은 제도를 도입해 학생 스스로 주제를 찾아 심층적으로 연구하게 하는 방안을 현장에 설치하기 시작했다.

3단계 공부법이 현장에서 사용되는 것을 알기 위해 뇌 기반 교육전문가 에릭 젠슨Eric Jensen의 이론을 살펴보자. 에릭 젠슨은 교사들이 세 종류의 교육 유형을 사용한다고 밝혔다. 적자생존 모형, 결정론적 행동주의 모형, 뇌 기반 자연주의 모형이다. 이는 교사가 학생을 낙타, 사자, 어린아이로 바라보며 지도하는 교육법이다.

1차원 교육법

"말을 물가에 끌고 갈 수는 있지만, 물을 마시게 할 수는 없다."라는 속담이 있다. 이런 마음으로 학생을 가르치는 교사나 부모는 1차원적 교육자다. 이들은 "가르치기만 하면 된다."고 생각한다. 그리고 학생에 따라 받아들이는 정도가 다른 것을 당연하게 생각한다. '적자생존 모형', 즉 교육에서도 강한 놈만 살아남는다고 생각한다. 교사는 학생들을 가르치기만 하면 될 뿐, 가르친 것을 습득하는 것은 학생 본인의 책임이지 자신의 의무가 아니라고 생각한다. 교육자는 학습자를 낙타로 취급하며 시키는 대로 그냥 하라고 지시한다.

이러한 교육법은 우리나라에서 1970~1980년대에 주로 사용되던 방식이었지만 완전히 사라진 것은 아니다. 지금도 얼마나 많은 가정과 학교에서 이런 생각을 가진 선생과 부모가 있을지 모른다. 부모는 자식을 학교나 학원에 보낸 것으로 위로받고, 학교는 정규 교육과정을 다 가르쳤으므로 책임을 다했다고 생각한다. 배우지 못한 것은 전적으로 그 아이의 문제라는 것이다. 게임중독에서 빠져나오지 못하는 것도, 낙제를 면하지 못한 것도, 대학에 못 가는 것도 학생 본인 문제라고 본다. 또 회사에서는 직무 훈련을 시켰음에도 제대로 일하지 못하는 것은 직원 본인의 문제로 본다. 그러면 학습자는 아무리 해도 안 된다는 생각에 빠져 학업 무기력이나 직무 무기력으로 이어질 수밖에 없다.

2차원 교육법

교육학과 심리학 연구에서 공부에도 마음이 중요하다는 것을 강조한 공부법이 등장했다. 적자생존 모형보다는 조금 진보된 형태로 학생을 사자로 인정하는 교육법이다. "처벌과 보상을 적절히 사용하면 학습 효율성을 변화시킬 수 있고, 원하는 행동을 끌어낼 수 있다."는 교육방식이다. 이러한 방식에서는 학습동기와 자기효능감이 강조된다. "말을 때리면 물을 먹을 것이고, 물에 당근을 띄우면 당근과 물을 함께 먹을 것이다."라는 말처럼 처벌과 보상을 함께 사용해 행동을 제어하는 방식을 말하며 '결정론적 행동주의 모델'이라 부른다. 여기서 '결정론'은 원인이 있을 때 반드시 결과가 있다는 의미이고 '행동주의 학습'이란 보상과 처벌에 따라 학습의 결과를 강화시킬 수 있다는 것이다. 예를 들어 아이가 착한 일을 할 때마다 초콜릿을 주면 착한 일을 더 자주 하게 만들 수 있다. 또 아이가 동생을 때렸을 때 벌을 주어 약자를 괴롭히는 것이 나쁘다는 것을 알려주면 폭행하는 버릇을 고칠 수 있다고 보는 관점이다.

보통 학교에서는 심리학에서 개발한 다양한 프로그램으로 학습효과를 높이려 한다. 또한 기업은 업무 성과를 높이기 위해 동기 강화 프로그램이나 인센티브 제도를 도입하기도 한다. 일부 대학원에서는 SCI논문을 쓰면 학생에게 인센티브로 돈을 주기도 한다. 이런 방식은 사자식 교육법, 즉 목적을 위해 움직이는 전략적 학습법과 흡사하다. 이러한 2차원 교육방식이 현재 우리나라 교육계에서 많이 사용되고 있다. 하지만 상벌로 행동을 조절하는 결정론적 행동주의 학습모델은 실제 학생들의 성장과 변화는 고려하지 않는다는 한계가 있다.

3차원 교육법

인간은 처벌이나 보상에 좌우되기는 하지만 진정한 변화는 그런 것들로 인해 일어나지 않는다. 행동심리경제학자 대니얼 카너먼Daniel Kahneman은 인간이 경제적인 이익에 따라서만 움직이는 존재가 아니라는 것을 증명하며 노벨 경제학상을 수상했다. 이후, 심리학계에서는 사람이 결코 보상이나 처벌에 따라 움직이는 존재가 아님을 밝히는 연구가 이어졌다. 많은 연구들이 인간은 잠재된 동기인 내재동기와 자기결정성에 따라 움직이는 자율적인 존재라는 증거를 제시했다. 이런 이론을 교육에 적용한 것이 '뇌 기반 자연주의 교육 모형'이다.

2차원 교육에서는 상이나 벌 같은 것으로 마음을 움직여서 공부하도록 이끌었지만, 점점 학생 스스로 자기 즐거움과 자기 욕구에 따라 공부하도록 만드는 3차원 공부법을 현장에 적용해야 한다고 보기 시작한 것이다.

즉, "어떻게 하면 말이 갈증을 느끼고, 물통에 있는 물을 스스로 마시고 싶도록 만들 수 있을까?" 하는 식으로 교육의 관심이 이동되었다. 뇌 기능의 특성에 맞는 교육, 즉 뇌를 전부 다 사용하게 돕고 효과적으로 뇌를 활용해 가장 즐겁고 깊게 공부하도록 돕자는 것이 이 교육방식의 핵심이다. 무엇보다 인간을 일률적으로 보지 않고 학생 개개인의 특성에 따라 맞춤식 교육이 필요하다고 본다.

이 교육법은 뇌의 특성을 늘 염두에 둔다. 공부를 하면 뇌가 변하고 뇌가 달라지면 학습 능력과 역량이 변하므로 뇌를 늘 고려해야 한다는 관점이다. 뇌를 전부 사용하게 되면 깊이 사고하고 문제를 해결하기 위해 모든 상황을 고려하게 된다. 하지만 불행히도 아직 모든 학생이 3차원 공부를 하지는 않는다. 자율학기제가 학생의 스펙 쌓기로 오용될 수 있고, 자율성을 부여한 현재의 고3 교실이 방종의 현장으로 흘러가는 폐단도 보이기 때문이다.

모든 학생을 어린아이식 학습으로 유도할 수 없으므로 교육자부터 나서서 잘 지도해야 된다. 또 적절히 1차원, 2차원 방식을 병행해야 하고 이후에 3차원 방식을 적절히 사용해야 한다. 1·2·3차원 교육방식을 적절히 통합한 6차원의 융합교육을 통해 학생의 교육효과를 극대화되도록 진행해야 할 것이다.

격이 다른 토론의 장, 하크니스 테이블

융합은 토론과 소통을 통해 일어날 수 있다. 타인과 토론하는 중 전혀 예상하지 못한 새로운 것이 탄생할 수 있기 때문이다. 자신에게도 끝없이 질문해야 하지만, 타인과의 토의와 질문도 필요한 이유다. 미국 동부 뉴햄프셔주 엑시터시에 위치한 '필립스 엑시터 아카데미 Phillips Exeter Academy'라는 고등학교는 질문하고 토론하는 공부로 유명하다. 1781년 존 필립스 박사 부부가 세운 기숙형 학교로, 미국에서 가장 오래된 최고의 명문고로 꼽힌다. 명문 학교의 랭킹 기준으로 삼는 미국 대학 입학 자격시험 SAT 성적과 학교 평가 기준 대부분에서 절대 상위를 차지하며 하버드대학에서 선정한 최고 기숙학교로 뽑히기도 했다. 페이스북 창립자이자 CEO인 마크 저커버그 Mark Zuckerberg가 이 학교 출신이다. 페이스북이 바로 필립스 엑시터 아카데미의 출석부에서 비롯된 명칭이라는 것도 이 학교를 세계적으로 알려지게 했다.

필립스 엑시터가 뛰어난 학생들을 배출하게 된 비결은 독특한 교육 방식 덕분이다. 이 학교는 강의 중심의 수업은 없고 모든 수업이 토론으로 이루어진다. 토론식 수업은 하크니스 테이블 Harkness Table이라고 불리는 큰 원형 탁자에서 이루어진다. 하크니스라는 이름은 미국의 석유

재벌이며 자선사업가인 에드워드 하크니스의 이름을 딴 것이다. 처음에는 이 학교도 일반 학교와 교육방식이 같았다. 그런데 1931년 에드워드 하크니스가 새로운 방식의 교육방법을 고안하면 거액을 기부하겠다고 제안했고, 학교 관계자들이 제시한 아이디어 중 원탁 토론 수업을 선택한 것이다.

이 학교에서는 교사와 학생 12명이 큰 원탁에 둘러앉아 토론하며 수업한다. 이 방식을 채택한 이유는 원형으로 앉을 때 모든 사람이 상대의 얼굴을 보며 토론할 수 있고 모두가 동등한 자격으로 질문과 의견, 아이디어를 주고받을 수 있기 때문이다. 에드워드 하크니스는 약속대로 거액의 돈을 기부했다. 필립스 엑시터 아카데미는 지금까지도 그 방식을 고수하고 있다.

한편 필립스 엑시터 아카데미는 명문대 진학률이 높아 입학 경쟁도 아주 치열하다. 지원자 열 명 가운데 두세 명만 합격한다. 학생과 교사의 비율은 5:1 정도를 유지하는데 현재는 전체 학생이 1,000여 명, 교사는 200명이고, 한 반에 학생 수는 12명을 넘기지 않는다. 원탁토의에 가장 적합한 학생 수가 12명이기 때문이다. 이제는 미국뿐만 아니라 다른 나라에서도 이 학교의 수업방식을 도입하면서 '하크니스 테이블'이라는 용어는 토론식 수업의 상징이 되었다.

'공부는 무엇인가를 가르치고 배우는 것이 아니라 각자의 지식을 나누는 것'이 바로 이 학교의 교육방침이다. 교사는 가르치지 않고 함께 토론에 참여한다. 그 과정에서 학생들은 권위자에게 의존하는 습관을 버리게 된다. "교사의 생각이 중요하다."는 고정관념에 갇히지 않고 누구의 생각이든 옳고 합리적인 것을 선택하는 법을 배운다. 누군가의 생각을 따르는 것은 전반성적 사고로서, 노예 같은 낙타의 마음이라고 한 것을 떠올리길 바란다. 이들이 토론에서 더 옳은 선택을 취하는 것은 내가 곧 주인이라는 생각, 가장 올바른 방법을 따르는 유사반성적 사고의 사자 정신이라 볼 수 있다. 그런 과정을 거쳐 이들은 자신만의 생각, 즉 반성적 사고인 어린아이 정신을 배울 수 있게 된다.

이 학교의 슬로건은 "사고하고 토론하라 그리고 질문하고 분석하라"이다. 필립스 엑시터의 입학 담당자는 학생 모집 단계에서부터 교류하고 협력하는 공부를 강조하며 토론할 자질을 갖춘 학생들을 선발한다.

똑똑한 아이들이 모여서, 치열히 예습한 것을 질문하고 토의하며 심층적 공부와 융합적 공부를 해나간다. 서로 이끌고 참여하는 토론을 통해 생각의 융합이 일어나고 시너지를 내며 자라는 아이들은 10대 질풍노도의 뇌를 극대로 발달시킬 수 있을 것이다. 이런 아이들이 학문에 계속 헌신할 때 진리를 찾아내고 새로운 창조를 끌어내게 될 것이다.

PART 4

3단계 공부법
실천편

앞으로의 공부는 융합을 통한 깊은 생각과
다양한 분야로의 접속이 필요하다.

살아남으려면 반복하라

그렇다면 융합을 만드는 3단계 공부는 어떻게 진행되어야 할까? 먼저 1차원 공부로 시작해야 한다. 외부 세계의 사실과 데이터에서 정보가 될 것들을 찾아내 지식으로 만드는 1차원 공부는 암기를 통해 이루어진다. 주로 반복해서 보거나 읽어서 암기한다. 반복해서 통째로 암기하다 보면 뇌는 점점 좋아진다. 동경대학교를 나와 사법고시를 2년 만에 합격한 쇼지 마사히코莊司雅彦는《공부를 공부하다》에서 사법시험을 준비할 때 법조문을 통째로 암기하면서 기억력이 점점 좋아지는 것을 느꼈다고 한다. 처음에는 하루에 단어 10개도 못 외웠지만 계속 외우다 보니 한 달 뒤에는 50개도 더 외우게 되었다고 회고했다. 그는 기억력이 좋아지는 것은 연령과 상관없고 외우는 작업을 계속하면 누구나 기억력이 비약적으로 좋아질 수 있다고 했다.

기억의
종류

기억이란 인간이 '정보를 입력하고 저장하고 인출해내는 과정'이다. 기억력은 학습에 있어서 매우 중요한 능력으로, 학습한 것을 얼마만큼 정교하게 기억하느냐에 따라 학업성취도가 달라진다. 기억의 방식에는 몇 가지 유형이 있다.

1. 감각기억 Sensory Memory: 잘 익은 사과와 설익은 사과를 구분하는 힘

무지개를 보고 무지개임을 아는 것, 사과의 붉은색을 보고 익었다는 것을 아는 것은 감각기관이 그렇게 알고 있기 때문이다. 이를 감각기억이라 한다. 감각기억은 외부 환경에서 우리에게로 끊임없이 밀고 들어오는 수많은 자극을 정보로 변환해 그 의미를 알게 해주는 처리단계다. 감각수용기sensory register를 통해 받아들인 외부 자극이 무엇인지를 감각정보저장고sensory information store에 기억한다. 만약 가방 속에 손을 넣고 뒤지다가 뭔가를 만졌는데 그게 열쇠라는 것을 안다는 것은 손의 감각이 감각정보저장고에 열쇠로 기억된 것과 동일하기 때문이다. 아무리 만져도 뭔지 모른다면 감각기억에 그 정보가 없기 때문이다. 처음 보는 것이 뭔지 모르는 것은 아직 그것을 감각정보저장고에 저장하지 않았기 때문이다.

2. 단기기억 Short-term Memory: 전화번호를 빨리 외우는 능력

친구가 불러준 전화번호를 급하게 외워 빠르게 전화를 건다. 그러고는 잊어버린다. 이처럼 짧은 순간만 기억하는 것이 단기기억이다. 단기기억 장치는 처리하려는 정보를 잠깐 회상하거나 기억하기 위해 사용되는 일종의 메모장이다. 이 두뇌 속 메모장은 빠르게 사라져버린다. 보통 20~30초 정도 지속되고 한 번에 외울 수 있는 정보 용량은 7±2단위라고 알려져 있다. 전화번호가 보통 7~8자리로 구성된 것이 단기기억 용량에 기인한 것이다. 또한 정보를 묶는 것을 청킹chunking이라 하는데 정보를 나눠 묶어서 기억하면 용량이 늘어난다. 전화번호 11자리를 통째로 외우는 것보다 012/3456/7890으로 나눠서 외우면 더 잘 외워지는 것도 묶어서chunk 외우기 때문이다.

3. 장기기억 Long-term Memory: 모교 이름과 같이 잊혀지지 않는 것

장기기억은 정보를 장시간 보관하는 창고로서, 거의 사라지지 않는다. 장기기억의 종류로 일화기억episodic memory과 의미기억semantic memory이 있다. 일화기억은 우리가 겪은 사건event과 경험experience이 기억되는 곳이다. 예를 들어 자기 결혼식날 아침에 일어난 에피소드는 누구나 평생 기억할 것이다. 특히 감정과 결합된 에피소드는 더욱 오래 강하게 기억되는데, 이를 일화기억이라 한다. 한국의 수도가 서울인 것 역시 잊을 수 없다. 이런 기억은 의미기억이다. 의미기억에는 공부해서 획득한 사실facts, 개념concepts, 기술skills들이 체계적으로 기록된다. 1차원 공부를 통해 확실하게 외운 중요 정보는 의미기억에 들어간다.

장기기억에서 주로 이루어지는 활동은 저장storage, 삭제deletion, 인출retrieval이다. 단기기억에서 정보가 사라지는 것을 막고 장기기억으로 변환되게 하려면 시연rehearsal과 약호화encoding 과정이 필요하다. 시연이란 어떤 행사를 리허설하듯 외울 내용을 입으로 중얼거리거나 노트에 적어보는 식으로 미리 인출해보는 과정을 말한다. 시험 치르기 전 답을 입으로 외워보는 것이 시연의 사례다. 약호화란 새로운 내용을 보다 잘 기억하기 위해 이미 기억하고 있는 개념과 아이디어에 연결하거나 특이한 문장을 만들어 기억하는 등의 방법을 말한다.

4. 작업기억 Working Memory: 물건 값을 암산으로 계산하는 장소

작업기억이란 뇌 속의 연산장치다. 머릿속으로 암산을 하거나 뭔가 판단하기 위해 자료들을 비교할 때처럼 의식이 개입되어 작용하는 기억이다. 문제를 풀고 암산하거나 판단할 때, 글을 읽고, 이해하고, 추리할 때에 주로 사용된다. 전두엽이 관여하고 유동지능과 연결된다.

미국의 인지심리학자 존 로버트 앤더슨John Robert Anderson은 작업기억이 머릿속으로 외우면서 계산하고는 잊어버리므로 단기기억과 구별할 수 없다고 말했다. 하지만 작업기억은 계산까지 하는 장소이므로 단기기억과는 다르다고 데니만Meredyth Deneman과 카펜터Patricia A. Carpenter는 주장했고 지금은 그 주장대로 다르게 본다. 단기기억은 저장만 하고 작업기억은 저장과 처리를 동시에 한다. 단기기억은 숫자의 순서만 기억하지만, 작업기억은 순서를 기억하면서 동시에 더하거나 빼는 산술문제를 푸는 인지적 작업도 함께 수행한다. 데니만과 카펜터는 "단기기억은 짧은 시간 동안 제시된 자극의 수를 저장할 수 있는 단순 저장버퍼(숫자나 철자)로 측정되지만 작업기억은 읽기나 조작과 같은 저장과 처리를 동시에 요구하는 복합 기억 용량이다."라고 정리했다.

암산이 되는 사람이 안 되는 사람보다 더 머리가 좋고 수학성적이 더 나은 것은 당연하다. 하지만 암산을 잘하는 아이가 언어성적도 더 낫다면 좀 생각해봐야 한다. 영국의 교육학자 수잔 개더콜Susan Gathercole은 작업기억 능력이 높을수록 영어성적도 더 좋다는 것을 밝혀냈다. 개더콜의 연구결과 영어성적이 평균 수준인 아이들의 작업기억은 100인 반면에 평균 이상인 아이들의 작업기억은 109였다. 수학성적이 평균인 아이들의 작업기억은 102, 평균 이상인 아이들의 작업기억은 114로 영어보다 차이가 컸다. 작업기억이 수학뿐 아니라 언어에도 영향을 준다는 것을 통해 공부를 잘하기 위해서는 무조건 뇌의 메모장인 작업기억 능력을 올려야 한다는 것을 알 수 있다.

5. 외현기억과 내현기억: 말로 설명할 수 있거나 없는 차이

기억되어 있는 것을 인출하는 방식에 따라서 외현기억과 내현기억으로 구분한다. 말로 인출될 수 있는 것도 있지만 어떤 것은 말이 아닌 행위나 느낌으로 표현될 수 있다. 말로 설명할 수 있는 것은 외현기억, 의식되는 기억, 서술적 기억이라 부른다. 고등학교 졸업식날 에피소드처럼 일화로 기억되어 말로 설명할 수 있는 기억, 한국의 수도가 서울이라고 대답할 때 등에 사용되는 기억이다.

하지만 말이 아니라 몸이나 느낌으로 표현되는 기억도 있다. 수년 만에 수영장에 갔는데 오래전에 배운 자유형을 할 수 있거나, 자전거에 앉으면 자연스럽게 동작을 떠올려 자전거를 탈 수 있게 되는 경우를 떠올려보자. 이런 기억을 내현기억, 암묵기억이라 하는데, 말로 설명할 수 없다는 의미로 비서술적 기억이라고도 한다. 자동차 운전이나 어떤 운동을 배우면 그 절차를 굳이 기억하지 않아도 몸이 알아서 저절로 수행한다. 이런 절차기억은 뇌의 뒷부분에 있는 소뇌와 기저핵에 기억된다. 반복이나 숙달에 의해 몸에 체화될 때 내현기억에 저장된다고 보면 된다.

암기 방법 1:
반복의 힘

반복해서 읽고 외우는 방법으로 나는 '막고 품기식 공부'를 추천한다. '막고 품기'라는 말은 물고기를 잡을 때 물을 막고 그 속에서 물고기를 한 마리도 빠짐없이 전부 다 잡아내는 것에서 착안했다. 가두리 양식장에서 고기를 잡듯이 정보를 하나도 놓치지 않고 모조리 암기하는 공부다. 이는 범위를 정해놓고 무조건 반복해서 다 외워버리는 공부법이다. 반복 횟수는 10번이고 20번이고 좋다. 무한대까지도 갈 수 있다고 생각하자. 완벽하게 외울 때까지 반복하는 것이다.

외우고 알기 위해서는 그 내용을 반복하는 것이 가장 단순한 지름길이다. 뇌에 확실한 흔적이 남을 때까지 무조건 반복해서 읽고 망각하지 않기 위해 또 반복한다. 몇 번이든 상관없다. 예컨대 시험범위가 정해지면 교과서를 반복해서 읽고, 이후 참고서를 반복해서 읽는 식이다. 그 다음에 문제집을 풀고 틀린 문제가 나타나면 또 반복해서 보고, 오답노트를 만들면 노트를 또 반복하는 것이다. 시간이 많이 걸리겠지만 아무것도 하지 않아도 시간은 흐른다. 공부에 시간을 들이지 않고 대충 살려고 한 결과가 지금 자신의 현재 모습일 수 있다. 한 번만 보고도 다 외워버리는 천재도 있지만 평범한 사람들은 반복해야 외워지고 횟수가 많을수록 깊이 기억에 남는다.

이러한 반복으로 문리文理가 터진 사람이 있다. 바로 조선 후기의 시인 김득신이다. 그는 어려서 천연두를 앓은 탓에 총기가 없었다. 첫 구절이 26자에 불과한 〈십구사략〉을 사흘이나 배워도 읽는 법조차 익히지 못했다. 주변에서는 그를 바보 중의 바보라 했다. 하지만 아버지 김치는 포기하지 않고 득신을 열심히 가르쳤다. 각고의 노력 끝에 김득신은 20세를 넘겨 비로소 아버지께 글 한 편을 바쳤다. 그때 아버지는 "더 노력해라. 공부는 과거를 보기 위한 것이 아니다."라고 격려했다.

김득신은《사기》의 〈백이전〉을 10만 번 읽었다. 이 글은 800여 자의 한 자로 이루어졌다. 10만 번이라면 하루에 10번 읽었을 때 30여 년이 걸리는 분량이다. 어떤 문헌에서는 그가 자신의 서재인 괴산 취묵당에서 〈백이전〉을 1억 1만 3천 번을 읽어서 취묵당을 억만재라 부른다고 전한다. 반복해서 읽은 노력 끝에 김득신은 59세의 나이로 과거에 급제한다. 이후 시문에 능하다는 명성을 얻었고, 마침내 한문의 4대가 중 한 사람인 이식李植으로부터 "그대의 시문이 당금 제일"이라는 찬사를 받기에 이른다.

그는 다른 책도 반복해서 읽었다. 취묵당에 걸린 '독수기'를 보면 김득신이 1만 번 이상 읽은 책이 36권이나 된다. 1만 번을 읽지 않은 책은 아예 올리지 않았다. 이처럼 한 권의 책을 1만 번, 10만 번씩 반복해 읽을 수 있는 노력과 의지가 그를 당대 최고의 시인으로 거듭나게 했다. 하나를 반복하여 계속 읽고 외우는 것은 1차원 피상적 공부의 핵심이다. 반복하면 뇌에 자극이 생겨 확실히 기억할 수 있고 더 나아가 문리가 터진다. 문리가 터진다는 말은 뇌 속에서 융합이 일어났다는 것이다. 김득신을 통해 반복을 10만 번쯤 하면 융합이 일어나기도 한다는 것을 확인한 셈이다.

막고 품기식 암기, 즉 반복해서 읽으면 왜 잘 외워질까? 기억과 망각의 원리에서 알 수 있다. 에빙하우스 망각곡선으로 유명한 독일 심리학자 헤르만 에빙하우스Hermann Ebbinghaus는 독학으로 역사학, 언어학, 철학을 거쳐 심리학을 공부했고, 16년간 기억을 연구하여 망각곡선을 발표했다. 그는 반복의 효과를 정리하여 "반복 횟수가 같다면 '한 번 종합하여 반복하

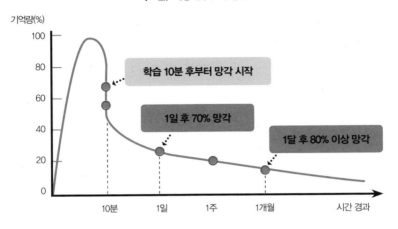

〈그림〉 에빙하우스의 망각곡선

기억량(%)

학습 10분 후부터 망각 시작

1일 후 70% 망각

1달 후 80% 이상 망각

10분　1일　1주　1개월　시간 경과

는 것'보다 '일정시간의 범위에 분산 반복'하는 편이 훨씬 더 기억에 효과적이다."라고 발표했다. 에빙하우스의 연구에 따르면 학습을 마치고 10분후부터 망각이 시작된다. 1시간 뒤에는 50퍼센트, 하루 뒤에는 70퍼센트, 한 달 뒤에는 80퍼센트를 망각하게 되며 이를 그래프로 나타낸 것이 위그림의 망각곡선이다.

　이런 망각으로부터 기억을 지켜내기 위한 가장 효과적인 방법은 복습이다. 복습의 주기도 매우 중요하다. 에빙하우스는 실험을 통해 10분 후에 복습하면 1일 동안 기억되고, 다시 1일 후 복습하면 1주일 동안, 1주일후 복습하면 1달 동안, 1달 후 복습하면 장기기억 된다는 연구결과를 발표했다. 그러므로 학습한 내용을 잊지 않고 장기기억화하기 위해서는 10분 후 복습, 1시간 후 복습, 1일 후 복습, 1주일 후 복습, 1달 후 복습이 반드시 필요하다. 각자 자신에게 맞는 복습 주기를 찾아낸다면 공부에 도움이 될 것이다.

암기 방법 2: 통째로 외우기

독일 출신의 사업가이자 고고학자 하인리히 슐리만Heinrich Schliemann은 트로이와 미케네 유적을 발굴한 것으로 유명하다. 그는 15개 국어를 구사했다. 하나의 언어를 길게는 6개월, 짧게는 6주 만에 마스터하는 방법을 알고 있던 어학의 달인이었다. 그는 자신의 기억이 좋지 않았기에 통암기법으로 공부했다고 한다. 자신의 책《고대에 대한 정열》에 "엄청난 열의를 가지고 영어학습에 전념했는데, 그때의 절박한 상황에서 모든 언어학습을 쉽게 할 수 있는 한 가지 방법을 발견했다."라고 고백했다. 그가 찾은 방법은 다음과 같다.

① 많이 음독音讀할 것(반복)
② 번역하지 말 것(해당 언어의 어순대로 기억)
③ 매일 1시간씩 꾸준히 할 것(습관화)
④ 흥미 있는 내용을 작문하고 가정교사의 지도를 받아 수정할 것(오류 수정과 빠른 피드백)
⑤ 수정한 것을 암기하고 다음날 암송할 것(오류확인과 암기)

이러한 통암기법으로 학습을 하면서 기억력이 향상되어 간단한 문장은 2~3번 정도만 읽어도 외울 수 있게 되었다고 한다. 이 방법을 응용해 영어공부를 위해 로마서를 통째로 외우는 식으로 시작해볼 수 있다. 하버드대학교를 졸업한 홍정욱은 중학교 때 미국으로 공부하러 가서 영어를 못해 밤마다 신약성경을 통째로 외웠다고 한다. 그때 외워둔 영어문장이 이후 고급 영어를 구사하는 데 필요한 기본 실력이 된 것이다. 통암기법을 위해서는 반복에 반복을 거듭하는 막고 품는 공부가 적절하다. 하나도 빠트리지 않겠다는 마음으로 지정된 범위를 수십 번 수백 번 반복하면 어느 날 공부에 자신감이 생길 것이다.

〕암기 방법 3:
〕휴식으로 각인하기

칼 비테가 짧게 공부하고 휴식을 하도록 한 것을 기억하는가. 휴식할 때 기억이 공고화되므로 휴식은 매우 중요하다. 버만과 카플란은 "뇌의 피로 때문에 사람들이 과민해진다."는 사실을 연구를 통해 밝혔다. 기분이 안 좋은 이유가 마음의 문제가 아닌 뇌의 피로 때문이라는 것이다. 뇌와 마음은 연결되어 있으므로 당연하다. 뇌가 피로하면 쉽게 기억하지 못한다. 뇌도 쉬어야 잘 기억한다. 푹 자고 나서 공부가 잘되는 것은 누구나 경험해봤을 것이다. 짧게 공부하고 중간중간 쉬는 것이 학습에 중요하고, 낮잠도 계산과 창의력에 큰 도움이 된다. 구글이나 마이다스 IT 같은 창의성을 요하는 회사들이 근무 중 낮잠시간을 보장하는 이유이기도 하다.

뉴욕대학교의 신경과학자 릴라 다바치Lila DaVachi는 "새로운 것을 학습한 후 휴식을 취하면, 특히 그 내용이 기억해야 하는 것이라면 학습 동안 활성화되었던 뇌 영역이 그대로 활성화된 채로 남아 있다."는 것을 발견했다. 단어를 외우고 나서 잠시 쉰다면 그 단어를 외워둔 뇌의 부위가 계속 활성화되므로 자극이 지속되어 정보가 굳어지는 효과가 생긴다. 외울 때 자극되고 쉴 때 그 자극이 공고화된다는 말이다. 또한 다바치는 학습과 휴식 간의 상관관계가 크면 클수록 학습한 것을 기억할 확률이 높아진 다고 했다. 그래서 실제로 수업 후에 커피 브레이크를 갖는 것이 학생들이 배운 정보를 기억하는 데 도움이 된다. 그는 "휴식할 때 뇌는 여러분을 위해 일하므로 휴식은 기억과 인지 기능에 중요한 역할을 한다."라고 말했다.

캘리포니아대학교 신경과학자 로렌 프랭크Lauren Frank는 연구를 통해 "새로운 학습을 한 후에 휴식을 취한 쥐의 뇌는 학습내용을 휴식 중에 응고화시켜 장기기억으로 전환시킨다."는 것을 발견했다. 이전에는 장기기억이 잠자는 동안에만 형성된다고 알려져 있었다. 하지만 프랭크는 휴식시간에도 장기기억을 만들고, 뇌에 휴식을 주지 않으면 기억의 응고 현상이 일어나지 않는다고 했다. 그는 이 연구결과가 사람의 학습에도 당연히 적용될 수 있다고 했다. 잠잘 때뿐만 아니라 휴식 시에도 장기기억이 만들어진다. 공부 중 잠깐씩 휴식을 취하는 것이 왜 기억에 중요한지를 이젠 확실히 알았을 것이다.

—— 1차원 공부로 기억력 높이는 법 ————————

- 반복해서 읽는다.
- 잊어버리기 전에 바로 복습하고 다시 떠올려본다.
- 쓰거나 입으로 말하면서 여러 기관을 동시에 사용한다.
- 한 번에 한 가지 정보만 머리에 입력해 정보의 충돌을 막는다.

- 공부한 내용을 질문으로 바꾸어 그 질문에 답하는 습관을 갖는다.
- 내용을 요약해보고 읽고 들은 지식을 몇 줄로 요약해본다.
- 학습한 내용들 중에서 비슷한 점, 다른 점, 새로운 점을 찾아본다.

2 이기려면 넓게 하라

2차원의 전략적 공부는 1차원 공부를 통해 암기하고 알게 된 '정보'인 단편적인 지식을 이해하고, 조건에 맞는 곳에 적용하거나 연결해 지식체계를 만들고 개념을 만들어가는 공부다. 시험을 치를 때 대부분의 문제는 연관된 지식이나 체계화된 지식 등의 개념을 묻는 경우가 많다. 2차원의 전략적 공부는 경쟁에서 이기기 위해 남들보다 많이 알고 정확히 아는 것이 핵심이다. 사자가 사냥에 성공하듯 남다른 전략이 있어야 경쟁에서 이길 수 있다. 그러므로 남이 아는 것은 당연히 나도 다 알아야 하고, 하나라도 더 많이 알아야 이길 수 있다. 따라서 2차원 공부는 최대한 넓게 해야 한다.

또한 2차원의 전략적 공부는 목표를 정하고 그것을 달성하기 위해 전력을 다하는 공부다. 예를 들어 이번 중간고사에서 평균 90점을 받겠다는 목표를 정한 후 과목별 점수를 정한 다음 교과서를 읽고, 문제집을 풀고,

암기하는 방식으로 진행하는 것이다. 목표를 달성하지 못했다고 실패한 것은 아니다. 목표를 정하고 그것을 이루기 위한 총력이 전략적 공부의 핵심이고, 대표적인 예로 자기주도학습이 해당된다. 무엇보다 마음의 역할이 중요하다. 그러므로 할 수 있다는 자신감과 자기효능감을 가지고 목표를 정한 다음, 자신의 공부방식을 체크하면서 목표가 달성될 때까지 전략을 바꿔가면서 계획하면 된다.

이기는 공부의 시작

이기는 공부, 2차원 전략적 공부의 첫 단계는 '따라 하기'다. 공부로 이기고 싶은데 어찌할 바를 모르겠다면 1등의 방법을 그대로 따라 해보는 것이 좋다. 승자의 방식을 배우는 것은 가장 빠른 승리의 지름길이다. 2차원 공부에서는 정보를 이해하고 적용해 체계적인 지식과 개념을 만들어야 하는데 교사, 우등생, 성공한 사람을 그대로 따라 하는 것이 도움될 것이다.

악기를 배울 때 대가와 똑같이 연주하기 위해 반복했다면 이는 모방을 위한 반복이다. 2차원 공부를 위해 1차원 공부를 하고 있는 것이다. 얼핏 보면 따라 하기는 피상적 공부로 보일 수 있다. 하지만 전략적 공부라고 해서 처음부터 전략적이고 체계적일 수 없다. 무엇이든 처음엔 따라 하기부터 시작한다. 그렇게 기초가 다져지면 목표달성을 위한 전략들이 등장한다. 이때도 멘토나 롤모델이 필요하다. 동물들을 관찰해보면 그들도 그렇게 학습한다는 것을 알 수 있다.

한 TV 프로그램에서 탈진 상태로 발견된 새끼 솔부엉이의 이야기가 소개되었다. 솔부엉이를 발견한 주민이 지속적으로 먹이를 주어 살아나게 되었지만, 사람 손에 익숙해진 솔부엉이가 먹이사냥을 못해 자연으로 돌려보내기 난감해졌다는 내용이었다. 결국 야생성 훈련을 위해 야생조류 보호소로 보내져 자신과 같은 솔부엉이 몇 마리와 함께 생활을 하면서 그들로부터 귀뚜라미 같은 먹이의 사냥법을 배운 후에 자연으로 돌아가게 되었다고 한다.

이렇듯 모방은 공부의 가장 원초적인 형태다. 자기주도를 시작하기 전에 다른 학생이나 선배, 부모, 형제, 선생님으로부터 공부하는 법을 배워야 한다. 하지 못하는 것 중에 몰라서 못 하는 경우가 많다. 이때는 누군가에게 배워야 한다. 요즘은 학교에서 멘토-멘티 제도를 통해 서로 가르치기를 시키는 교육법을 도입하고 있다. 상급자가 하급자를 가르칠 때 배우는 쪽은 물론 가르치는 쪽도 효과가 있다는 연구들이 발표되고 있다. 가르치면서 정리가 되고 자신이 모르는 것을 알게 되므로 멘토와 멘티 둘다에게 도움이 된다는 것이다.

자신이 무엇을 알고 모르는지를 아는 것이 메타인지라고 했다. 누군가를 가르칠 때 바로 이 메타인지를 사용하게 된다. 또한 멘토는 자신이 가르친 것을 멘티가 이해할 때 자신이 잘 가르쳤다는 생각에 성취감과 유능감을 느낀다. 이렇게 서로 가르치고 배우면서 양쪽이 다 성장할 수 있다.

전략적인 사람들의 10가지 특징

전략적 공부에 강한 사람들은 어떤 특징이 있을까? 다음은 일반적으로 알려진 자기주도적인 사람들의 특징이다. 본인이 이에 해당된다면 전략적 공부에 강한 사람이라고 이해하면 된다. 만약 약하다면 각 항목을 자신의 특징으로 만들기 위해 노력하자.

① 자기 일을 스스로 결정하려는 경향이 강하다. [　]
② 어릴 적부터 책을 많이 읽었고 가정에 독서하는 분위기가 형성되어 있다. 자율적이면서 엄격한 가정에서 자랐다. [　]
③ 부모나 선생님에게서 긍정적이고 실현가능한 기대를 받았다. [　]
④ 싫어하는 과목으로 나만의 문제집이나 정리장을 만드는 등 좋아할 수 있는 이유를 만들어 자신이 얼마나 공부했는지를 확인하는 성향이 있다. [　]
⑤ 철저한 시간 계획을 세우고 이를 실천하려고 노력한다. 매일, 매주, 매월 계획을 세우고 이를 하나씩 확인하는 습관이 있다. [　]
⑥ 자신이 되고 싶은 직업인이나 인물에 대해 구체적으로 생각하며 이를 위해 어떤 대학에서 무슨 공부를 할지 고민한다. [　]
⑦ 좋아하는 과목이 있으며 이와 관련된 공부에 흥미를 느낀다. [　]
⑧ 다른 사람에게 지기 싫어하며 선의의 경쟁을 즐긴다. [　]
⑨ TV 시청, 컴퓨터 게임, 이성친구 사귀기 등을 자제한다. [　]
⑩ 한 번 목표를 정하면 달성할 때까지 다른 일을 하지 않고 그 일에만 매달린다. 무슨 일이든 자신이 할 수 있다고 여긴다. [　]

전략적 공부 방법 1:
메타인지 활용

전교 1등을 하고, 명문대에 진학하고, 아이비리그 대학에 유학을 가고, 대기업에 들어가는 사람들은 나름대로의 전략을 세우고 체계적인 공부를 한 결과 그렇게 된 것이다. 전략적 공부를 하기 위해서는 자신이 잘하고 있는지 확인하고 남들과 비교하고 성과를 확인하는 등 늘 메타인지를 작동시켜야 한다.

유대인 인구는 1,650만 명 정도로, 세계 인구 중 0.2퍼센트 정도에 불과하다. 하지만 노벨상 수상자의 22퍼센트가 유대인이다. 뿐만 아니라 금융, 경제, 법률 등 각 분야 최고 지위에 오른 유대인의 성공 이야기들은 이미 잘 알려져 있다. 유대인의 성공 전략을 알기 위해 오래전부터 전 세계가 그들의 공부방식과 교육방식에 주목했다. 그래서 유대인 랍비의 가르침인 《탈무드》는 지금도 전 세계적인 베스트셀러다. 최근에는 그들의 공부방식에서 메타인지를 사용하는 것이 밝혀져 사람들이 따라 하기 시작했다.

뉴욕의 유대인 학교인 예시바대학교의 도서관은 일반 도서관과 좀 다르다. 도서관인데도 매우 시끄럽다. 학생들이 둘씩 팀을 이루어 계속 토의하면서 공부하고 있기 때문이다. 유대인들이 토의하며 공부하는 이 방식을 하브루타Chavruta라고 한다. 하브루타는 아람어Aramaic language로 '우정', '동반자 관계'를 뜻한다. '짝', '친구', '동반자'를 뜻하는 '하버Chaver'에서 유래했다. 원래 하브루타는 유대인 율법인 토라Torah를 함께 공부하는 학습법을 말한다. 유대인은 가정에서 밥 먹을 때, 학교에서 공부할 때 등 모든 상황에서 질문하고 토론하고, 어릴 때부터 짝을 지어 토론식으로 공부하는 하브루타에 익숙하다.

이렇게 토론식으로 공부를 하면 더 오래 기억된다는 연구결과들이 밝혀지고 있다. 미국 행동과학연구소에서 내놓은 '학습 피라미드' 이론에 따르면 학습 후 24시간 뒤 기억에 남는 비율이 교사의 일방적인 수업은 5퍼센트에 불과했지만, 토론은 50퍼센트, 체험과 실습은 75퍼센트로 조사되어, 참여하는 학습의 효과가 뛰어나다는 것이 입증되었다.

교육심리학에서는 "말로 설명할 수 없으면 모르는 것이다."라는 주장과 함께 하브루타가 매우 강력한 공부법이라고 설명한다. 말로 설명하는 중에 내가 아는지 모르는지 메타인지가 작동하기 때문이다. 말로 설명하면 자기가 무엇을 아는지 모르는지를 단박에 알 수 있다.

하브루타 효과는 실제 교실에서도 증명되고 있다. 2014년 부산교대의 연구에 따르면 3개월 동안 하브루타 방식으로 과학수업을 진행한 결과 일반수업보다 탐구 능력 향상도가 월등히 높았음이 입증되었다. 부산의 한 초등학교 교실 두 반을 비교했는데 하브루타 수업의 경우 과학탐구능력이 77.1점에서 103.1점(만점 120점)으로 높아진 반면, 일반수업은 79.2점에서 76.9점으로 하락하는 결과가 나타났다고 한다.

하브루타의 효과를 확인하는 또 다른 실험이 있다. 학생들을 두 팀으로 나누고, 한 팀은 2층 도서관에서 조용히 책을 읽고 암기하는 전통적인 공부법을 수행하게 했고, 다른 한 팀은 1층에서 2명씩 짝을 이루어 묻고 답하는 하브루타식 암기를 하게 했다. 3시간 후 그들이 공부한 것을 테스트했다. 그 결과 2층은 평균 48점, 1층은 76점을 기록했다. 말로 설명하는 하브루타 방식의 공부가 좀 더 기억에 도움이 된다는 것을 증명함 셈이다. 즉, 말로 설명하는 동안 정리가 되고 뇌 속에 정보가 잘 저장될 수 있다.

인지심리학 연구결과 인간은 알지 못하면서 안다고 착각하는 경우가 많다고 한다. 안다고 생각하지만 막상 그것을 설명하라고 시키면 못 한다는 것이다. 모르면 설명할 수 없다. 따라서 말로 설명하면서 모르는 것을 확인하고 확실히 알게 되면 뇌에 깊이 각인되고 암기율이 높아진다. 또 하브루타를 혼자서도 할 수 있다. 혼자서 말로 설명하고 정리하며 응용할 수 있고, 도서관이나 조용한 장소에서는 말하는 대신 백지에 글로 정리하는 방식을 쓸 수 있다. 말이든 글이든 잘 외워지는 방법을 써서 늘 메타인지를 가동하는 것이 전략적 공부다.

융합연구 중심의 한 학교에서는 매일 밤 자기주도식으로 1시간 30분가량 공부한 후에 백지에 공부한 것을 기록하는 백지테스트를 하면서 하브루타식 공부를 적용한다. 내가 진로 코칭을 했던 이 학교 출신 P양은 독학으로 고졸 검정고시를 치르고 17세에 컴퓨터공학 학사학위를 딴 후, 만 18세에 성균관대학교 대학원에 입학했다. 전략적 공부를 기반으로 한 융합연구를 10대에 이미 한 결과다. 융합공부가 10대에도 가능함을 보여주는 사례 중 하나다.

전략적 공부 방법 2: 자기주도학습

2차원의 이기는 전략적 공부를 자기주도식으로 수행할 때 성과가 좋게 나타난다. 과외보다 자기주도공부로 더 좋은 성적을 기록한 사례도 많다. 단국대 교육학과 이해명 교수 연구팀이 전국 중·고등학생 3,500명의 3년간 수능 모의고사 점수를 분석해 과외의 효과 여부에 대해 연구했다.

연구대상자들은 지능, 학습태도, 과외, 가정환경, 학교 환경, 사회 환경 등 조건이 각기 다른 학생들이었다. 서울의 강남과 강북, 중소도시, 농어촌지역에서 선정된 22개 중학교와 26개 고등학교 등 총 48개교, 3,500명이 대상자였다.

과외를 하면 성적이 오르는지, 무엇이 성적에 결정적인 영향을 주는지를 밝히는 연구를 했다. 결론은 "과외 받은 학생의 성적이 거의 오르지 않았다."였다. 과외 과목은 국영수였는데 중학생에게만 약간의 효과가 있었고, 고등학생에게는 거의 효과가 없었다. 또한 지능이 90~110 정도 되는 보통 수준의 중학생에게만 효과가 있었고, 지능이 높거나 낮은 경우에도 효과가 없었다. 특히 과외를 받되 학부모가 관심을 갖고 지도를 할 때만 효과가 있었다는 것을 주목해야 한다. 그냥 학원에 보내기만 하거나 개인 지도에 의존한 경우는 효과가 없다. 결론적으로 연구팀은 대부분의 중고 등학생이 과외를 받을 필요가 없다고 정리했다.

자기주도학습은 '타인의 조력 여부와 관계없이 학습자가 주도권을 가지는 학습과정'으로 학습자가 학습목표를 정하고 자원을 확인하며 학습전략과 방법을 선택하고 학습결과를 평가하는 일련의 작업을 의미한다. 책도, 인터넷 강의도, 학원이나 과외조차도 필요하면 내가 선택하는 식으로 모든 것을 학습자 본인이 결정하는 것이 자기주도학습이다.

자기주도학습이 이루어지려면 세 가지가 필요하다. 첫째 좋은 교육환경, 둘째 긍정적 자아 개념, 셋째 학습자가 스스로 학습에 주도권을 가지는 것이다. 이 세 가지 조건이 만족될 때 자기주도라 한다. 그리고 다음의 5단계의 과정을 거쳐 자기주도학습은 완성된다.

1. 자신에게 필요한 학습 요구 사항을 안다

공부해야 할 것이 무엇인지를 아는 것이다. 예를 들어 '공부법에 관한 책'을 쓰고자 할 때 인지심리학은 조금 알고 있으나 교육학에 대한 지식이 없으니 교육학 분야의 선행공부가 필요하다는 것을 스스로 아는 과정이 이에 해당된다.

2. 자신의 학습 목표를 설정한다

부족한 과목에 대한 공부목표를 정하는 것이다. 예를 들어 교육학 책 세 권과 교육심리 두 권을 구해 읽는 것을 계획하는 식이다.

3. 학습에 필요한 인적·물적 자원을 확보한다

집필에 필요한 책, 동영상 강의, 기사자료, 연구자료, 논문 등을 수집한다.

4. 자신에게 적합한 학습전략을 선택하고 실행한다

어떤 순서로 공부하고 집필할지 결정한다. 참고문헌을 먼저 볼지, 기사 검토를 먼저 할지, 연구자료의 심층적인 이해를 우선시할지 등 순서를 정하는 과정이다.

5. 자신이 이룬 학습 결과를 스스로 평가한다

자신의 집필과정을 검토하고 가장 성과가 좋았거나 반대로 가장 나빴던 것을 알아내 수정하는 과정이다.

자기주도학습을 사용한 전략적 공부는 마음의 성분들을 사용해 적극적이고 능동적이며 계획적으로 목표를 달성할 수 있다.

전략 1. 동기주도전략

동기주도전략을 사용한다는 것은 자기주도학습자가 높은 흥미와 목표를 가지고 자발적으로 학습에 임하는 것을 말한다. 다른 사람의 요구가 없어도 스스로 자신의 재미와 흥미에 따라 공부 동기를 가지고 학습한다.

전략 2. 정서사용전략

정서사용전략은 자기효능감과 즐거움을 가지고 기쁨과 슬픔, 분노 등을 학습에 이용하는 것을 의미한다. 보통의 경우 화가 나면 마음에 혼란이 찾아와 공부에 집중하지 못하는 경우가 많지만, 오히려 그 분노를 힘으로 역이용하면 공부에 더 집중할 수 있다.

전략 3. 의지사용전략

효과적인 공부를 위해서는 지적 능력과 동기, 인지, 정서뿐 아니라 어려운 과제를 끝까지 해내는 의지가 필요하다. 실패해도 좌절을 극복하고 끈기와 인내로 끝까지 공부를 완수하여 목표를 완성한다.

전략 4. 인지와 메타인지 사용전략

인지를 사용한다는 것은 학습자가 자기 학습을 계획하고 목표를 정하고 공부하며 점검하고 평가하는 것을 말한다. 공부 계획을 세우고 자신에게 맞는 학습 방법을 사용하는지, 제대로 알고는 있는지 스스로 점검한다.

전략 5. 행동전략

행동전략을 사용한다는 것은 학습자가 자신의 학습을 성공적으로 이끌기 위해 가장 적합한 환경을 선택하고 시간을 계획하고 구조화하여 특정 시간만 공부하는 식으로 공부에 직접 이용하는 것이다. 집에서 공부가 안 될 때 도서관에 가듯, 공부환경이 좋은 조용한 곳에 가거나 모르는 것을 알려주는 친구나 선생님을 적극적으로 활용하는 방법 등이 있다.

전략적 공부 방법 3: PQ4R와 MURDER 학습

간단한 전략적 공부 방법 두 가지를 소개하려 한다. 우선 토머스Ellen Lamar Thomas와 호프스트라대학교Hofstra University의 로빈슨H. Alan Robinson 이 만든 것으로, 메타인지를 많이 사용하는 특징이 있는 프로그램인 PQ4R이다. PQ4R은 사전검토Preview, 질문Question, 읽기Read, 숙고Reflect, 암송Recite, 복습Review의 약자다. PQ4R는 다음과 같은 과정을 거친다.

1. 사전검토

일단 공부할 내용 전체를 대략 훑어본다. 개요, 목표, 각 절의 소제목 등을 읽으며 자신의 뇌와 공부 스키마를 활성화시키며 공부 내용을 해석하고 기억하기 위한 준비과정이다.

2. 질문

공부할 부분에 대한 질문을 만들어 스스로에게 질의응답해본다. 각 절마다 질문과 답을 생각하며 읽는다. 먼저 질문하는 것은 메타인지를 켜두기 위함이다. 자격증 같은 공부를 할 때 먼저 기출 문제를 풀어보고 그 문제들을 생각하면서 공부하면 조기에 고득점을 받을 수 있다. 이런 방식을 통해 스스로에게 질문을 던지며 좀 더 깊이 생각할 수 있다.

3. 읽기

질문했던 문제를 생각하며 책을 읽는다. 내용의 난이도와 목적에 따라 읽는 속도와 횟수를 조절한다. 그냥 읽는 것이 아니라 생각하면서 읽는다. 한두 번으로 안 되면 여러 차례 반복해서 읽는다. 읽는 것은 피상적 공부지만 자신이 그 내용을 기억하는지를 확인하는 메타인지를 사용해 진행하므로 전략적 공부다. 2차원 공부를 하는 중에 1차원 피상적 공부를 활용하는 셈이다.

4. 숙고

학습한 자료에 대해 깊이 생각한다. 숙고는 공부한 것을 이미 알고 있었던 것과 연결하고 소주제들을 주요 개념이나 원리에 연결시키거나 모순을 발견하고 모의 문제들을 해결하며 학습 자료를 이용하는 것을 의미한다. 숙고란 뇌 속 정보를 연결시키는 작업이므로 이후에 3차원 심층적 공부에서 창조와 융합을 할 수 있는 선행 작업이 된다.

5. 암송

질문에 묻고 답하며 내용을 암기한다. 객관식 문제에 효과적으로 4~5지 선다형 수능이나 자격증 공부에 적합하다. 암기는 피상적 공부지만 내가 아는지 확인하면서 암기하는 것은 전략적 공부다. 처음에 봤던 질문에 대해 책을 보지 않고 답하고 맞출 수 있게 되면 성공이다. 입으로 암송하는 시연(리허설)을 해보면 내가 뭘 알고 모르는지 확실히 알 수 있다. 주관식이나 논술형 시험의 경우, 입으로 암송하고 글로 쓰며 확인하는 과정이 반드시 필요하다. 암송하다가 모르는 부분은 다시 읽는다. 이렇게 진행해가려면 메타인지를 계속 가동하고 있어야 한다.

6. 복습

질문에 대해 명확하게 답하지 못한 부분을 다시 읽는다. 이때는 1차원 공부인 반복을 활용한다. 반복과 복습을 통해 공부한 내용을 장기기억 속에 완벽하게 통합시킨다. 전부를 다 외우기 위해 수십 번 반복해도 된다. 전략적 공부는 어쨌든 목적을 달성하기 위해 1차원의 피상적 공부를 적절히 사용하는 게 좋다.

두 번째 전략적 공부 방법으로 소개할 것은 카네기멜런대학교의 인지심리학자 댄서로우Donald F. Dansereau가 만든 MURDER라는 학습전략이다. MURDER는 분위기Mood, 이해Understand, 회상Recall, 탐색Detect, 정교화Elaborate, 복습Review의 약자다.

1. 분위기

학습 분위기를 조성한다. 칼 비테가 아들을 위해 많이 사용했던 것처럼, 공부를 제대로 하기 위해 TV를 끄고 조명을 적절히 조절하고 책상 위에 산만한 것들을 치우고 그것도 어려우면 도서관이나 독서실로 가는 등의 방법이다.

내가 코칭한 학생들 중 아직도 2G폰을 쓰는 전국 로봇대회 우승자도 있었고, 쌍둥이 여학생에게 휴대전화를 아직 개통해주지 않는 부모님도 있었고, 어떤 작가는 불편하지만 SNS를 하지 않았다. 이외수 작가도 책 쓸 때 부인에게 방문을 밖에서 잠그게 하고 그 속에 갇혀서 글만 썼다고 한다. 이처럼 자신에게 적당한 방법을 고안해두는 것이 좋다.

2. 이해

주어진 공부의 목표와 조건을 이해한다. 해야 할 공부가 뭔지 이해하는 것이다. 그러기 위해 전체 목차를 보거나 기출문제를 훑어본다. 예를 들어 한국사능력검정시험에 대비해 조선 후기의 경제 상황에 대해 공부 중이라면 토지제도, 세금제도 등의 순서로 공부할 내용을 확대해간다.

3. 회상

과제와 관련된 정보를 찾는다. 내 기억 속에 그 정보와 관계된 것이 있는지 확인하는 작업이다. 내가 공부한 것과 유사한 내용이 머릿속에 있는지 찾는 것이다. 조선 후기의 경제 활동과 이미 공부했던 고려의 경제, 삼국시대의 경제, 남북국시대의 경제로 연관을 지어가는 것이다.

4. 탐색

빠진 점, 틀린 점, 정보를 조직하는 법 등을 찾아낸다. 공부 중에 잘못되어가는 것을 알아내고 정보를 계속 찾아내면서 기억량을 늘려갈 수 있다.

5. 정교화

정교화란 정보를 연결하고 가지치기를 하거나 마인드맵을 만들며 공부한 것을 연결하고 체계화하는 작업이다. 정교화 작업을 거쳐야만 공부한 것이 융합될 수 있다. 2차원의 숙고와 정교화 작업이 3차원 심층적 공부가 되는 토대가 된다. 이렇게 1·2·3차원은 다 연결된다.

6. 복습

제대로 학습되지 못한 부분을 다시 살펴본다. 메타인지가 자신이 모르는 것을 알아내면 당연히 그 부분을 반복하며 기억할 때까지 노력한다. 목표를 달성할 때까지 공부하는 게 중요하다. 남들이 1시간 공부해서 95점 받는다면 나는 3시간 공부해서 96점 받으면 이길 수 있다. 전략적 공부란 사냥하는 공부이므로 일단 시험은 붙어야 하고 성적은 좋아야 한다. 복습 자체는 1차원 피상적 공부로 한다. 이기려는 목적을 달성하려면 반복하고 복습해야 한다.

다음은 경제협력개발기구 ^{OECD}가 학생들의 자기주도적 학습 능력을 측정하기 위한 척도로 사용한 문항이다. 자기주도적으로 공부할 수 있는 사람이 전략적 공부에 강하다. 다음의 7개 문항을 읽어보며 자신에게 해당되면 체크한 후 5개 이상이면 매우 전략적으로 공부할 수 있는 사람이다.

① 정교화 진단
'학습전략' 면에서 공부할 때 다른 과목에서 배운 것(이미 아는 것)과 새로운 것을 연결시키려는 노력을 하는가? [   ]

② 내재동기 진단
'학업의 동기'가 공부(독서) 자체가 재미있기 때문인가? [   ]

③ 자신감 진단
자신이 어려운 도전과제를 해결할 수 있다고 믿는가? 어렵고 복잡한 과제를 이해할 수 있다고 믿는가? 숙제나 시험을 잘할 자신이 있나? 배우는 지식, 기술을 완전히 마스터할 수 있다고 확신하는가? [   ]

④ 경쟁심과 전략적 공부 추구 성향 진단
배운 것을 확실히 이해했을 때(복잡한 문제를 정복했을 때) 또는 다른 사람보다 더 많은 것을 알 때(똑똑하다는 것을 증명해 보일 때) 가장 성공했다는 느낌이 드는가? [   ]

⑤ 노력과 인내심 진단

공부할 때 최선의 노력을 기울이는가? 어려운 수학문제나 긴 국어 지문이나 영어 문장을 만나도 끈기 있게 도전하는가? [   ]

⑥ 협동심 진단

협력적 학습을 하는 것을 좋아하는가? 멘토나 멘티가 되는 것이 좋은가? [   ]

⑦ 시너지 추구 진단

혼자 공부하는 것보다 집단으로 공부하는 것을 더 좋아하는가? 남과 같이 하면 일을 빨리 끝낼 수 있는가? [   ]

즐기려면 깊게 하라

3차원 심층적 공부는 개념들 간의 공통점이나 차이점을 발견하고 더 나은 것을 찾아내거나 추상화, 패턴인식 등으로 융합을 이루며 새로운 지식을 창조하는 공부다. 학자, 예술가, 작가, 고급기술자, CEO들이 이 방식으로 공부하지만, 초중고 학생 중에 이미 심층적 공부를 하는 뛰어난 학생도 있다. 이들이 최상위권을 유지한다.

3차원의 심층적 공부는 하나의 문제에 대해 깊이 생각하며 풀 수 있는 모든 방법을 생각하는 것이다. 주제를 정해 논문을 쓰거나, 새로운 요리를 개발하기 위해 재료와 조리방법, 조리기구들을 어떻게 활용할지 함께 고민하거나, 새로운 제품을 만들기 위해 모든 것을 동원하는 기술자들은 기존에 없던 것을 만들기 위해서 3차원 심층적 공부를 해야 한다. 이 공부는 호기심에 따라 어린아이 정신으로 즐기면서 하는 공부, 즐기는 공부다.

어려운 문제를 피하는
성적 우수자

경쟁이 있는 곳에서는 경쟁에서 이기기 위해 전략적으로 공부해야 하지만 이후에는 자기와 경쟁하는 공부를 해야 한다. 자기와 경쟁하는 공부가 바로 3차원 심층적 공부다. 좋은 연구를 위해서는 전략적 공부에만 머물러 있어서는 안 되고 심층적 공부로 나아가야 한다.

심층적이고 융합적인 공부를 하는 사람이 아닌 경우에는 어려운 문제를 가급적 피하려고 한다. 특히 정답을 잘 찾는 전략적 공부를 오래 했던 사람은 풀기 쉬운 문제를 더 선호하는 경향이 있다. 답을 찾지 못하면 자신의 무능력이 드러난다고 생각하므로 쉬운 문제만 풀려고 한다. 이런 이유로 어려운 문제를 우등생이 더 회피하려는 경우가 많다.

마틴 셀리그만의 보고에서도 볼 수 있다. 대부분의 대학에서 그러하듯 셀리그만도 연구에 참여할 대학생을 선발했다. 그는 학부생 중 매년 전과목 A학점만 받은 우수한 3~4학년 대학생만 뽑아서 실험에 참가시켰다. 그리고 실험에 참여한 똑똑한 학생들에게 실험실 연구가 생각보다 매력적이지 않고 재미없다는 사실을 미리 알려주었다. 사실 연구는 그다지 재미있지 않다. 초반에 노력이 많이 들어가고, 일정 궤도에 오르기까지는 힘이 많이 든다. 책 쓰기도 마찬가지다. 실험실 연구는 더욱 그렇다. 몇 달 동안 하루도 빠짐없이 꼬박 실험실에 나와 동물들을 지켜보고 방대한 자료처리를 위해 컴퓨터와 씨름해야 한다. 실험 도중 장비가 고장나거나 컴퓨터가 다운될 수도 있고 실험 중이던 동물이 죽을 수도 있다.

셀리그만은 절반 정도의 학생이 중도에 포기했다고 밝혔다. 포기한 학생들이 원래 우등생들이었음을 기억하자. 이들에게 지적 능력이 없거나 창의력이나 계산력, 재능이 부족한 것이 이유가 아니었다. 그들은 과제를 탐구하고 물고 늘어지는 것이 힘들어 포기한 것이었다. 즉, 끈기 부족 때문에 그만둔 것이다. 자기 한계나 어려움을 넘지 못할 때 학업 회피가 나타난다. 이건 학습된 게으름과 연관이 있다.

셀리그만은 "그들은 흥을 돋우거나 흥분할 만큼 재미있는 활동이 아니면 하기 싫어했다. 그들은 어릴 때 봤던 프로그램인 〈세서미 스트리트 Sesame Street〉처럼 교육을 생각해 재미가 없으면 즉시 포기했다."라고 했다. 이 실험이 벌어진 장소가 아이비리그에 속하는 펜실베이니아대학교라는 것을 기억하자. 게다가 실험에 참가한 학생들은 성적이 우수한 학생들이었다.

뛰어난 학생들이라 해도 오랜 시간 하나의 문제에만 파고드는 심층적 공부나 깊고 단단한 융합적인 공부를 피하기도 한다는 것이 연구를 통해 밝혀졌다. 어쩌면 이들은 성적을 잘 받는 비결을 터득하여 펜실베이니아대학교에 입학한 것인지 모른다. 성적을 잘 받는 비결을 터득한 학생들은 전략적으로 공부하는 아이들이다. 전략적 공부로 명문대 합격이나 대기업 취업 등의 목표를 달성할 수 있지만 그런 공부로 절대 획기적인 연구나 진리를 알아내지 못한다. 그런 것은 오랜 시간 헌신적인 노력이 들어간 심층적이고 융합적인 공부에서 나타난다.

바로 이런 이유 때문에 우리나라에서 아직 노벨상이 나오지 않는 것인지 모른다. 교육방식을 바꾸어야 함은 설명할 필요도 없다. 어린 나이부터 연구하듯이 공부를 해야 한다. 10대에도 연구는 가능하다. 실제로 내가 융합연구를 코칭했던 학생 중 가장 어린 친구는 초등학교 6학년이었다. 13세의 나이에 수학연구와 융합연구를 수행했고 나름의 논문을 썼다.

나는 코칭만 했을 뿐 티칭은 하지 않았다. 문제를 만나면 힌트만 제시했고 본인이 문제점을 매주 해결해나가며 논문을 만들었다. 이런 아이들이 계속 연구에 깊이 매진할 때 새로운 것을 찾아낼 수 있을지 모른다.

사실 연구를 한다는 것은 창조적 행위이지만 지루한 일이다. 가치가 있는 새로운 발견을 하기 위해서는 숱한 실패를 감수해야 하고 좌절과 권태를 참아내야 한다. 연구 중 자신이 무능력하다거나 무기력하다는 느낌은 또 얼마나 드는지 모른다. 공부는 우리를 즐겁게 만들기도 하지만 좌절시킬 때가 더 많다.

그렇다면 공부가 즐겁다는 사람은 다 거짓말쟁이인가? 그건 아니다. 심층적 공부를 할 때 나타나는 깊은 몰입이 주는 극치의 경험은 즐거움을 준다. 그러나 몰입의 상태에 들어갈 때까지가 힘들다. 몰입 상태까지는 들어가지 못해도 원하는 결과가 나오고 연구가 완성되었을 때 오는 만족감, 유능감, 성취감이 있다면, 그 만족이 노력을 보상해주므로 연구에서 자신감과 기쁨을 느끼고 학문이 즐겁다는 말을 할 수 있다. 그래서 심층적 공부는 자기와의 경쟁을 통해 오히려 즐거움을 찾을 수 있는 '즐기는 공부'라 말할 수 있다.

셀리그만의 실험에서, 우수한 대학생의 절반 정도가 중도에 포기했다는 것을 다시 생각해보자. 펜실베이니아대학교에 들어올 수 있었던 이 학생들은 최고의 학생들이었을 것이다. 자라면서 실패보다 성공을 많이 경험했을 것이다. 그래서 이들은 고난 극복 메커니즘coping mechanism을 만들어두지 못했고, 그것이 한 번의 어려움을 만났을 때 좌절하고 포기하게 만들었는지 모른다. 그래서 셀리그만은 부모와 교사들이 학생들에게 많은 것을 너무 쉽게 줄 때 아이에게 악영향을 준다고 경고한다. 부모의 호의가 학습된 게으름을 만들어 어려운 문제 앞에서 지레 학습기피를 보이게 할 수 있다.

이런 이유로 아이들이 읽어야 할 도서가 많다고 불평할 때 분량을 줄여주거나 시험 범위를 줄여주고 시험 힌트를 주는 행위 등이 결국은 아이를 망친다고 셀리그만은 말한다. 비슷한 이유로 잘못을 저지른 청소년을 너무 쉽게 방면해주는 제도 역시 아이를 망친다고 한다. 최근 우리나라의 범죄가 극악무도해지는 이유를 사형집행의 폐지와 중형선고가 많이 사라진 법제도 개편의 영향으로 보는 염려도 같은 맥락이다. 잘못은 분명히 잘못임을 가르쳐야 한다. 범죄도 중독될 수 있다. 도박이나 알콜, 흡연, 음란물 등이 위험하고 잘못된 것임을 명확히 가르치지 않으면 그 아이는 평생 그 문제에 걸려 넘어질지 모른다. 잘못을 직시할 수 있는 마음의 힘이 공부에서 오는 어려움을 견딜 근력으로 작용할 수 있다.

심층적 공부 방법 1: 생각의 깊이를 넓히기

3차원 심층적 공부는 문제에 대해 깊이 생각하는 능동적 공부다. 오랫동안 하나의 문제에 대해 깊이 생각하며 문제를 풀려면 남이 시켜서가 아니라 자신의 목적과 즐거움에 따라 스스로 해야 한다. 사실 능동적으로 공부하지 않으면 남는 것이 별로 없다. 대학을 졸업하고 나서 대학에서 배운 게 없다고 말하는 이들이 많다. 대체로 재학 중에 수동적으로 공부한 학생들이다. 연구도 지도교수가 시켜서 하거나 프로젝트 때문에 억지로 할 때는 재미도 없고 성과도 낮다. 그런 연구는 정말 하기 싫다. 하지만 본인이 주제를 정하면 오랫동안 재미있게 노력할 수 있다. 학생들 중 연구주제를 자신이 정한 이들은 스스로 해결하려는 의지로 끝까지 문제를 풀었다. 10대부터 박사 과정 학생까지 비슷했다. 10대 초반부터 능동적으로 공부했던 아이들이 4~5년 만에 중졸, 고졸 검정고시와 대학 독학사까지 취득해 18세에 대학원으로 바로 올라가는 P양처럼 되는 것이다.

본인이 결정하지 않으면 능동적으로 하지 않기에 남는 것도 별로 없다. 시카고대학교 리처드 아룸Richard Arum과 조시파 록사Josipa Roksa는 대학생학습평가CLA, Collegiate Learning Assessment를 통해 대학생들이 2년간의 대학생활 후에 별로 배운 것이 없다고 말한다는 사실을 알아냈다. 그들은 3천여 명의 학생들을 대상으로 비판적 사고, 분석추리력, 문제해결력, 작문 능력 등을 평가했다. 학생들 중 45퍼센트는 2년 동안 그다지 배운 것이 없었다고, 36퍼센트는 4년 동안 거의 변화가 없었다고 대답했다.

연구자들은 이런 결과가 나오게 된 이유로 학생들에게 요구되는 학습량과 능동적으로 학습한 시간이 관련 있다고 밝혔다. 학생들은 매주 사고활동에 51퍼센트의 시간을 할애했지만, 능동적인 학습에는 7퍼센트만 사용했다고 대답했다. 35퍼센트의 학생들이 일주일에 5시간도 안 되는 적은 시간만 스스로 학습하는 데 사용했다. 그룹학습에 공부시간을 더 투자한 학생들은 배운 것이 적었다고 대답했다. 또한 50퍼센트의 학생들은 한 학기 동안 20쪽도 안 되는 작문을 했고, 32퍼센트가 일주일에 책과 논문을 40쪽 이상 읽을 필요가 없었다고 답했다. 공부할 이유가 없거나, 자기가 주제를 정하고 목표를 가지고 공부하지 않는다면, 남는 게 별로 없다는 말이다. 물론 실험을 여러 번 실행하지 않았다는 이유로 이 연구에 의문을 제기하는 교육전문가도 있다. 하지만 수동적 공부로는 남는 것이 별로 없고 능동적인 학습이 반드시 필요하다는 것은 부인할 수 없다.

UCLA의 심리학과 교수 로버트 비요크Robert Bjork는 "학습이란 어떤 지식을 상당한 기간 동안 사용하지 않고도 필요할 때 사용할 수 있는 능력이며, 그 지식을 가지고 원래 배운 맥락과 다른 상황, 조금이라도 다른 상황에서 일어나는 문제를 해결할 수 있는 능력이다."라고 했다. 즉, 주입식 공부나 그냥 외우는 피상적 공부가 아닌 다른 상황에 응용할 수 있으며 오래 지나도 회상이 되는 공부가 진짜 공부라는 말이다. 열심히 외웠으나 다른 곳에 쓸 수 없다면 공허한 승리다. 벼락치기로 외운 것은 절대로 재사용할 수 없고, 점수를 잘 받아 자격증을 땄어도 한두 달만 지나면 다 잊어버린다. 피상적 암기가 필요하긴 해도 심층적 학습이 아닌 단순 암기내용은 일정시간이 흐르면 잊힌다. 하지만 공을 들여 공부한 것은 오래 기억된다.

하버드대학교 심리학과 교수 대니얼 샥터Daniel Schacter는 《기억의 일곱 가지 죄악》에서 "좋은 것이든 나쁜 것이든 우리의 기억은 대체로 공들이기 나름이다."라고 했다. 능동적으로 공을 들여야 장기기억이 된다. 새로운 정보를 읽고, 해석하고, 쓰고, 요약하고, 주석을 달고, 말하고, 듣고, 회상하는 등 여러 가지 방법으로 그 정보를 사용하면 잘 기억된다. 즉, 정보를 가지고 많은 일을 해보고, 다각도로 뇌에 자극을 줄 때 잘 기억된다는 것이다. 생각하고 탐구하는 능동적인 공부는 그 주제에 대해 많은 방법을 생각하므로 오래 기억할 수 있다. 심층적 공부를 할 때 우리가 다룬 정보는 오래 기억된다.

심층적 공부 방법 2: 정교화하기

깊은 사고를 위해 공부에 활용할 방법은 많다. 10분간 하나의 문제에 대해 생각하거나, 내용을 자신에게 되물어보거나, 생각을 뒤집어보는 등의 방법들이 대표적이다. 하지만 심층적 공부에서 가장 중요한 것은 추상화와 패턴인식, 정교화 등이다. 추상화와 패턴인식은 이어지는 장에서 자세히 설명하겠다.

먼저 정교화를 보자. 정교화는 공부한 내용을 의미 있게 만들기 위해 지금 배운 정보에 새로운 정보를 첨가하거나, 이전에 알고 있던 것을 연결하거나 연관시키는 작업을 말한다. 심층적 공부는 알고 있는 정보를 연결시켜 의미를 갖게 해야 하므로 정교화 과정이 기본이다. 덜 중요하거나 중복되는 내용은 삭제하고 주요 핵심 내용이 부각되게 하는 것이 정교화다. 책을 쓸 때 초고를 쓰고 나면 중복되고 필요 없는 내용이 너무나 많다. 이들을 잘라내고 합치고 고치는 작업들이 전부 정교화 작업이다.

어떻게 공부하면 정교화 능력을 키울 수 있을까? 정교화 능력을 키우려면 학습내용과 관련된 서적을 많이 읽고 수업이나 강의 이외의 사회 현상에서도 고민하고 현장 체험도 해봐야 한다. 그렇게 할 때 학습한 새로운 내용이 자신이 이미 알고 있던 지식과 연결되어 보다 쉽게 이해되고 오래 기억할 수 있다. 이때 배우는 내용을 최적화하기 위해서 공부하는 순서를 정하는 것이 좋다. 즉, 배울 내용의 기본개념과 원리를 찾아 뼈대를 구축한 후에 단순한 것에서 복잡한 것, 쉬운 것에서 어려운 것, 구체적인 것에서 추상적인 것의 순으로 응용하며 학습해나갈 때 정교화가 잘 일어난다.

만약 진돗개의 수명과 주인과의 관계에 대한 연구를 한다고 하면 먼저 개의 기본 특성을 관찰, 정리, 이해하는 것이 첫 단계에서 할 일이다. 그 다음은 진돗개뿐 아니라 말티즈, 포메라니안 등 개의 품종마다 가진 독특한 특성과 차이점을 이해하는 것이다. 그리고 각 품종별 짖는 법의 차이, 사료 섭취 방법의 차이점, 잘 발생하는 질병의 종류와 원인, 주인과의 교감에서 오는 차이점과 공통점 등을 부분별로 확대해 들어가면서 정보들을 연결한다. 진돗개 특성에 대한 이런 정교화 과정을 거쳐야 진돗개 수명과 주인과의 관계라는 심층적 공부를 할 수 있다. 이처럼 3차원의 심층적 공부를 위해서는 정교화가 필수적이고 그 정교화가 깊고 넓게 진행되어 갈수록 심층적 공부가 깊어진다.

─── 정교화 전략 12가지 ─────────────────────

정교화를 잘하는 방법은 무엇일까? 다음은 교육심리학에서 정리하고 있는 정교화 능력을 키우는 법이다.

① 새로운 내용을 공부할 때 이미 배운 내용과 관련시킨다.
② 시험 공부할 때, 공부한 내용을 친구들에게 설명해본다.
③ 배우고 있는 내용과 이전에 배운 것들의 관련성을 찾는다.
④ 새로운 내용을 배울 때는 상황을 머릿속으로 그려본다.
⑤ 학습내용을 실생활과 관련지어 공부한다.

⑥ 새로운 개념을 배울 때 이해하기 쉽도록 구체적인 예를 떠올린다.

⑦ 공부할 때 자신의 생각을 나름대로 정리해본다.

⑧ 공부할 때 복잡한 내용은 도표나 그림, 마인드맵을 그려서 요약해본다.

⑨ 공부할 때 개념들을 모아서 나름대로 관계를 지어본다.

⑩ 공부하는 도중에 내용을 확실히 이해하고 있는지 중간중간 점검한다.

⑪ 책에서 읽은 내용을 실생활에서 활용하려고 노력한다.

⑫ 어떤 것을 암기하기 전에 먼저 충분히 이해한다.

배움의 속도를 높이는 기술

조선의 역대 임금 중 유일하게 '성인^{聖人}'이란 뜻의 '성군^{聖君}'으로 추앙받는 세종은 어떻게 세계 최고의 과학적 문자를 만들어낼 만큼 뛰어난 창의성을 가지고 있었을까? 역사가들은 그의 창의성이 학습을 통해 길러진 것이라고 본다. 즉, 그가 '공부하는 임금'이었기 때문이라는 것이다.

세종의 공부는 혼자 한 공부가 아니다. 임금은 신하들과 함께 공부하는데 이를 '경연'이라고 한다. '경연'의 횟수만 봐도 세종이 얼마나 많은 공부를 했는지 알 수 있다. 선대인 태종은 18년의 재위 기간 동안 60여 회의 경연을 했으나, 세종은 32년간 1,898회의 경연을 진행했다. 뿐만 아니라 세종이 공부한 내용은 성리학, 천문, 지리, 역법 등이었고 이를 본인이 통달하여 집현전 학사들을 직접 가르쳤다는 기록도 있다. 지금으로 비교하면 대통령이 한국과학기술원이나 한국전자통신원의 연구원들을 가르치는 것과 비슷하다. 상상이 되는가?

세종이 추구한 공부의 핵심은 '질문과 토론'이었다. 1만 800여 페이지에 달하는 《세종실록》에서 가장 많이 등장하는 임금의 표현이 "경들은 어찌 생각하시오."라는 것만 봐도 알 수 있다. 신하들에게 질문을 던져 상대의 생각을 이끌어내고 토론을 통해 지혜를 모으고 융합했다. 필립스 엑시터 아카데미에서 원탁 토론을 도입하기 몇백 년 전에 세종이 이미 신하들과 토론을 하고 있었던 것이다.

세종은 국가의 중대사를 논할 때나 집현전 학사들과 논쟁을 벌일 때도 가장 먼저 신하들에게 질문을 던졌다. 토의를 통해 재위 기간 내내 공부 스키마를 발달시키고 지식을 연결하고 체계화하며 융합해갔음을 알 수 있다. 그렇게 질문을 던지고 토론하며 경청하던 공부방식이 한글이라는 유산을 남겨주었고, 그를 우리 역사상 가장 위대한 임금의 반열에 올려놓았다. 4차 산업혁명 시대의 키워드는 융합이라고 앞에서 말했다. 앞으로의 공부는 융합을 통한 새로운 지식창조의 방향으로 나아가야 한다. 지식과 정보를 쌓기만 해서는 안 되기에 1차원과 2차원 공부로만 끝내지 말아야 한다. 깊이 사고하고 질문하고 토론하며 융합을 이끄는 공부를 해야 함을 세종에게서 본다.

그렇다면 융합을 일으키기 쉬운 방법이나 도구는 없을까? 생각, 토론, 노트 사용이 융합력을 높이는 데 도움을 줄 수 있다.

생각을 확장하는 훈련하기

융합하기 위해서는 필요할 때마다 1차원, 2차원, 3차원 공부를 사용할 수 있다. 하지만 근본적인 힘은 3차원의 심층적 공부, 깊은 생각에 기반을 두고 있다. 그렇게 본인에게 주어진 문제를 풀기 위해 깊이 생각하며 알고 있는 모든 것을 결합하고, 모르는 것은 배워나가며 점점 우리 안의 정보망을 키워가고 연결하는 것이 융합공부다.

생각은 언제 어디서나 할 수 있다. 또한 모든 것에서 생각하는 법을 배울 수 있다. 생각은 장소와 시간에 구애받지 않는다. 우리는 경험하고 그 경험에 대해 생각하고 아이디어를 얻고 그 아이디어를 행동으로 옮긴다. 깊은 생각에서 창의성이 나타날 수 있다.

로버트 루트번스타인Robert Root-Bernstein과 미셸 루트번스타인Michele Root-Bernstein이 쓴 《생각의 탄생》에서 창조를 일으키는 생각의 도구를 13가지로 정리했다. 그 13가지는 관찰, 형상화, 추상화, 패턴인식, 패턴형성, 유추, 몸으로 생각하기, 감정이입, 다차원적 사고, 모형만들기, 놀이, 변형, 통합이다. 13가지 생각도구가 어떻게 융합을 일으켜 새로운 것을 창조할 수 있을까?

먼저 세상의 모든 지식은 처음에는 '관찰'을 통해 습득된다. 보고 듣고 만지고 냄새 맡고 맛보고 몸으로 느끼는 것이 전부 관찰이다. 관찰로 습득된 느낌과 감각을 다시 불러내거나 어떤 심상으로 만들어 머릿속에 떠올리는 능력이 '형상화'다. 실제로 과학자나 화가, 음악가들은 실제로 보지 못한 것을 마음의 눈으로 보고 아직 세상에 나온 적이 없는 노래나 음악을 들을 수 있으며 한 번도 만진 적이 없는 어떤 것들의 질감을 느낄 수 있다. 대부분의 사람은 음악을 듣고 그림은 본다. 하지만 창조적인 천재들은 그림을 듣고 음악을 볼 수 있다. 루치아노 파바로티는 피아노 앞에서 노래를 부르는 것보다 머릿속으로 음악을 그리는 경우가 더 많다고 한다. 이런 것을 청각적 형상화라고 한다.

이러한 감각적 경험과 감각적 형상이 너무 많고 복잡하기 때문에 창조적인 사람들은 '추상화'를 활용한다. 피카소, 아인슈타인, 헤밍웨이 등 창조성이 뛰어난 사람은 그가 어떤 일에 종사했건 간에 자신의 작업을 위해 복잡한 사물을 단순한 몇 가지 원칙으로 줄여갔다. 그것을 '추상화'라고 한다. 대상을 단순화시키는 추상화는 패턴화를 통해 일어난다.

패턴화는 다시 두 부분으로 나누는데 패턴인식과 패턴형성이다. '패턴인식'은 자연의 법칙과 수학의 구조를 발견하는 일뿐만 아니라 언어, 춤, 음악 등에서 어떤 공통된 유형이 있음을 알아내는 것, 즉 패턴을 발견하는 것을 말한다. 패턴을 알아낸다는 것은 새로운 것을 창조하는 첫걸음이다. 기발한 패턴을 만들어내는 '패턴형성'은 단순한 것들을 기발하게 조합하는 것에서 출발한다. 음악, 미술, 공학, 무용 등 어떤 분야에서든 패턴형성이 가능하다. 레오나르도 다 빈치는 사물을 보고 '패턴인식'을 한 다음 전혀 새로운 패턴을 만드는 '패턴형성'을 했다. 그는 산과 바위를 보면서 전투장면이나 기이한 얼굴을 연상하는 등 한 가지 형상에서 무한히 다양한 대상을 그려냈다. 이처럼 '패턴인식'에서 '패턴형성'으로 나아가는 것은 '유추'로 가능하다. '유추'란 완전히 달라 보이는 두 개의 사물이 중요한 특질과 기능을 공유하고 있음을 깨닫는 과정이다. '유추'야말로 위대한 문학 예술작품, 불후의 과학이론, 공학적 발명을 이루어내는 일의 핵심이다.

그런데 이 생각의 도구들은 언어나 상징으로 표현되기 이전의 상태, 즉 우리 머릿속에서 일어나는 경우가 대부분이다. '몸으로 생각하기'는 우리 안에서 일어난 어떤 생각과 느낌을 감각과 근육, 힘줄과 피부로 느끼는 것을 말한다. '능력의 통합' 수업에서 폴 베이커 교수가 가르친 것이 '몸으로 생각하기'였음을 기억하는가? 소설가 어슐러 르 귄 Ursula Le Guin은 "소설가들은 말할 수 없는 것을 말로 다룬다. 말은 내적인 느낌을 문자로 나타내는 기호일 뿐 그 느낌의 본질은 아니다."라고 했다. 말 이전에 그들은 느낌으로 먼저 안다. 그가 말하는 느낌으로 아는 것이 바로 몸으로 생각하기를 통해 일어난다.

'감정이입'은 몸으로 생각하는 것과 긴밀하게 연결되어 있다. 많은 창조적인 사람들은 뭔가를 생각할 때 자기 자신을 잊는다고 한다. 나를 잊고 그것과 하나가 되는 것이다. 생물학자 바버라 매클린턱 Barbara McClintock이 "옥수수를 연구할 때 나는 옥수수 체계의 일부가 되어 있었다."고 말한 것이 바로 감정이입의 단계다. 배우들은 맡은 배역을 자신의 일부로 만들고 과학자나 의사, 화가 역시 배우들처럼 일종의 연기를 통해 다른 사람이나 동물, 나무, 전자, 별이 된다.

생각의 도구 가운데 공간적 경험에 근거한 것이 '다차원적 사고'다. 다차원적으로 사고한다는 것은 어떤 사물을 다른 세계로 옮길 수 있는 상상력을 말한다. 예를 들어 2차원 평면, 즉 사진 속에 있는 바다를 3차원 공간에 끌어내 깊은 바다를 상상하고 이를 4차원의 시간 속으로 여행하여 고생대의 바다 속 삼엽충을 상상하는 식으로 다차원적 사고를 할 수 있다. 창조적 도구에서 다차원적 사고는 많이 언급되지 않지만 공학, 조각, 시각예술, 의학, 수학, 천문학 분야에서 반드시 필요한 능력이다. 평면 차원의 그림을 높은 차원 속으로 옮겨 해석해야 현실적인 작품이 탄생할 수 있기 때문이다.

다 빈치가 자신의 생각을 노트에 스케치하는 것처럼, 화가나 조각가들은 대형작품을 제작하는 준비단계로 스케치를 하거나 작은 '모형'을 만든다. 무용수들은 사람의 동작에서 안무를 뽑아낸다. 의사들은 특수한 인체 모형을 놓고 시술과정을 배우고, 엔지니어들은 작업 모형을 다루면서 설계를 검토한다. 이런 과정이 '모형화'다. '놀이'는 몸으로 생각하기, 감정이입, 역할연기와 모형만들기 등을 할 때 작업을 즐기는 것을 말하며 절차나 법칙은 중요하지 않다.

'변형'은 하나의 생각도구와 다른 생각도구 사이 그리고 생각의 도구들과 그 생각을 공식적으로 전달할 수 있는 언어 사이에서 일어나는 변환과정을 말한다. 느낀 것을 말하거나 글로 쓰지 않으면 누구도 알 수 없다. 변형은 타인에게 전달하기 위한 필수적 과정이다. 추상화를 통해 스케치한 것을 실제로 제작하는 것도 변형이고 꽃을 보고 느낀 자기 생각을 시로 표현하는 것 역시 변형이다. 자신이 깨달은 것을 가장 잘 표현해줄 수 있는 언어로 변형하고, 다른 생각 도구들을 한데 엮어서 한 번에 기능하는 전체로 만들고 하나의 기술을 다른 기술과 접합시키는 것이 '통합'이다.

통합 이후에 융합이 일어날 수 있다. 통합과 융합은 비슷하게 사용되지만 굳이 둘을 구분하자면 물리적인 결합만 있을 때는 통합이고, 화학적 결합까지 함께 일어나는 것은 융합이라 할 수 있다. 따라서 통합 이후에 융합이 일어날 수 있고 통합과 함께 융합이 발생할 수 있다. 통합과 융합은 생각이 완결되는 지점이다. 통합되거나 융합된 지식 안에서는 관찰, 형상화, 추상화, 패턴인식, 패턴형성, 유추, 몸으로 생각하기, 감정이입, 다차원적 사고, 모형 만들기, 놀이, 변형된 생각들이 유기적으로 작용한다. 다시 말해, 루트번스타인 부부가 제시한 13가지 생각의 도구는 융합으로 가기 위한 생각의 단계라고 볼 수 있다.

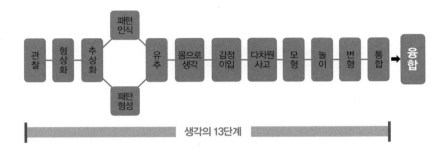

〈그림〉 생각을 통해 융합이 일어나는 과정

관찰 → 형상화 → 추상화 → 패턴인식 / 패턴형성 → 유추 → 몸으로생각 → 감정이입 → 다차원사고 → 모형 → 놀이 → 변형 → 통합 → 융합

생각의 13단계

토론으로
아이디어를 확장하기

KBS TV가 글로벌 기획으로 〈공부하는 인간〉을 기획해 미국 MIT의 연구소인 미디어 랩의 교수와 학생을 인터뷰하면서 밝힌 것은 그들 연구의 핵심이 질문과 소통이라는 것이다. MIT 미디어 랩에서는 프로젝트를 시작할 때 가장 먼저 다양한 전공의 학생들이 모여 토론하며 아이디어부터 모은다. 이후 그 아이디어를 확장시켜 나가며 토론을 통해 계속 수정 작업을 거친다. 그들은 타인과의 소통이 공부의 핵심이라 여긴다. 이들이 토론과 소통을 중시한 이유는 바로 융합을 하기 위해서다. 융합해야 좋은 것이 나온다는 것을 알고 있었기에 그들은 계속 토론한다.

MIT 미디어 랩의 부책임자 히로시 이시이石井 裕 교수는 "MIT 미디어 랩에서는 학생과 교수 사이에 상호작용이 많고 토론과 논의가 매우 활발하게 이루어진다. 그 이유는 개인 혼자서 좋은 아이디어를 낼 수 없기 때문이다. 좋은 아이디어는 지성이 한데 모였을 때만 가능하고 개개인의 독특한 사고가 한곳에 모이고 이를 수정해 나가면서 그 힘은 더욱 강력해진다. 창의적인 개인들이 모여 집중적으로 논의하고 비판하고 정보를 주고받아야 놀라운 결과를 얻게 된다. 이런 논의와 비판적 사고 없이는 혁신의 장벽을 허물 수 없다."라고 말했다.

생각을 모으면 융합이 일어난다. 자신의 아이디어에 동료와 스승의 아이디어가 더해질 때 가장 좋은 작품이 나온다. 그래서 "가장 맛있는 스프는 스톤stone 스프"라는 말이 있다. 맹물 냄비에 돌멩이stone만 넣고 끓이면, 한 사람이 와서 고기를 넣고, 다른 사람이 지나다가 채소를 넣고, 또 다른 사람이 소금을 넣는 식으로 많은 것이 첨가되어 가장 맛있는 스프가 나온다는 의미다. 이처럼 다양한 분야가 섞이고 융합될 때 가장 혁신적인 것이 탄생할 수 있다.

MIT 미디어 랩의 한 한국 유학생은 "완벽한 발명이 나오기까지 생각을 머릿속에 넣고 기다기만 한다면 실제 사용자에게 선보였을 때 어떤 느낌을 줄지 상상하기가 어렵다. 그래서 아이디어가 반만 이루어져도 다른 친구나 학생들 앞에 꺼내놓고 이에 대해 피드백을 받는다. 그러면 우수한 피드백을 순식간에 많이 받을 수 있기 때문에 그것을 기초로 다음 단계의 기술 발전을 이루어낼 수 있다. 또 이에 대한 피드백을 받아 다음 단계의 기술 발전을 이룬다. 그렇게 조금씩 앞으로 나아간다."고 말했다.

피드백을 통해 생각의 융합이 이루어진다. 혼자 일방적으로 배우고 소유한 지식은 한계가 크다. 질문과 소통을 통해 생각의 융합이 일어날 때 가장 좋은 것이 만들어진다.

손이 닿는 곳에
노트를 두기

"지식을 얼마나 알고 있는가?"보다 갖고 있는 지식을 모으고 연결하고 융합하여 "새로운 것을 만들어내는" 창조적인 사람이 더 필요하다. 생각이라는 도구와 타인과의 소통을 통해 전혀 연관 관계가 없는 것을 연결하고 결합하는 융합에서 새로운 지식이 창조된다.

푸앵카레는 창조성이 버섯 같다고 했다. 버섯이 피어나기 위해서는 균사체가 있어야 한다. 그러나 균사체는 조건이 좋으면 마냥 퍼지기만 할 뿐 버섯이 되지 않는다. 시간이 흐르며 상황이 변해 조건이 달라져야 균사체는 버섯을 피워낸다.

융합에서 창조가 나타나는 것도 마찬가지다. 한순간에 쉽게 나오지 않는다. 꽤 오랜 시간 고민하고 생각하고 연구하고 소통할 때 알고 있던 모든 것이 융합되며 전혀 새로운 것이 튀어나올 수 있다. 무의식적인 것이든 의식적인 것이든 융합은 새로운 개념을 만들어낸다. 브레인스토밍, 마인드맵, 카드, 역할극 등 새로운 생각의 도출 도구는 많지만 노트만 한 것이 없다.

실제 융합이 일어나는 곳은 두뇌 속이다. 하지만 오랜 기간 하나의 문제를 풀기 위해 여러 가지 분야를 동시에 관찰하고 공부하며 연결고리를 찾으려면 머리만으로는 부족하고 외부 도구의 도움이 필요하다. 요즘은 컴퓨터를 많이 사용하지만 아날로그 노트가 더 효과적이다. 노트에는 그것을 기록할 때 느꼈던 감정들이 들어가므로 정보를 기억하거나 찾는 데 더 도움이 된다.

노트는 융합이 일어나는 장소이면서 생각이 정리되는 곳이다. 많은 학자들이 노트를 사용한 기록이 있지만 가장 유명한 연구노트는 뉴턴과 다빈치의 노트다. 또한 독일관념론의 완성자인 헤겔Georg Wilhelm Friedrich Hegel의 노트 정리 방식도 매우 체계적이었다고 전해지고 있다. 독일 철학자 로젠크란츠Johann Karl Friedrich Rosenkranz가 정리한 헤겔의 공부는 노트에서 시작한다. 우선 종이 한 장을 준비한다. 종이 맨 위에 주제를 크게 쓴다. 밑에는 관련된 개별 세부 내용을 깨알같이 적는다. 한 페이지에 한 개의 개념을 정리한다. 종이의 윗부분 중앙에 큰 글씨로 키워드를 쓴다. 종이들을 키워드 알파벳 순으로 정리한다. 이렇게 간결하게 정리해두면 필요한 내용을 언제든지 찾아서 이용할 수 있었다. 헤겔이 이사할 때 이 자료들을 가장 먼저 챙겼다는 일화가 유명하다. 헤겔은 이런 식으로 자신만의 사전을 만드는 작업을 통해 철학의 체계를 세울 수 있었다고 한다.

자기만의 노트나 사전을 만들 때 사고의 융합이 일어난다. 천재 물리학자 엔리코 페르미Enrico Fermi도 지식을 알파벳 순으로 정리해갔다. 노벨 물리학상 수상자 파인만이 몇 달을 끙끙대며 계산한 문제를 속셈으로 답을 구해 모두를 경악케 했다는 페르미의 지적 능력도 어쩌면 지식의 노트정리에서 도움을 받았을지 모를 일이다.

융합은 지식의 경계를 허물고 자신을 넘어 타인과 소통할 때 일어난다. 공부 방법도 동양의 암기식 공부와 서양의 질문 토의하는 공부를 함께 사용할 때 융합이 더 잘 일어날 수 있다. 하나의 주제에 대해 의문을 갖고 해결책을 찾기 위해 생각하고 또 생각하며 13가지 생각의 도구를 거치며 융합이 일어난다. 이때 노트를 사용하면 좋다. 머릿속에서 융합되는 것을 눈에 보이게 실현시킬 수 있는 도구가 노트다.

융합공부의 도구로 노트를 사용해보는 것이 어떻겠는가? 알고 싶은 주

〈그림〉 코넬 노트 양식

제목	
키워드 [질문]	내용 [정답]
요약	

〈그림〉 코넬 노트 활용법

융합공부	
전략적 공부	전략적 공부란 타인의 조력 여부와 관계없이 학습자 자신이 주도권을 가지는 학습과정이다. 학습자는 학습목표를 스스로 정하고 학습자원을 확인하며 중요한 학습전략을 선택하고 학습결과를 평가하는 일련의 작업을 수행하는 것을 의미한다.
전략적 공부는 자기주도학습을 기반으로 한다.	

제가 있다면 우선 노트를 한 권 준비하라. 그리고 노트에 그 주제에 대한 모든 것을 기록해나가는 것이다. 신문이나 잡지를 읽다가 관련 자료들이 보이면 스크랩도 하고, 인터넷 기사도 프린트해 붙이기도 한다. 책을 읽다가 비슷한 개념이 나오면 요약하고 다른 사람의 주장에 대해 비판도 하면서 나의 생각을 그 노트 안에서 키워나가는 것이다. 처음엔 횡설수설

정리되지 않아 노트를 읽어봐도 무슨 뜻인지 알 수 없을 수도 있고 중언부언 오락가락일 수 있다. 그러나 어느 순간 정연한 논리가 자라나서 정돈된 생각이 나타나게 될 것이다. 노트 한 권에서 명확한 생각 하나만 만들어내도 성공이다.

미국 코넬대학교에서 개발한 코넬 노트 필기법The Cornell Method이라는 노트 정리 방법이 있다. 페이지의 왼쪽Cue Column과 아래쪽Summaries에 각각 5~7센티미터 정도의 공간을 남겨두고, 공부 중이거나 수업을 들을 때 학습한 내용을 오른쪽에 필기한다. 이후에 검토하면서 왼쪽 공간에 핵심어와 중요한 의문, 문제들을 적는다. 아랫부분에는 그 페이지의 전체 내용을 요약하거나 중요사항으로 정리해 빨리 볼 수 있게 한다. 코넬 노트는 시중에 팔기도 한다. 이런 식의 노트가 아니더라도 본인만의 융합도구가 될 노트를 만들어 보는 것도 좋다.

대가의 융합공부

질문과 문제의 보고, 뉴턴의 노트

만유인력을 발견한 아이작 뉴턴 Issac Newton 은 눈에 보이지 않는 운동 원리를 일깨우며 인류에게 몇 개의 법칙을 남겼다. 과학사에 뉴턴만큼 지대한 공헌을 한 사람도 드물다. 뉴턴 전문가인 리처드 웨스트 폴 Richard Westfall 이 《프린키피아의 천재》에 정리한 바에 따르면 뉴턴은 데카르트의 책을 읽으며 독학으로 기하학을 배웠다고 한다. 기초 없이 공부했기에 대부분을 이해하지 못했지만 반복해서 읽고 생각에 생각을 거듭해 누구의 도움이나 가르침을 받지 않고도 데카르트의 책 전체 내용에 정통하게 되었다고 한다.

반복하고 생각하는 뉴턴의 공부에도 노트라는 도구가 사용되었다. 그에게 노트는 매우 중요했다고 한다. 그가 일상에서 놓지 않은 것이 바로 세 권의 노트, 〈질문들〉, 〈문제들〉, 〈잡기장〉이었다. 〈질문들〉이라는 노트는 데카르트의 저작을 소화하면서 느낀 메모와 의문으로 가득 차 있다. 또한 갈릴레오, 로버트 보일과 홉스를 비롯한 많은 사람의 책을 읽고 메모를 남겼다. 그에게 책을 끝까지 읽지 않는 버릇이 있었던지 그의 노트에는 한 권을 읽다가 다른 책의 내용을 연결해서 쓰는 식으로 여러 내용이 뒤섞여서 기록되어 있다.

재미있는 것은 그가 노트를 맨 앞과 마지막, 양쪽에서 써나가는 형식을 취했다는 것이다. 그래서 그의 노트는 가운데 100쪽 가량이 비어 있는 부분도 있다. 아리스토텔레스의 책을 읽다가 1쪽에 기록하고, 2쪽에는 불쑥 데카르트의 형이상학에 대해 기록한 것이 나오는 식이다. 또 몇쪽 뒤에는 '철학에 대한 질문들'이라는 제목으로 새로운 책을 읽으면서 메모한 소제목들이 나열되어 있다. 머릿속에서 융합되는 것을 노트 위에도 펼쳐 보였다고도 할 수 있다.

뉴턴은 45개의 소제목을 만들어 그 아래에 독서를 통해 얻은 것들을 차근차근 정리했다. 그 소제목은 물질, 공간, 시간, 운동의 성질과 같은 물리의 근본적인 주제부터 시작해 우주의 질서로 이어지고 희박함, 부드러움 등과 같은 수많은 감각적 성질들, 격렬한 운동과 초자연적인 성질들, 빛, 색깔, 시각, 감각 등으로 되어 있다. 어떤 소제목에는 아무것도 쓰여 있지 않은 것도 있고, 어떤 것은 내용이 넘쳐 다른 장으로 넘어가는 것도 있다. 하나의 주제에 대해 여러 내용을 함께 쓰면 그것이 누적되어가며 자연히 융합이 일어날 수 있다.

1664년에서 1665년으로 넘어가는 겨울, 뉴턴은 자신이 알게 된 것들을 체계적으로 정리해야겠다는 생각을 하던 끝에 〈문제들〉이라는 노트를 만들어 목록을 작성한다. 처음에는 12개의 목록을 적었다가 후에 다른 문제를 추가해 5개 그룹이 각각 22개가 될 때까지 추가한다. 〈문제들〉을 통해 역학의 기초가 되는 절대시간에 대한 개념을 잉태했다고 한다.

〈문제들〉은 제목처럼 그가 의문을 가진 수많은 문제가 기록된 노트다. 하나의 주제에만 고민해도 답을 찾지 못하는데, 여러 주제를 동시에 고민할 때 머릿속은 뒤죽박죽될 수 있다. 그때 노트는 생각을 정리하고 생각을 키워주는 인큐베이터 역할을 한다. 융합공부에는 뉴턴의 〈문제들〉과 같은 질문을 기록한 노트가 반드시 필요하다.

목사였던 계부의 빈 노트를 사용해 만든 〈잡기장〉은 의문이 아니라 자신의 생각과 철학을 기록하는 노트였다. 그는 〈문제들〉에서 의문을 품은 것을 오랜 시간에 걸쳐 사고한 다음 자신의 철학으로 만들어 〈잡기장〉에 기록했다. 이렇게 그는 자신의 노트들을 연결하고 있다.

뉴턴은 일생 동안 노트라는 도구에 생각을 정리해나갔다. 그의 끊임없는 노트 필기는 생각에 꼬리를 물고 연결하고 융합되어 진리를 찾아내고 위대한 사상에 이르게 했다. 융합이 일어나는 장소로 노트만 한 것이 없다는 것을 확인시켜준 진정한 노트 활용의 대가다.

PART 5

인생을
변화시키는
융합공부

할 수 없던 것을 하려고 공부하며 노력하는 동안
우리는 한계를 넘으며 달라진다.

답이 없는 문제를 풀기 위해

NASA가 화성 탐사선을 우주로 보냈다. 그런데 탐사 중 거대한 우주 폭풍을 만나 귀환해야 했다. 그 과정에서 한 대원이 실종되었다. 대원이 입고 있던 우주복은 생체신호를 모선에 전송하므로 그의 생사 여부는 신호만으로도 알 수 있다. 그런데 신호가 끊어졌고 그는 죽은 것으로 판단되었다. NASA는 공식적으로 마크 와트니 대원이 사망했다고 발표했다.

하지만 그는 화성에 홀로 남겨져 살아 있었다. 부상 부위를 스스로 치료해 목숨은 건졌으나 계속 살 수 있을지는 미지수다. 비행선은 고장났고 통신기기가 망가져 교신할 방법도 없었다. 운 좋게 연락이 닿는다 해도 구조대가 오기까지 4년이나 걸린다. 그런데 기지에 남은 식량은 31일치뿐이다.

당신이라면 이런 상황일 때 어떻게 하겠는가? 31일 동안 잘 먹으며 화성 구경이나 실컷 하다가 32일째 되는 날 자살하겠는가? 아니면 하루에 한 끼만 먹고 100일을 기도하는 심정으로 버티며 신의 기적을 기다리겠는가? 그도 아니라면 지구로 되돌아가기 위해 끝까지 모든 노력을 다할 것인가?

이 이야기는 영화 〈마션〉의 줄거리다. 주인공은 이런 상황에서 지구로 살아 돌아가기 위해 자신의 과학적 지식을 이용해, 불가능해 보이는 문제들을 하나씩 풀어나간다. 가장 중요한 식량과 교신을 해결하기 위해 과학적 지식과 능력, 상상력을 모두 동원한다. 연락이 닿는다는 전제하에 일단 구조대가 올 때까지 4년을 버틸 식량이 필요했다. 그는 고민하다가 식료품 통에 있던 감자와 동료들의 변을 사용해 감자 농사를 짓는다. 비닐하우스를 만들고 광합성을 위해 인공 빛을 만들고, 산소와 수소를 결합해 물도 만들어 뿌려준다. 끈질긴 노력 끝에 감자를 키워 식량을 확보한 것이다.

두 번째 문제는 지구와의 교신이다. 그가 화성을 뒤져서 찾아낸 것은 1996년에 설치된 스틸카메라가 전부였다. 그는 그 카메라 앞에 메시지를 적은 푯말을 세워 NASA에서 볼 수 있도록 계획한다. 그가 제일 먼저 보낸 말은 "내가 보이는가?Are you receive me?"라는 질문이었다. 그런데 그의 질문에 누군가 답하려 해도 지구에서 보내는 말을 들을 장비가 없다는 것이 문제였다. 그러자 그는 회전이 가능한 카메라라는 점에 착안해 "내가 보이는가?"를 적은 푯말 양쪽에 "Yes"와 "No"라는 두 개의 푯말을 세워 두고 회답을 기다린다. 동료들은 마크 와트니의 질문에 카메라의 방향을 "Yes" 위치로 돌려 자신들이 확인했음을 전송한다. 마크 와트니는 환호한다. 양방향 통신 방법을 찾아낸 것이다.

그런데 카메라를 돌리는 것 외에는 다른 어떤 것도 하지 못하는 NASA

에서 화성의 그에게 메시지를 보내려면 어찌할 것인가? 그는 알파벳 문자 푯말을 세워 카메라가 하나씩 가리키면 그것을 차례로 받아 적어 문장을 만드는 방법을 생각한다. 하지만 A~Z까지 26개의 알파벳 푯말을 세우면 각각의 푯말의 간격이 13.8도로 너무 작아져 문자판 구분이 난해해진다. 그는 한참 고민을 하다가 26개의 문자를 16진수로 환원하는 아스키ASCII 코드를 생각해낸다. 코드표는 동료의 컴퓨터에서 찾아낸다. 아스키 코드는 0~9, A~F까지 16개의 값을 몇 개 조합하여 알파벳과 +-?!# 같은 각종 특수문자를 표현하는 컴퓨터에 사용되는 코드기법 중 하나다. 16개의 푯말만 세우면 되기에 푯말 사이 각도가 22.5도로 늘어나 카메라가 가리키는 위치의 구분이 가능해진다.

이 방법으로 양방향 교신을 하기로 하고 나서 지구에서 보낸 첫 질문은 "어떻게 살아 있나?How alive?"였다. 힘겹게 통신을 재개해 물릴 만큼 감자를 먹으며 매일 발생하는 새로운 문제들을 하나씩 해결한 뒤, 마크 와트니는 결국 지구로 귀환한다.

더 똑똑해지는 기술

갑자기 영화 이야기를 꺼내는 것은 우리가 만나는 문제들이 이 영화와 별로 다를 바 없기 때문이다. 문제는 세 종류다. 풀기 쉬운 문제, 풀기 어려운 복잡한 문제, 답이 없는 문제, 이것들 말고는 없다. 풀기 쉬운 문제는 고민할 필요 없다. 그냥 풀면 된다. 답이 없는 문제도 고민할 이유가 없다. 답이 없는데 고민해봐야 소용없다. 답이 없는 문제란 인간이 영원히 사는 것이나, 돌멩이가 금이 되게 하는 그런 것들이다. 물론 그런 문제에 매달린 사람도 있었다. 불로초를 찾아 헤매던 진시황이나 금을 만들겠다던 중세의 연금술사들이다. 답이 없는 문제에는 시간을 들일 필요가 없다. 우리가 고민하고 노력해야 하는 것은 '풀기 어려운 문제'다. 공부하는 이유는 바로 이런 난제를 풀기 위함이다.

영화 속 마크 와트니가 만난 문제도 일종의 풀기 어려운 난제였다. 그는 고립된 화성이라는 곳에서 빈약한 자원을 모두 총동원하여 해결책을 하나씩 찾아간다. 그때 발휘된 정신능력이 바로 창의성과 계산력이다. 창의성은 상상력을 동원해 새롭거나 특이한 방법을 고안해내는 능력이고, 계산력은 복잡하여 풀 수 없는 것을 쉽게 풀어내는 능력이다.

마크 와트니는 식량을 해결하기 위해 식료품 통에 있던 감자를 먹지 않고 씨앗으로 사용하여 키울 생각을 한다. 상상력과 창의성을 동원한 것이다. 감자를 키울 물과 빛은 과학적 지식으로 계산해 만들었다. 이때는 계산력이 사용되었다. 자신들의 변을 비료로 사용한 것도 창의적이다. 가장 중요한 양방향 교신을 위해 26개 알파벳을 16진수로 변환한 것은 상상력과 계산력의 클라이맥스다. 창의성과 계산력이 없었다면 살아남을 수도 돌아올 수도 없었을 것이다.

우리는 모르던 것을 알고 이해한 다음 문제를 풀기 위해 공부한다. 시험에서 좋은 성적을 받아 합격하고 취업하거나 자신이 할 일을 하기 위해 공부한다. 물론 이 과정에서 논리력, 추리력, 언어 능력 등 수많은 지적 능력을 자극하고 키우게 되지만 결국 공부의 목적은 문제해결이다. 특히 새로운 지식을 창조하려면 깊이 생각하고 넓게 생각하며 모든 지적 자원과 마음을 전부 사용해야 한다. 그때 뇌가 전부 가동된다. 로키마운틴대학

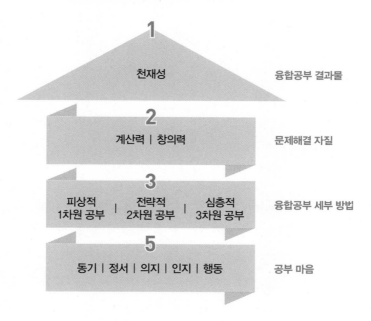

〈그림〉 융합공부의 체계와 목표(5·3·2·1 공부법)

1 천재성 — 융합공부 결과물

2 계산력 | 창의력 — 문제해결 자질

3 피상적 1차원 공부 | 전략적 2차원 공부 | 심층적 3차원 공부 — 융합공부 세부 방법

5 동기 | 정서 | 의지 | 인지 | 행동 — 공부 마음

교 Rocky Mountain University의 릭 나우어트Rick Nauert 박사는 "깊이 생각하고 세상을 능동적으로 탐구하면 뇌 전체에 불이 들어올 뿐만 아니라 기능적으로도 연결된다."고 했다. 모든 것을 사용하고 동원해서 공부할 때 뇌가 전부 연결되고 우리는 점점 더 똑똑해지며 몇 가지 특질이 생긴다. 공부에 관한 인지심리학적 연구들을 정리한 《어떻게 공부할 것인가》에서는 공부가 우리에게 몇 가지 기능을 준다고 한다. 대표적으로 '기억의 재통합과 강화', '심성 모형 형성 촉진', '다양한 상황에서 지식을 능숙하게 적용 가능', '개념을 잘 정립', '실전에 강해짐' 등이다. 이런 자질들이 모여 문제를 해결하게 해준다.

영화 속 마크 와트니가 그랬듯 다양한 상황에서 지식을 능숙하게 적용하고 실전에 강한 능력은 살아남기 위해 가장 필요한 자질들이다. 특히 문제를 풀기 위해서는 계산력과 창의력이 필요한데 융합공부는 계산력과 창의력을 높여준다.

계산력과 창의력의 용도

계산력과 창의력은 어디에 사용될 수 있을까? 이 두 능력으로 통제 불가능과 예측 불가능을 해결할 수 있다. 통제 불가능에는 계산력, 예측불가능에는 창의력이 활용된다. 너무 복잡한 문제를 다룰 때는 통제하기가 어려운데, 이를 통제 불가능하다고 한다. 통제 불가능한 문제를 통제 가능하게 하는 힘이 계산력이다. 작게 나누거나 쉽게 풀어서 통제할 수 있게 만드는 능력이다. 반면 문제가 너무 특이해서 풀이방법에 대해 생각조차 하지 못한다면 예측 불가능을 느낄 수 있다. 예측 불가능한 것을 예상 가능하고 실현 가능하게 만드는 것이 창의력이다. 계산력과 창의력은 복잡하거나 난감한 문제를 풀 수 있게 하는 능력이다.

그런데 심리학에서는 통제 불가능과 예측 불가능이 무기력을 만드는 두 개의 인자라고 밝히고 있다. 우리가 풀지 못하는 문제는 우리를 무기력하게 만들 수 있다. 공부에 나타나는 무기력이 학업 무기력이고, 일할 수 없을 때 나타나는 무기력이 직무 무기력이다. 학업 무기력이든, 직무 무기력이든 우리를 무기력하게 만드는 통제 불가능과 예측 불가능을 해결하기 위해 계산력과 창의력을 길러야 한다.

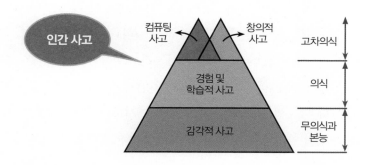

〈그림〉 인간 사고의 체계

문제가 복잡해서 풀기 어렵다면, 풀기 쉽게 문제를 쪼개어야 하나하나 풀 수 있다. 이것을 '분해'라고 한다. 복잡한 것은 분해하여 처리한다. 이 렇게 문제를 풀어가는 계산력은 '컴퓨팅 사고Computational Thinking'를 통해 높일 수 있다. 컴퓨팅 사고는 컴퓨터 과학자들이 컴퓨터를 이용해 복잡한 문제를 푸는 방법을 일반적인 문제 풀이에 적용한 것이다. 영화 속 마크 와트니가 26개의 알파벳을 16개의 아스키 코드로 변환해 사용한 것이 컴 퓨팅 사고의 한 사례라 할 수 있다.

풀기 어려운 두 번째 난제는 문제 풀이 과정이 일반적이지 않을 때다. 도대체 어떻게 풀어야 할지 알지 못할 때, 답을 예상 못 하는 예측 불가능 이 또 우리를 무기력하게 만든다. 그래서 우리는 창의력을 길러야 한다. 기상천외한 방법으로 그 새로운 문제를 풀 수만 있다면 우리 앞의 난제를 해결할 수 있다. 상상력을 동원한 '창의적 사고'로 창의력을 높일 수 있다.

인간의 사고는 〈그림〉과 같은 체계를 가지고 있다. 맨 아래에 있는 감 각적 사고란 배고플 때 밥을 먹고자 하는 생각, 갑자기 돌이 날아올 때 피하거나 뜨거운 물에 손을 넣을 때 손을 빼고자 하는 것처럼 인간 감각을 기반으로 일으키는 사고력이다. 즉, 무의식적이고 본능에 따르는 사고다.

생명체가 출현한 38억 년 전부터 유전자에 축적된 정보로 만들어진 본능과 무의식의 도움으로 인간은 진화의 사슬에서 살아남을 수 있었다. 그런데 인간은 유전받은 것뿐만 아니라 성장하면서 학습하고 경험한 것도 뇌에 저장한다. 부모와 학교 및 사회에서 배운 것이나 경험한 정보를 바탕으로, 살면서 만난 많은 문제를 풀어낸다. 이처럼 '경험 및 학습적 사고'는 뇌에 저장한 정보를 기반한 의식적인 사고방식이다. 경험 및 학습적 사고는 의식적이므로 본능과 무의식에서 출현하는 감각적 사고보다는 위에 있다.

그 위에 인간의 가장 높은 의식인 고차의식이 있다. 이 단계에서 컴퓨팅 사고와 창의적 사고가 나타난다. 컴퓨팅 사고에서 계산력이 나오고 창의적 사고에서 창의력이 나타난다. 문제해결을 위해서는 컴퓨팅 사고와 창의적 사고 과정을 집중적으로 사용해야 하고, 그 과정에서 계산력과 창의력을 높일 수 있다. 융합공부는 이 두 능력을 계속 사용하게 하면서 한편으로 더 강화시킨다. 신체의 기관을 많이 사용하면 발달하는 진화의 용불용설이 여기에도 적용된다.

2

계산력: 통제 불가능한 것을 통제하는 힘

4차 산업혁명의 대두와 함께 등장한 전기자동차, 자율주행자동차, AI 로봇, IoT, 빅 데이터, 지능형 장치 등은 모두 컴퓨터 없이는 운용될 수 없다. 컴퓨터는 처음부터 1과 0만 이해했고 지금도 마찬가지다. 따라서 복잡한 것들을 1과 0으로 된 2진법으로 변환해주어야 하고, 마크 와트니가 사용한 아스키 코드 같은 것이 필요하다.

사람을 능가하기 시작한 AI 알파고조차 모든 정보를 2진법으로 이해한다. 1과 0으로 변환된 바둑의 고급 기술을 동원해 최고의 바둑고수를 이긴 것이다. 복잡한 것을 가장 단순하게 만드는 기술이 바로 컴퓨팅 사고다. 컴퓨터가 복잡한 문제를 풀 때 사용하는 기법에서 나왔으므로 컴퓨터가 사고하는 방식이라는 의미로 컴퓨팅 사고라 부른다.

1996년 맨 처음 컴퓨팅 사고라는 용어를 쓴 사람은 미국의 수학자 시모어 페퍼트Seymour Papert다. 하지만 카네기멜론대학교의 지넷 윙Jeannette

Wing이 2006년에 ACM 저널에 발표한 논문에서 컴퓨팅 사고라는 단어를 쓰면서 큰 반향을 일으키기 시작했다. 윙은 "컴퓨팅 사고는 문제해결책을 만드는 사고과정으로, 이 방법으로 생성된 해결책은 컴퓨터에 의해 효율적으로 실행될 수 있다. 컴퓨팅 사고를 이용하면 컴퓨터 과학을 전공한 사람뿐만 아니라 모든 분야의 사람이 자신의 문제를 해결하는 데 도움을 받을 수 있다." 라고 했다.

컴퓨터가 0과 1만으로 복잡한 문제들을 풀어내는 컴퓨팅 사고에서 문제해결력을 배울 수 있다. 그래서인지 최근 4차 산업혁명과 함께 대학의 교양과정으로 모든 학생에게 컴퓨팅 사고를 가르치는 학교가 늘어나고 있다.

계산력을 높이는 네 가지 방법

컴퓨터로 복잡한 문제를 쉽게 풀기 위해 네 가지 기술을 주로 사용한다. 분해, 패턴인식, 추상화, 알고리즘이다. 앞에서 생각의 도구 13단계에서 패턴인식, 패턴형성, 유추, 추상화 등이 나온 것을 기억하는가? 인간 사고의 도구들이 컴퓨터에서도 사용된다. 융합을 위한 깊은 사고에서 만들어지는 13단계의 과정이 계산 능력을 높이는 도구가 될 수 있다.

컴퓨팅 사고에 문제분석, 데이터 수집과 표현, 평가과정을 넣는 학자도 있지만, 문제해결의 핵심기술은 분해, 패턴인식, 추상화, 알고리즘 네 종류이므로 그 네 가지 기술만 알고 있으면 된다.

1. 분해

일찍이 데카르트는 《방법서설》에서 "모든 어려운 문제는 작은 부분으로 나눈 뒤 그 부분들을 공략해 문제를 해결하라."고 했다. 우리가 접하는 복잡한 문제는 그냥은 풀 수 없다. 작은 문제로 나누고 쪼개서 하나하나 해결하면 복잡한 문제를 풀 수 있다.

분해를 통해 문제를 잘 해결한 사례로 오랄비Oral-B가 있다. 오랄비는 칫솔을 개발하기 위해 사람의 칫솔질을 아래와 같은 몇 가지 과정으로 분해했다.

- 어떤 칫솔을 쓸 것인가.
- 얼마 동안 칫솔질을 할 것인가.
- 얼마나 세게 이를 닦을 것인가.
- 어떤 치약을 사용할 것인가.

오랄비는 분해를 통해 칫솔 기능을 분석해 최적의 칫솔모 배치 기술을 고안한 덕분에 세계적 칫솔 브랜드로 발돋움할 수 있었다.

2. 패턴인식

패턴이란 동일한 것이 반복되는 것을 말한다. 앞에서 말했듯 수많은 자료에서 같은 것이 나타날 때 이를 알아보는 능력이 패턴인식이다. 패턴을 발견할 수 있는 능력은 대단히 중요하다. 왜냐하면 문제를 풀고자 할 때 그 문제 안에 내재된 어떤 패턴을 발견한다면 비슷한 케이스를 해결한 기술을 적용해 난제를 풀 수 있기 때문이다. 또한 이후에 비슷한 문제가 발생해도 같은 해결책을 쓸 수 있다. 수학자 월터 소여^{Walter Warwick Sawyer}는 "수학이란 가능한 모든 형식을 분류하고 연구하는 학문"이라고 했다. 우리가 알고 있는 수많은 수식은 세상에 존재하는 어떤 것을 패턴인식하고 축약해 만든 것이다.

다음 숫자들을 보고 마지막에 올 n과 k를 구해보자.

(a) [1, 3, 5, 7, 9, 11, n]　n = ?
(b) [1, 1, 2, 3, 5, 8, 13, k]　k = ?

쉽게 풀릴 것이다. (a)는 숫자가 2씩 증가되는 등차수열이고, (b)는 두 개 숫자를 더해서 다음 숫자를 만드는 패턴으로 피보나치 수열이라 한다. 따라서 (a)의 n은 13이고 (b)의 k는 21이다. 우리가 이런 종류의 문제를 쉽게 풀 수 있는 것은 중고등학교 수학시간에 이미 배웠기 때문이다. 수학의 많은 공식은 패턴인식을 통해 공통점을 찾으면서 만들어졌고, 우리가 같은 패턴을 찾으면 해당 공식을 사용해 문제를 풀 수 있다.

다음 〈그림〉도 패턴을 찾는 문제다. 지능테스트나 적성검사에서 자주 만날 수 있는 유형이다. 세 개의 도형을 보고 패턴이 변화되어가는 것을 인식해 네 번째 그림을 결정하는 것이다. 색칠된 칸이 오른쪽 대각선의 방향으로 이동하고 있고, 나사못은 왼쪽 대각선 방향으로 이동하되 나사가 −90도씩 회전하므로 네 번째 올 패턴은 ①번이 된다.

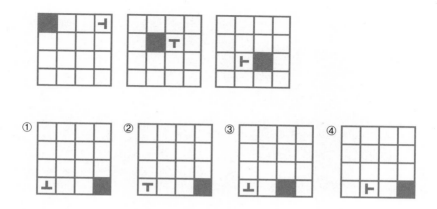

다음 〈그림〉은 전형적인 패턴인식 문제다. 〈그림〉의 빈칸에 들어갈 패턴을 찾아보자. 같은 행의 도형들이 안과 밖이 서로 바뀐다는 패턴을 찾았는가? 그러면 아래 도형의 안팎이 바뀐 ③번이 답이다.

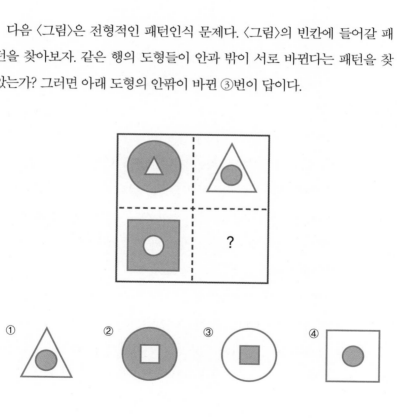

〈그림〉 중요한 것만 남기는 추상화

3. 추상화

생각의 도구에서 보았듯 '추상화'는 복잡하고 필요없는 것을 없애버리는 기법이다. 재즈 뮤지션 카운트 베이시Count Basie는 "기술이란 무엇인가?"라는 질문에 "본질적이지 않은 것을 모두 없애버렸을 때 얻게 되는 것"이라고 대답했다. 추상화는 가장 필요한 것만 남기는 것이다. 하지만 필요하더라도 본질적이지 않은 것은 과감히 없애고 남은 것들, 가장 필요한 그것이 추상화다. 다음 〈그림〉에서 왼쪽의 컵을 오른쪽처럼 직선과 곡선으로 중요한 기능만을 표현한 것이 추상화다. 추상화한다고 해서 아무것이나 없애면 안 된다. 남은 것으로 충분히 그게 무엇인지 알 수 있어야 제대로 추상화한 것이다.

우리가 그림의 양식으로 알고 있는 추상화는 '사물을 사실적으로 표현하지 않고 점·선·면·색채로 표현하는 그림으로, 자연의 외관과 미술 간의 단절을 강조한 20세기 미술의 한 양식'이라고 정의되어 있다. 추상화를 그리는 기법과 컴퓨팅 사고의 추상화는 비슷하다. 컴퓨팅 사고에서 추상화는 복잡한 문제를 풀기 위해 불필요한 것을 제거하고 복잡한 시스템의 공통적인 특성을 추려 일반 개념으로 만드는 과정이다. 이때 생각의 도구에 있던 '유추'를 사용하기도 한다. 복잡하게 얽혀 있는 지하철 노선도 중 필요한 노선만 남긴 것도 추상화이고, 도로 표지판을 간단한 도형과 그림으로 표현해 운전자가 쉽게 이해하게 한 것도 추상화다.

다음은 두 개 수의 관계에 따라 다음 숫자를 결정하는 문제다. 이때 사용되는 것이 유추다. 위의 두 수를 곱한 값의 각 자리 수를 더한 값이 아래의 값이 되는 공통점이 있다. $4 \times 3 = 12$에서 $1 + 2 = 3$, $4 \times 4 = 16$에서 $1 + 6 = 7$, $7 \times 2 = 14$에서 $1 + 4 = 5$이다. 따라서 마지막 문제는 $3 \times 7 = 21$에서 $2 + 1 = 3$이 될 것이라고 유추할 수 있다.

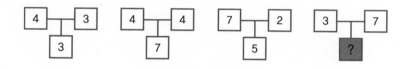

4. 알고리즘

알고리즘이란 문제를 해결하기 위한 단계적인 실행 절차다. 어떤 일을 수행할 수 있는 일련의 명령어와 규칙들로 이루어진다. 예를 들면, 집에서 약속장소로 가는 가장 빠른 길찾기처럼 체계적이고 효율적인 경로를 찾는 일, 맛있는 요리를 만드는 과정, 전자레인지 사용법, 엘리베이터 가동이 중단된 상황에서의 대처법, 화재 발생 시 비상구로 탈출하는 매뉴얼 등 일상에서 어떤 일을 하기 위해 진행되는 과정과 순서를 알고리즘이라 한다.

도토리묵을 만드는 알고리즘

① 도토리 가루와 찬물을 약 1대 5.5 비율로 넣고 잘 섞는다.

② 중불로 가열하며 주걱으로 젓고, 소금으로 간을 맞춘다.

③ 농도가 진해지면 약한 불로 15분가량 주걱으로 젓는다.

④ 용기에 묵을 옮겨 담는다.

⑤ 식혀서 굳혀 자르면 묵이 완성된다.

도토리묵을 만드는 알고리즘을 차례로 진행하면 묵이 만들어진다. 그런데 순서가 뒤바뀌면 묵이 되지 않는다. 알고리즘은 순서에 따라 차례로 진행해야만 옳은 결과가 나온다.

창의력: 예측 불가능한 것을 예측하게 만드는 힘

예측 불가능한 일을 만났을 때, 마음을 열고 다른 방식, 전혀 새로운 방법을 상상하고 찾아내 예측할 수 있고 실현 가능한 방법을 만들어내는 능력이 창의력이다. 융합공부를 계속하다 보면 창의력이 깊어진다. 서로 다른 것에서 비슷한 것을 찾아 결합하는 일은 창의성을 동원해야 하기 때문이다. 특히 앞에서 설명한 생각의 도구 13가지 중에서는 다차원적 사고, 변형, 통합 등이 창의성 발현에 도움이 된다.

창의성을 가지려면 어떻게 해야 할까? 먼저 창의적인 사람들의 공통점을 통해 창의성의 특성을 알아보자. 창의성을 이해하기 위해 미국 심리학자 배론Frank X. Barron은 작가와 화가의 특징을 연구했다. 먼저 교수작가 56명과 학생작가 17명의 특징을 조사했다. 배론은 대부분의 작가들이 무질서하고 모호한 것을 선호한다는 사실을 알아냈다. 이후 80명의 화가에게 선으로 된 그림을 수백 장 보여주고 마음에 드는 것을 고르게 했다. 이

때도 화가들은 복잡하고 비조직적인 선을 선호했고, 불균형적인 것과 복잡한 것을 좋아했다. 또한 그 불규칙 속에서 질서를 찾으려 하는 욕구가 있었고 융통성이 아주 많았다고 보고했다.

불규칙하고 모호한 것은 예측할 수 없다. 거기서 질서를 찾는다는 것은 예측 가능하게 하겠다는 말이다. 무질서에서 질서를 찾을 때 전혀 새로운 방법을 사용할 수 있고 이때 창의성이 발현된다고 볼 수 있다. 작가와 화가들이 무질서하고 모호한 것을 좋아하면서 그 무질서에서 질서를 찾으려는 욕구가 강했다는 점은 그들 속에 창의성이 잠재해 있었기 때문에 가능했던 것이라 유추 가능하다.

이런 특징을 미하이 칙센트미하이Mihaly Csikszentmihalyi는 복합성이라 했다. 그는《창의성의 즐거움》에서 창의적인 사람들에게서 완전히 다른 면을 동시에 보이는 양면성이 자주 나타나는데 이런 성향을 복합성이라 불렀다. 예술가나 천재들에게는 괴팍한 면이 있다. 그들은 냉정하다가도 친절하고, 고도의 집중을 유지하다가도 혼란에 빠진 듯 무기력하게 시간을 탕진하기도 한다. 이런 전혀 반대되는 성향인 양면성과 복합성이 창의성의 특징이다. 칙센트미하이가 정리한 복합적인 사람의 성격 특징은 다음과 같다.

① 창의적인 사람은 아주 강한 에너지를 가지고 있지만 때로는 조용하고 비활동적이다.
② 창의적인 사람은 머리가 좋고 영리하지만 동시에 순진하고 잘 속는 경향도 가지고 있다.
③ 창의적인 사람들은 장난기와 예절 바른 면을 함께 가지고 있다.

④ 창의적인 사람들은 책임감과 무책임함을 동시에 가지고 있다.

⑤ 창의적인 사람들은 상상과 공상, 현실감을 동시에 가지고 있다.

⑥ 창의적인 사람들은 외향성과 내향성을 동시에 보인다.

⑦ 창의적인 사람들은 매우 겸손하면서도 동시에 자존심이 강하다.

⑧ 창의적인 사람들은 고정적인 성의 역할을 탈피해서 남성 속의 여성성, 여성 속의 남성성이 강하다.

⑨ 창의적인 사람들은 전통을 고수하면서도 진보적이고 혁신적이다.

⑩ 창의적인 사람들은 정열적이지만 동시에 냉정하다.

⑪ 창의적인 사람들은 개방적이면서 감성적인 성향으로 인해 종종 고통과 즐거움을 동시에 공유한다.

이러한 복합성으로 인해 창의적인 사람들은 자율성과 자신감이 있으면서도, 일이 잘되지 않을 때 자괴감에도 잘 빠진다. 또한 혼란과 무질서를 선호하지만 거기서 질서와 규칙을 찾으려 하고, 거칠고 강한 남성성과 섬세하고 직관적인 여성성을 동시에 갖는다. 이처럼 창의적인 사람들은 전혀 반대되는 특징이 공존하는 이율 배반성을 가지고 있으면서 그 양면성을 잘 통합하는 능력도 가지고 있다고 칙센트미하이는 말했다.

특히 무질서에서 질서를 찾으려는 창의성의 중요한 특징은 예측 불가능한 문제를 만났을 때 그것을 예측 가능하게 만드는 자질로 사용될 수 있다. 예측 불가능한 난제를 푸는 자질을 창의성이라고 말한 이유가 이때문이다.

가우스의 창의성

1부터 10,000까지를 합하는 방법을 생각해보자. 계산기로 하나하나 더하겠는가? 만약 컴퓨터 프로그램을 짤 수 있다면 1부터 하나씩 증가시켜가며 10,000까지 합이 들어가는 메모리에 루프 ᵗᵒᵒᵖ문을 10,000번 반복 (1+2+⋯+10,000)시켜서 1부터 10,000까지의 합인 50,005,000을 계산할 수 있다. 그러나 계산기도 컴퓨터도 없다면 종이에 쓰거나 암산을 해서 1부터 차례로 더해야 한다. 중간에 계산이 틀릴 수도 있다. 시간도 많이 걸리고 머리도 아플 것이다.

수학자 가우스는 다른 방법을 생각했다. 가우스는 1부터 10까지 자연수를 더하는 문제를 두 가지 방법으로 풀었다.

[방법1]

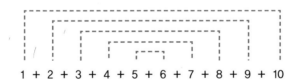

1 + 2 + 3 + 4 + 5 + 6 + 7 + 8 + 9 + 10

- 처음 수와 마지막 수, 두 개씩 한 쌍으로 묶기
- 더한 값과 쌍의 개수를 곱하기
- 합 11이 모두 5쌍이므로 총합: 11×5=55

이런 방법으로 가우스는 단숨에 55를 계산할 수 있었다.

가우스가 생각한 이 방법은 더하는 숫자가 커져도 그대로 적용되어 매우 창의적이다. 이 방법으로 1부터 100까지의 자연수를 더하는 데 적용하면 아래와 같다.

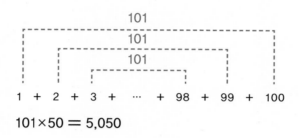

$$101 \times 50 = 5{,}050$$

마찬가지로 1부터 10,000까지 더하는 것도 10,001을 5,000번 더한 것과 같다. 따라서 10,001×5,000=50,005,000이 된다. 굉장히 편하지 않은가? 가우스가 1~n까지 더하는 이 문제를 푼 방법은 쉽고도 독창적이다. 이런 것을 창의력이라 할 수 있다.

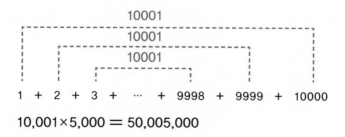

$$10{,}001 \times 5{,}000 = 50{,}005{,}000$$

가우스가 생각한 두 번째 방법도 살펴보자. 이 방법으로 1부터 10,000까지 더하는 것도 같은 방법으로 해결 가능하다.

[방법2]

$$1 + 2 + 3 + 4 + 5 + 6 + 7 + 8 + 9 + 10$$
$$+) \ 10 + 9 + 8 + 7 + 6 + 5 + 4 + 3 + 2 + 1 \quad \text{(반대 순서로 나열)}$$
$$11 + 11 + 11 + 11 + 11 + 11 + 11 + 11 + 11 + 11$$

$$(11 \times 10(개)) \div 2 = 55$$

- 처음 수의 값에 반대 순으로 나열된 값 더하기
- 이 값과 그 개수를 곱한 값을 2로 나누어 총합 구하기
- 총합: $(11 \times 10) \div 2 = 55$

[방법2]는 **[방법1]**을 약간 변형한 것이다. 역시 창의력을 발휘한 것이라 할 수 있다. 창의력은 완전한 무에서 유를 창조해내는 것을 말하지만 **[방법1]**에서 **[방법2]**가 나온 것처럼 자신에게 이미 있는 지식과 경험을 이용해 새로운 기법을 만드는 것도 창의력이라 할 수 있다. 3차원 공부로 융합을 할 때 그 재료는 우리가 이미 알고 있거나 가지고 있는 것들이다. 그것들을 변형하고 결합하고 뒤섞는 과정을 통해 창의적인 새로운 것이 산출될 수 있다.

___ 창의성 테스트 _____

당신은 얼마나 창의적인가? 간단히 테스트해보자. 창의성의 대가로 알려진 엘리스 폴 토런스 Ellis Paul Torrance가 개발한 'TTCL 창의성 검사'를 축소하여 만든 약식 창의성 진단지다. 다음을 잘 읽고 체크해보면서 당신의 창의성을 객관적으로 생각해보기 바란다. 체크한 항목이 많을수록 창의성이 높다고 볼 수 있다.

① 혼자 독립적으로 작업하기를 좋아한다. [   ]

② "만약 ～라면 어떻게 될까?"라는 질문을 좋아한다. [   ]

③ 상상하기를 좋아한다. [   ]

④ 융통성 있는 사고를 한다. [   ]

⑤ 끈기와 인내심이 있고 쉽게 포기하지 않는다. [   ]

⑥ 일상적인 일에는 쉽게 싫증을 낸다. [   ]

⑦ 특별한 외적 자극이 없어도 많은 시간을 지루하지 않게 보낼 수 있다. [   ]

⑧ 옷을 자주 갈아 입는다. [   ]

⑨ 주어진 과제 이상의 것을 해내려고 한다. [   ]

⑩ 어떤 결과가 일어나는지를 알기 위해 직접 실험도 해본다. [   ]

⑪ 자신이 발견하거나 발명한 것에 대해 말하기를 좋아한다. [   ]

⑫ 같은 일을 하더라도 표준적인 절차와 다른 방법으로 할 수 있는지를 찾는다. [   ]

⑬ 새로운 일을 시도하는 것을 두려워하지 않는다. [   ]

⑭ 남과 다르게 보이는 것에 대해 별로 신경 쓰지 않는다. [   ]

이 14개 항목의 창의성 특징으로 볼 때, 남의 시선에 상관없이 의지를 가지고 자기 길을 갈 수 있는 힘이 바로 창의성의 근본임을 알 수 있다. 창의성을 만들기 위해서 마음의 힘을 길러야 하고 그 힘을 기반으로 생각하며 공부해야 한다.

그렇다면 창의력을 높이는 방법은 없을까? 더 창의적인 사람이 되려면 어떻게 해야 할까? 먼저 창의성의 세부 특징에 어떤 것이 있는지 알아보고 그 각각을 높이는 훈련을 해보자. 미국의 저명한 심리학자 조이 폴 길퍼드 Joy Paul Guilford는 《지성의 자연》에서 창의력을 이루는 요소로 일곱 가지 지적 능력을 제시했다.

첫째, 문제를 볼 줄 아는 능력.

둘째, 주어진 시간 안에 보다 많은 아이디어를 생각하는 능력.

셋째, 보다 융통성이 있는 사고 능력.

넷째, 정보를 분석하고 종합하는 능력.

다섯째, 창의적인 사고 능력.

여섯째, 주어진 의미를 다시 정의하는 능력.

일곱째, 조잡한 것을 정교하게 만드는 능력.

심리학자들은 이런 창의적인 능력들을 구체적으로 민감성, 상상력, 유창성, 융통성, 정교성, 독창성이라고 부른다.

1. 민감성을 높이는 법

민감성이란 빨리 캐치해내는 능력이다. 어떤 상황에 직면했을 때 "왜?"라는 질문을 스스로 할 수 있는 능력을 말한다. 외부 환경으로부터 오감을 통해 들어오는 많은 정보에서 새로운 것을 탐색하는 능력이다. 일상생활에서 접할 수 있는 문제나 주위 환경에 관심을 갖고, 당연하게 여겨지는 것에 대해서도 의심하며 생각하는 성향이다. 민감성을 높이기 위해 다음의 훈련을 한다.

- 바구니에 10개 정도의 물건을 넣고 5초 정도 바라본다. 그 다음에 한 가지 물건을 빼고 어떤 것이 사라졌는지를 맞춘다.
- "하늘은 왜 푸르지?"처럼 평소에 당연하게 생각한 것을 다시 생각해본다.
- "내가 지금 85세의 할아버지로 산다면 일상생활이 어떨까?"처럼 익숙하지 않은 것을 생각해본다.

2. 상상력을 높이는 법

상상력이란 과거의 경험에서 새로운 것을 만들어내는 능력으로 창의적 사고력의 원동력이다. 상상력이 높은 사람은 기억 속에 있는 경험에서 다른 것을 생각해낼 수 있다. 또한 여러 다른 심상들을 조합하여 새로운 것을 융합하거나 통합할 수 있다. 상상력을 높이기 위해 다음의 훈련을 한다.

- 만약 사람의 마음을 읽을 수 있는 새로운 안경이 개발되었다면 사회가 어떻게 될지 상상해본다.
- 바다를 걸을 수 있는 신발이 나온다면 어떻게 될지 생각해본다.
- 인간이 영원히 살 수 있다면 지구는 어떻게 될지 상상해본다.

3. 유창성을 높이는 법

유창성이란 양적으로 얼마나 많은 아이디어와 해결책을 생각해낼 수 있는지를 설명하는 능력이다. 획기적인 것을 만들고자 한다면 먼저 많은 방법을 생각해야 한다. 그 많은 것 중에서 좋은 것이 나올 수 있기 때문이다. 언어의 유창성, 신체표현 유창성, 도형 유창성, 연합 유창성, 개념화 유창성 등으로 사용된다. 유창성을 높이기 위해 다음의 훈련을 한다.

- 정답을 '원circle'이라고 답할 수 있는 문제를 많이 만들어본다.
- 어머니라는 단어와 대조되는 것을 최대한 많이 써본다.
- 지구에 공기가 사라질 때 어떤 일이 벌어질지 최대한 많이 써본다.

4. 융통성을 높이는 법

고정된 관점과 사고방식의 틀을 벗어나 다른 방식의 해결책을 산출하는 능력이 융통성이다. 한 가지 방법에 집착하지 않고 여러 가지 방식으로 접근하는 능력이다. 인간은 익숙한 관점과 방법으로만 문제를 해결하려는 고착성이 크다. 그런 경직된 사고방식으로는 진부한 답만 나온다. 닫힌 마음과 고정된 사고에서 벗어나 유연하게 사고하는 것이 독창적인 사고의 관건이다. 융통성을 높이기 위해 다음의 훈련을 한다.

- 물을 끓이려는데 냄비가 없다. 다른 방법이 무엇이 있을지 생각해본다.
- 서로 관계 없는 사물 현상 간의 관련성을 찾는다. 전화기와 꽃병을 연결해 새로운 물건을 생각해본다.
- 자동차 바퀴의 펑크가 자주 난다. 이 문제를 해결하기 위해 바퀴를 튜브가 아닌 다른 것으로 대체하는 방법을 생각해본다.

5. 정교성을 높이는 법

정교성이란 얼마나 자세하고 구체적이며 치밀하게 아이디어를 생각해내는가 하는 능력이다. 또한 처음 제안한 거친 아이디어를 다듬고 발전시키는 것을 말하기도 한다. 문제를 세세하게 검토하고 의미를 명확히 하고, 결여된 부분이 있다면 보완하고 다듬는 사고능력이다. 미숙하고 다듬어지지 않는 아이디어를 치밀하게 정돈해가며 그중에 가장 독창적인 것만 남긴다. 정교성을 높이기 위해 다음의 훈련을 한다.

- 소설의 한 페이지를 읽고 그 속에 설명되지 않은 사건이나 인물들의 심리적 흐름을 마음속으로 묘사해본다.
- 은연중에 떠오르는 조잡한 생각들에 살을 붙여 실현가능하게 한다.
- 책가방을 더 편리하게 사용할 수 있게 해주는 추가기능을 10가지 써본다.

6. 독창성을 높이는 법

독창성이란 남들이 생각해낼 수 없는 기발하고 독특한 아이디어를 생산해내는 능력이다. 기존의 사고틀에서 벗어나 참신하고 희귀한 아이디어나 해결책을 만드는 것으로, 창의성의 핵심이다. 다른 사람이 이미 생각했던 아이디어나 문제해결 방법은 별로 의미가 없으므로, 독창적인 아이디어는 창의적 사고에서 최고 수준이다. 독창성을 높이기 위해 다음의 훈련을 한다.

- 누구도 모르는 나만의 비밀일기를 만드는 방법을 생각해본다.
- 냉장고의 원리를 이용하여 에어컨을 만드는 법을 생각해본다.
- 현재 천동설이 대세라고 가정하고, 지동설을 주장할 나만의 다른 증거를 생각해본다.

창조가 일어나는 네 단계

새로운 창조는 마음 안에서 어떤 과정을 통해 일어날까? 창의성은 개인의 능력이라 창조의 과정에는 개인차가 있다. 하지만 보편적으로 알려진 창조의 과정은 보통 준비, 부화, 영감, 검증의 네 단계다.

1. 준비기(방향잡기)

준비기는 사전 지식과 경험을 쌓는 기간으로 필요한 자료를 수집하고 정리 통합하는 단계다. 이 과정은 생각보다 시간과 에너지가 많이 든다. 방향을 잡지 못해 혼란 속에서 헤매기도 한다. 이 기간의 고민과 고통이 클수록 창조물이 좋아질 가능성이 크다. 무에서 유를 만들어내기란 여간 어려운 일이 아니기 때문이다. 많이 생각하고, 관련 자료를 최대한 많이 모으고 정리하면 다음 단계로 넘어갈 힘도 생긴다. 해당 주제에 대해 최대한 다양하고 많은 자료를 모으는 것이 중요하다.

만약 새로운 형태의 빌딩을 세울 아이디어를 내야 한다면 건물과 토목, 건축 자료 등 건물 자체에 대한 자료만 모아서는 안 된다. 다른 분야 중 건축물과 관련 있는 것은 전부 모아야 새로운 기법 창조에 도움이 된다. 예를 들어 자연에서 생명체들이 본능적으로 만든 건축물을 찾아본다. 대표적으로 개미나 벌이 지은 구조물, 식물들이 넝쿨을 만들어가거나 또 잡초들이 서로 엉켜서 군락을 만들어가는 형상 등 기이한 동식물이 만들어내는 구조물들을 함께 모아 보면 다음 단계에서 융합할 수 있는 아이디어가 나올 수 있다.

2. 부화기

문제에 대해 의문을 가지고 머릿속에서 계속 생각하고 느끼고 연결하는 과정이 부화기다. 준비단계에서 모아둔 자료를 함께 생각하며 다른 분야를 융합하는 가능성을 생각한다. 전혀 다르게 보이는 것들 사이에서 공통점을 찾고 통합하고 결합할 때 융합될 아이디어가 떠오르기도 한다. 하지만 답이 금방 튀어나오지는 않을 것이다. 또 지루한 기다림과 고통이 찾아오기도 한다. 포기하고 싶은 마음과 자신이 무능하다는 생각에 괴로운 시기이기도 하다. 인지혼란이 생긴 상태로 다소 괴팍해 보이기도 한다. 이때 자기설득과 자신감이 가장 필요한데 '용기와 인내'가 절실하다. 공부하는 데 용기가 왜 필요한지는 창조적인 활동을 한 번이라도 해본 적이 있는 사람이라면 이해할 것이다.

3. 영감기

영감inspiration은 마치 신의 계시를 받은 듯한 느낌, 번득이는 착상이나 발상이 떠오르는 것을 말한다. 오랜 부화기 동안 고민하고 연구하다가 어느 순간 새로운 방법이 우연히 떠오른다. 이때부터 영감기다. 문제에 대해 계속 생각하는 부화기를 거친 후에 새로운 통찰이 생긴 상태를 말한다. 통찰insight이란 문제나 그 해결책에 대해 갑자기 얻게 되는 이해력을 말한다. 어려웠던 문제가 재구조화될 수도 있고, 뒤집어 보이기도 하고, 정보들이 연합되거나 융합되어 새 기법이 나타나기도 한다. 창조력이 폭발하고 아이디어가 마구 솟아나기도 한다. 안 보이던 것이 보이고 희미하던 것이 선명해진다.

영감은 타인이나 외부에서 준 것이 아니다. 마음과 머릿속에서 생각이 융합되어 나타난 것이다. 그때의 희열은 이전 부화기에서 가졌던 자괴감을 한순간 사라지게 하면서 마치 조울증 환자처럼 울다가 웃게 한다. 부화기와 영감기의 반복이 우울과 희열 사이에 시소질을 하게 만들어 창의적인 사람이 괴팍하고 특이하게 보이는 것이다. 그러나 타인에게 보이는 것보다 그 자신의 고통과 기쁨은 훨씬 크다. 오랜 고통의 부화기였지만 영감기의 희열 때문에 그들은 또 다시 순례자처럼 창조의 길을 나선다. 그들이 그 시소질을 크게 많이 할수록 더 깊어지고 더 높아진다.

4. 검증기

영감기에 떠오른 아이디어를 음미하며 실현 가능한지 확인하고 구현하는 기간이다. 아이디어만 많이 내고 실현하지 못한 천재가 얼마나 많은가? 실현하지 못하면 결과물은 없다. 따라서 검증기가 매우 중요하다. 아이디어가 실현 가능한지 여부는 검증기에 결정된다.

행운의 선물

융합공부를 통해 계산력과 창조력이 강화된다. 하지만 그렇다고 계산력과 창조력이 쉽게 튀어나오는 것은 아니다. 특히 창조성은 의도하지 않고 노력하다가 우연히 나타나는 경우가 더 많다. 우연히 창조적인 것이 만들어진 사례는 무수히 많다. 많은 천재들이 자신의 연구가 의도한 것이 아니었다고 말한다. 작곡을 하려고 계획한 적이 없다고 말하는 음악가는 그저 마음속에서 들은 것을 받아 적었을 뿐이라 한다. 프리드리히 아우구

스투스 케쿨레 폰 슈트라도니츠Friedrich August Kekule von Stradonitz가 꿈속에서 '뱀이 꼬리를 물고 도는 모습'을 보고 탄소 고리로 벤젠 고리 구조를 발견했다는 이야기는 잘 알려진 사례다. 부력의 원리를 깨닫고 유레카를 외치던 아르키메데스도 목욕탕에서 욕조의 물이 넘치는 현상을 통해 우연히 통찰을 얻었다는 것은 이미 유명하다.

영감기에 우연히 떠오른 통찰처럼, 원하지 않았으나 얻게 된 이런 발견을 세렌디피티Serendipity라고 부른다. '우연히 얻게 되는 행운'이라는 의미의 이 단어를 최초로 사용했던 사람은 영국 소설가 호레이스 월폴Horace Walpole이다. 그는 《세렌디프의 세 왕자들》이라는 옛날 이야기에서 왕자들이 자기가 실제로 찾고 있던 것이 아닌 다른 보물을 우연히 발견했다는 점에서 착안해 '세렌디피티'라는 단어를 '우연히 얻게 되는 행운'이라는 의미로 쓰기 시작했다.

세렌디피티의 사례는 무수히 많다. 알렉산더 플레밍Alexander Fleming은 배양실험을 하는 도중에 실수로 잡균인 푸른 곰팡이가 생긴 것을 보고 이를 관찰하다가 페니실린이라는 항생물질을 발견했다. 우리가 자주 쓰는 포스트잇은 3M사가 초강력 접착제를 만드는 과정에서 실수로 탄생했지만 현재는 붙였다 뗄 수 있는 풀이나 메모지에 사용되어 얼마나 유용하게 쓰이고 있는가? 시리얼은 켈로그사가 이스트가 들어가지 않은 빵을 만들다가 발견한 것이다.

화학자 로버트 보일Robert Boyle은 연금술 연구에 실패했으나 그 실패를 통해 중세 유럽의 화학공업이 발전하게 되었다. 18세기 이탈리아 생리학자 루이지 갈바니Luigi Galvani는 점심에 먹을 개구리 스프를 만들려고 개구리 살을 도려내던 중 우연히 나이프와 포크가 개구리 몸에 닿았고 개구리가 움찔하며 수축하는 것을 보고 '전기가 흐르면 근육이 수축되는 동물전기'를 발견했다.

명품 타이어로 알려진 굿이어 타이어도 합성고무를 발명한 찰스 굿이어Charles Goodyear의 실수로 만들어졌다. 고무나무의 수액으로 만든 천연고무는 냄새가 심하고, 날이 더우면 녹아버리는 성질 때문에 사용하기에 불편했다. 굿이어는 거듭되는 실패와 가난 속에서 '고무에 미친 인간'이라고 불리며 고무 연구에 몰두했다. 1839년 어느 날 난로 위에 황을 끓이다가 실수로 고무 덩어리를 떨어뜨리게 된다. 그런데 놀랍게도 고무는 녹지 않았고 약간 그을리기만 했다. 여기서 그는 힌트를 얻었고, 고무에 황을 섞어 적당한 온도와 시간으로 가열할 때 고무 성능이 높아진다는 사실을 알게 된다. 이후 연구를 계속하여 '가황법'이라는 고무가공법을 확립하고 합성고무를 발명한다. 훗날 그의 아들 찰스 굿이어 주니어가 세계 최초로 합성고무 타이어를 만들었다.

숨겨져 있던 진리를 발견해 노벨상으로 이어지는 경우도 있다. 1901년 최초의 노벨 물리학상을 받은 뢴트겐Wilhelm Conrad Röntgen은 전혀 의도하지 않은 우연으로 X선을 발견했다. 뢴트겐은 진공관 속에 전류를 방전시키는 실험을 하던 도중에 그 관이 종이로 덮여 있음에도 불구하고 관에서 떨어진 벽에 칠해진 도료가 엷게 빛나는 것을 발견했다. 그 순간 뢴트겐은 어쩌면 그 관에서 보이지 않는 빛이 흘러나올지도 모른다고 생각하여 손을 비춰보았고, 뼈가 비치는 것을 보게 된다. 눈에 보이지 않던 빛이 바로 X선이었다. 뢴트겐의 X선은 세상을 뒤집어놓았고 현대물리학의 새 시대를 열었으며 X레이로 진단의학 발전에 크게 이바지했다.

19세기 프랑스 미생물학자 파스퇴르Louis Pasteur는 "미생물은 자연히 발생하는 것이 아니라 세균에서 태어난다."는 것을 실험으로 밝혀내 종래의 자연 발생설을 뒤집고, 미생물을 둘러싸고 있던 신비의 베일을 벗겼다. 아인슈타인은 어릴 때 자석은 같은 방향을 가리킨다는 것에 강렬한 인상을 받았고, 청소년기에는 "빛의 속도로 쫓아가면 어떻게 될까?"라는 문제에 사로잡혔다. 그 엉뚱한 번뜩임을 따라 깊은 공부를 한 결과 시간과 공간에 대한 관념에 대혁명을 일으킨 상대성 이론을 탄생시켰다.

창조성에 대해 일본의 이나모리 가즈오稻盛和夫 회장은《카르마 경영》에서 "인류에게 새로운 지평을 열어준 연구자들에게는 공통적으로 창조적인 아이디어를 마치 '신의 계시'처럼 받는 순간이 있었다는 사실을 알게 되었다."고 말했다. 그 특별한 순간은 "연구를 계속하다가 잠깐 쉬는 시간에 찾아오기도 하고 때로는 꿈으로 찾아오기도 한다."고 했다.

이처럼 과학사에서 세렌디피티에 의해 발견된 것은 대단히 많다. 하지만 이런 세렌디피티는 깨어 있고 계속 깊이 공부하고 노력하고 있을 때 찾아온다. 겉으로는 즐기고 있는 듯 보이는 사람도 실은 속에서 마음을 다한 노력이 있을 때 세렌디피티를 조우할 수 있다. 푸앵카레는 "우연은 그것을 받아들일 준비가 된 정신에 찾아온다."고 했고, 파스퇴르는 "행운은 준비하는 사람의 편이다."라고 했다. 마음이 받아들일 준비를 한다는 것은 전력을 다해 노력하고 있다는 것이다. 마음을 다한 공부, 깊이 연결된 융합공부는 우리의 마음을 그런 상태로 있게 한다. 완전히 가열할 때 밥이 익듯이 정신을 집중하고 마음을 다할 때 당신에게서도 새로운 것이 튀어나올 수 있다. 그게 천재성이다.

천재성: 누구에게나 있지만
아무나 볼 수 없는 힘

지능의
혁명

체력, 몸매, 학습과 달리 지능은 훈련으로 좋아지지 않는다고 여기던 시기가 있었다. 지난 100년간 IQ는 고정된 것이라 생각되었다. 그런데 심리학자 레이먼드 카텔Raymond Cattell과 존 혼John L. Horn이 지능을 유동지능fluid intelligence과 결정지능crystallized intelligence으로 나누면서부터 지능에 대한 관점이 변하기 시작했다. 이들은 결정지능은 나이가 많아지면서 좋아지고, 유동지능은 나이가 들면서 하락한다고 발표했다. 결정지능은 좋아질 수 있으나 유동지능은 오히려 하락한다는 이 이론은 오랫동안 지능에 대한 정설로 여겨졌다.

여기서 결정지능이란 언어 능력, 문제해결력, 논리적 추리력, 상식 등을 말한다. 결정지능은 경험, 환경, 문화, 가정 분위기, 학교, 교육수준, 직업

등에 영향을 크게 받으므로 지식과 경험이 축적되면서 변할 수 있다. 나이가 들면서 깊어지는 예술적 안목, 풍부한 상식, 통합적인 이해력, 다양한 어휘력, 노련한 사회적 기술 등이 결정지능이다. 결정지능은 노력에 따라 상승해 40~60세쯤 가장 높아진다고 알려져 있다.

반면에 유동지능은 정보처리 속도, 기계적인 암기, 시간지각력, 공간지각력, 추리와 추론, 계산 능력 등이다. 유동지능을 검사하기 위해 빠진 곳 찾기, 토막 짜기, 모양 맞추기, 차례 맞추기, 기호 쓰기 검사 같이 추상적인 시각 자료를 다루는 능력과 분석하는 능력을 테스트한다. 유동지능이 높은 사람은 순서를 재배열하거나 정보를 처리하는 속도가 빠르다. 유동지능은 동작 능력과 관련되므로 동작성 지능이라고 한다. 나이가 들면서 좋아지는 결정지능과 달리 유동지능은 뇌 발달에 기초하므로 만 14~17세 청소년기에 정점을 맞은 후 점점 쇠퇴한다는 이론이 거의 최근까지 지능이론의 정설로 알려져 왔다.

그런데 2008년 5월 유동지능도 훈련으로 높아질 수 있다는 연구결과가 미국 〈국립과학원회보〉에 발표되었다. 스위스 과학자 수잔 재기Susanne Jaeggi와 마르틴 부슈켈Martin Buschkuehl은 대학생들이 하루에 20분씩 엔벡N-Back이라는 컴퓨터 게임을 4주간 했을 때 작업기억이 좋아진다고 발표했다. 앞에서 말했듯 작업기억은 머릿속의 메모장으로, 기억된 내용들을 동시에 처리하고 업데이트하고 조종하거나 분석, 암산하는 장소다. 작업기억은 기억만을 위한 기능이 아니라 머릿속에 있는 계산기, 연산장치다. 작업기억은 빠른 계산과 판단을 도와주므로 학습 능력과 문제해결력에 직업기억의 영향력이 크다. 따라서 작업기억이 좋아진다는 재기의 발표는 '유동지능이 좋아진다'는 의미로 이해될 수 있다.

이는 당시까지 정설이던 '유동지능 증가는 불가하다'는 이론을 전면으로 뒤집는 '지능의 혁명'과도 같은 발표였다. 하지만 유동지능 증가가 불가하다고 반박하는 강경한 과학자들이 여전히 있었다. 유동지능이 과학계의 뜨거운 감자가 되었던 당시에 과학 전문 기자 댄 헐리^{Dan Hurley}는 유동지능이 훈련으로 증가되는지 여부를 밝히는 연구에 뛰어들었다. 그는 지능 분야를 선도하는 과학자 200여 명과 전 세계 연구자들을 만나 인터뷰했고, 본인이 직접 유동지능의 실험대상이 되어 유동지능 증가 여부를 확인하는 실험에 참여했다.

그는 당시 상업적으로 출시되어 있던 뇌 훈련 프로그램들의 성능을 거의 대부분 시험했고, 뇌 훈련에 도움 된다고 알려진 방법들도 전부 경험했다. 또한 류트^{lute}(16~18세기 유럽에서 유행했던 기타와 비슷한 현악기)라는 악기를 연주하는 법을 배웠고, 강도 높은 운동 프로그램과 명상 수련에도 참여했을 뿐 아니라, 뇌를 감전시키는 위험성을 지닌 경두개 직류 자극까지도 받았다. 3개월 동안의 사전 실험 후 댄 헐리는 유동성 검사 중 가장 명확하다고 알려진 '레이븐 누진 행렬' 검사를 받았고, 그 점수가 이전보다 16퍼센트나 상승되었다고 자신의 책《스마터》에 발표했다. 이전까지 상승은커녕 퇴보한다고 알려져 있던 유동지능이 단 3개월간의 노력으로 16퍼센트나 상승했다는 것은 인간 지능 연구에 있어서 혁명 같은 사건이다.

유동지능은 사망률과 연관이 있다고 앞에서 말했다. 따라서 유동지능이 훈련으로 좋아질 수 있다는 것은 공부나 운동, 훈련으로 수명까지 늘릴 수 있다는 의미가 된다. 공부하는 사람이 더 오래 살 수도 있다는 증거를 과학이 계속 밝혀내고 있다.

공부하는 한 뇌는 바뀐다

유동지능이 좋아지지 않는다고 오랫동안 믿었던 것처럼, 인간의 뇌 역시 청소년 시기 이후에는 점점 퇴화된다는 이론이 과학계의 정설이었던 시기가 있었다. 나이 들면 뇌 성장은 불가능하고, 어느 순간부터 노화만 일어난다고 했다.

오래전에 미국 발달 심리학자이며 캘리포니아대학교 인간발달연구소 소장이었던 존스Harold Ellis Jones와 같은 대학 소속이던 콘래드Herbert Spencer Conrad는 여러 연령대의 미국인 지능을 조사했다. 그리고 "인간의 지능은 30세에 정점에 도달한 다음, 이후 급격히 떨어진다."고 보고했다. 특히 '빠른 통찰'을 요하는 문제에서 지능의 추락이 급격하다고 했다. 이 연구는 '인간의 뇌가 어느 순간까지 발달하다가 이후에는 노화되어간다'는 이론을 진리로 믿게 만든 증거의 하나로 작용했다. 하지만 그들이 연구에서 중요한 실수를 저지른 것이 뒤늦게 밝혀졌다. 존스와 콘래드는 나이대가 다른 수많은 사람들의 지능을 연구했지만, 동일인물의 지능이 변해가는 것은 조사하지 않았다. 한 사람의 지능이 나이대별로 변해가는 것을 연구하려면 시간이 많이 소요되는 종단연구를 해야 하는데 그들은 횡단연구만 수행한 것이다.

그로부터 20년 후 미국 플로리다 아틀란틱대학교의 심리학자 오언스Robert E. Owens는 존스와 콘래드의 연구를 종단연구기법으로 접근해보았다. 오언스는 30년 전 미 육군에서 지능검사를 받았던 127명 군인을 30년 후에 동일한 검사지로 재검했다. 결과는 놀라웠다. 오언스가 검사한 127명의 군인 대부분이 30년 전보다 지능이 높아졌기 때문이다. 이런 새로운 연구결과들이 나오면서 지능이론에 대한 의심과 함께 "지능이 좋아질 수 있다."는 새로운 시각이 나타나기 시작했다.

2년 뒤에 오언스의 동료였던 베일리^{Nancy Bayley}와 오든^{Melita H. Oden}은 오언스의 연구를 다시 반복한다. 이번에는 또 다르게 접근했다. 그들은 오래전에 실시한 지능검사지 다발을 서고에서 찾아내 그 사람들을 재조사했다. 그들은 예전 검사에서 '지능이 매우 높았던 사람'들을 추적해 남자 422명과 여자 346명을 찾아냈다. 그리고 그 사람들에게 이전 검사와 비슷한 난이도의 새로운 검사를 했다. 놀랍게도 피험자들의 지능지수는 나이에 상관없이 10~15년 후, 평균 10~15점 정도 향상되어 있었다. 가장 또렷하게 향상을 보인 사례는 첫 번째 검사를 할 때 40세였고 두 번째 검사를 할 때 50세였던 사람들이라고 보고했다. 피험자 중 가장 나이가 많은 사람은 첫 검사를 57세, 두 번째 검사를 70세에 실시한 사람이었다. 그 피험자는 13년 뒤에 5점이 높게 나타났다. 70세 노인의 지능지수가 57세 때보다도 5점 높게 나왔다니 놀랍지 않은가?

뇌 과학이 발달하고 뇌 연구가 다각도로 진행되면서, 예전 가설들을 뒤엎는 새로운 연구결과가 속속 발표되고 있다. 최근에는 뇌가 결코 노화만 일어나는 것은 아니라는 점이 거의 정설화되어 가며 대중들도 받아들이고 있다. 베일리와 오든의 연구처럼 '중년에 더 똑똑해질 수 있다'는 연구결과도 새롭게 발표되고 있다. 물론 아이슈타인의 뇌와 우리 뇌를 비교해서 우리가 더 똑똑할 수 있다는 것은 아니다. 하지만 우리의 20대와 50대 중 50대일 때가 더 영리할 수 있다는 점을 생각하면 희망적이다.

펜실베이니아주립대학교 심리학자 셰리 윌리스^{Sherry Willis}와 워너 샤이^{K. Warner Schaie} 부부는 장기간 동안 인간 수명을 연구했다. 이들의 연구결과 발표 이후 중년에 더 똑똑하다는 가설이 많이 퍼져나갔다. 이들이 이끌었던 연구를 '시애틀 종단연구Seattle Longitudinal Study'라 부른다. 1956년에 시작해 약 6,000여 명을 대상으로 인간의 정신적 능력을 체계적으로 추적한 대규모 종단연구다. 이 연구는 회복탄력성을 찾아낸 하와이 카우아이섬 종단연구만큼이나 중요하다.

카우아이섬 종단연구는 누군가 한 사람에게서라도 절대적인 지지와 지원을 받은 아이는 열악한 환경에 있어도 절대 추락하지 않는다는 연구결과로, 기존 학계의 정설을 뒤집은 유명한 연구다. 마찬가지로 시애틀 종단연구는 뇌가 늙으면 기능이 나빠지고 우리는 점점 멍청해진다는 기존의 이론을 뒤집을 수 있는 결정적인 증거를 보여줬으므로 뇌과학과 교육심리 분야에서 역사에 남을 만한 중요한 연구라 볼 수 있다.

종단연구란 한 사람이 시간의 흐름에 따라 변해가는 것을 관찰하는 연구다. 이에 반해 횡단연구는 일정 기간 동안 서로 다른 사람들을 추정해서 패턴을 찾는 방식으로 진행된다. 거의 최근까지 인간 수명에 대한 정보는 횡단연구결과로 추정되었다. 하지만 정확한 과학적 분석을 위해서는 긴 시간 동안 같은 사람이 어떻게 변하는지 알아내는 종단연구가 더 중요하다. 종단연구는 대부분 1950년대부터 시작되었기 때문에 50~60년 정도 지난 지금에 이르러서야 학문적으로 의미 있는 결과들이 나오고 있다. 그런 면에서 시애틀 종단연구의 발표는 뇌와 노화에 대한 패러다임에 변화를 가져올 만한 기폭제가 될 것으로 보여진다. 뇌에 관해 잘못 알고 있던 것을 교정해주기 때문이다. 우리가 중년에 더 똑똑할 수 있다니, 생각지도 못한 일 아닌가?

여기에 더해 "지능과 뇌는 물리적인 구조에 연관성이 있다."는 사실도 밝혀지고 있다. 서울대 생명과학부 이건호 교수 연구팀이 225명을 대상으로 자기공명영상 뇌사진을 분석한 결과, "결정지능이 뛰어날수록 뇌의 왼쪽 측두엽 부위가 두껍고, 유동지능이 높을수록 전전두엽과 후두엽의 활동성이 높다."는 것을 알아냈다고 보고했다. 결정지능이 높은 사람의 대뇌피질이 두껍다는 것은 경험과 지식이 늘어날수록 대뇌의 물리적 형태가 커진다는 의미다. 또한 유동지능이 높을 때 전전두엽과 후두엽의 활동성이 높다는 말은 명상, 수련, 뇌자극 같은 훈련으로 유동지능을 3개월 만에 16퍼센트 상승시킬 수 있었다는 댄 헐리의 주장이 옳다는 증거가 된다.

이 교수팀은 "유동지능은 뇌신경망 회로의 원활함 정도를 말하는 것으로 시냅스의 연결성과 발화력이 높다."고 했다. 이 교수팀의 연구는 결정지능은 뇌의 물리적 구조를 좋게 하고, 유동지능은 화학적 성질을 좋게 한다는 말로 정리될 수 있다. 결국 우리가 공부하고 노력하고 훈련할 때 뇌의 물리적 구조와 화학적 구조가 함께 변한다는 것을 알 수 있다.

가장 똑똑한 중년

시애틀 종단연구의 실험 대상자는 시애틀에 있는 대규모 건강관리 단체에서 무작위로 선택된 건강한 성인들이었다. 20세부터 90세 사이의 다양한 직업을 가진 남녀를 절반씩 선정해서 실험을 진행했다. 연구팀은 7년마다 피험자들의 건강상태, 생활을 분석했다. 그렇게 수집된 방대한 데이터를 통해, 참여자들이 중년일 때 인지 검사에서 더 좋은 결과를 보인다는 사실을 알아냈다.

이 연구팀이 측정한 능력은 어휘력, 언어기억, 계산능력, 공간정향, 지각속도, 귀납적 추리 등이다. 보험 계약서를 이해하는 능력이나 결혼식 스케줄을 세우는 것처럼 일상생활에서 많이 사용되는 항목을 사용했다. 복잡한 인지기술을 측정하는 여러 검사 결과 깜짝 놀랄 만한 사실을 발견했다. 그리고 "피험자들이 중년(약 40~60대)에 받은 성적이 20대에 받은 성적보다 더 좋다."는 연구결과를 발표했다.

연구팀이 검사한 6개의 범주들 중 어휘, 언어기억, 공간정향, 귀납적 추리 4개 영역에서 최고의 수행 능력을 보인 사람들의 평균 나이는 40~65세 사이였다. 윌리스는 《중간의 삶Life in the middle》에서 "연구에서 고려한 정신 능력 6개 영역 중 4개 영역의 최고 수준은 중년에 발휘된다."라고 밝혔다. 또한 "남녀 모두 수행력이 절정에 도달하는 시기는 중년이다. 지능에 대한 기존 관점이나 보통 사람들이 갖는 생각과 달리 고차 인지 능력의 경우 청년기가 절대 절정기가 아니다. 우리가 연구한 6종의 능력 가운데 4종은 중년기에 더 높게 발휘되었다."라고 덧붙이고 있다. 25세보다 65세가 더 똑똑할 수 있다니 놀라운 희망 아닌가? 나이 들어간다고 노화만 일어나지 않는다. 공부하는 동안 우리 뇌는 더욱 더 좋아지고 나아질 수 있다.

100세에도 현역인 비결

2019년 4월, 103세의 현역 최고령 화가 김병기 화백의 개인전 〈여기,

지금Here, and Now〉이 종로의 가나아트센터에서 열렸다. 그는 1916년 평양에서 태어나 서울대학교 미대 교수 등을 지냈으나 1965년 미국으로 건너가면서 국내 사람들에게 잊혔다. 하지만 70세가 넘어 윤범모 미술평론가의 도움으로 국내 화단에 복귀해 지금까지 작품활동을 하고 있다. 그가 함께 어울렸던 김환기, 박수근, 이중섭 화백은 다 세상을 떠났고 그만 홀로 남아 지금까지 그림을 그리고 있다. 그는 "나는 백 살이 넘어서도 작업을 하는 장거리 선수다. 인생처럼 작품에는 완성이 없다."라는 말을 했다.

3년 전인 2016년 4월 어느 날, 코엑스에서 진행된 HRD 컨퍼런스에서 연세대학교 철학과 교수를 지낸 김형석 선생님의 강의를 들었다. 당시 그의 나이가 97세라 했으니 2019년인 올해 딱 100세가 되셨다. 그런데 최근에도 1년에 150회 이상 대중강의를 한다는 인터뷰 기사를 보았다. 당시 선생님은 97세라는 고령에도 불구하고 너무도 맑은 모습으로 꼿꼿이 선 채, 슬라이드 한 장 없이 1시간 강의를 또박또박 해냈다. 그의 정신력과 건강 비결이 궁금했는데 강의 중에 답을 주었다. 바로 공부와 운동, 두 가지가 비결이라고 했다.

그는 "백 년을 살고 보니"라고 운을 떼며 "100세를 준비하기 위해 50세 정도부터 준비를 해야 한다."고 말했다. 50부터 10년 정도를 준비하면 그 다음부터 타인을 가르칠 수가 있다면서, 50대에 시작한 공부가 60대부터 좋은 강의를 할 수 있게 해주었고, 100세를 코앞에 둔 당시까지 수많은 강의에 초청을 받는다고 말했다. 또한 몇 살이든 일할 수 있고, 그러기 위해서는 일만 할 게 아니라 반드시 공부를 함께 해야 한다고 강조했다.

또 다른 비결은 운동이었는데, 그는 당시에도 일주일에 세 번 수영을 한다고 했다. 97세에 수영을 하는 노인이 상상이 되는가? 그게 배움과 공부의 자세일지도 모른다. 김형석 선생님의 말처럼 계속 공부한다면, 우리도 역시 100세에 자기 일을 하면서 살 수 있을지 않을까? 103세의 김병기 화백의 전시회 제목이었던 "여기, 지금"처럼 얼마의 나이가 되었든 어디에 있든 최선의 노력을 하면 우리도 그리 될 수 있을지 모를 일이다.

누구에게나 천재성이 있다

천재天才에 대해 사전에서는 '선천적으로 보통 사람보다 뛰어난 정신 능력이나 재주를 가진 사람'이라고 정의하고 있다. 정신 능력이 뛰어나다거나 재주가 있다는 말은 절대적인 의미로 이해해야 하므로 좀 모호하다. 그런 이유로 보편적으로 IQ를 잠재성이라고 보고, IQ가 높을 때 천재라 한다. 괴테는 8세에 라틴어로 시를 썼고, IQ는 185~200 정도였을 것이라 추정된다. 파스칼의 IQ는 180, 볼테르는 175, 모차르트는 155로 추정된다. 존 스튜어트 밀은 3세에 이미 글을 읽었고, 8세에 기하학을 배웠으며 IQ 175~200으로 추정된다.

천재라는 말은 2,000년 전 로마 작가 플라우투스Plautus가 맨 처음 사용했다. 천재라는 단어의 어원인 게니우스Genius는 로마인들에게는 수호하는 영혼이라는 뜻이었다. 인간과 함께 동행하며 우리를 신성한 존재와 연결시켜주는 존재인 수호천사가 게니우스다. 천재성이 각자의 수호천사 같은 역할을 한다고 본 것인지 모른다. 근대에는 좀 다른 개념으로 사용되어 특별한 창조력이나 통찰력을 지닌 존재로 의미가 변했다. 요즘은 노벨 수상자나 올림픽 우승자, 스티브 잡스 같은 CEO뿐만 아니라 수학천재, 연기천재, 탁구천재처럼 한 분야에 특출난 사람은 모두 천재로 칭한다.

그런데 남다른 능력이 없다고 해도, 우리는 간혹 자신이 특별히 창의적이고 머리가 깨어나는 듯한 느낌을 받을 때가 있다. 깊이 생각하거나 오래 고민할 때 그런 순간이 나타나며 세렌디피티처럼 번뜩 아이디어가 떠오르기도 한다. 그 순간, 우리의 천재성에 불이 들어온 것으로 생각해도 된다. 어떻게 하면 그런 순간을 자주 만들어낼 수 있을까? 인간의 의식 수준을 17단계로 분류한 것으로 유명해진 미국의 데이비드 호킨스 박사는 《의식혁명》에서 창조성과 천재성에 대해 색다른 주장을 하고 있다. 그는 창조성과 천재성에 대해 다음과 같이 말하고 있다.

"창조성과 천재성은 모든 인간 속에 잠재되어 있다. 천재란 주어진 분야에서 고도의 완숙함을 보여주는 사람들로 인내, 용기, 집중, 끌고 나가는 강한 힘, 절대적인 정직을 소유한 사람이라고 보는 것이 타당하다."

여기서 데이비드 호킨스가 말하는 천재의 자질인 '용기, 절대적인 정직, 인내, 집중, 끌고 나가는 힘'은 각각 마음의 '동기, 정서, 의지, 인지, 행동'이 결합되어 만들어진다. 그리고 그가 말한 천재의 다른 특징인 노력, 기다림, 겸손 등은 융합공부를 하는 사람이 가져야 할 마음의 자세다. 융합공부를 하는 동안 겸손할 수밖에 없고 노력하며 기다릴 수밖에 없다. 융합이 어떤 식으로 일어날지 모르고 언제 나타날지도 모른다. 우리 앞의 모든 것이 공부의 재료가 되며 인생의 어려운 문제를 풀면서 우리는 성장한다. 겸손하지 않은 사람은 배우지 못하고 융합의 통찰을 얻기도 힘들다. 겸손하게 기다리며 노력할 때 우리는 점점 똑똑해질 수 있다. 완전히 숙달될 때까지 노력하는 마음 없이는 새로운 것을 꿈꾸면 안 될지 모른다. 노력, 기다림, 겸손 같은 정신력을 만들어내는 곳이 마음이다. 마음의 성분인 '동기, 정서, 의지, 인지, 행동'은 모두 연결되어 있으므로 어떤 하나의 성분이 하나의 특질을 만들어낸다고 단언해서는 안 되겠지만 대략 핵심적으로 작용하는 주역이 있다. 우리에게 마음이 있는 한, 우리 속에서도 천재의 특질이 나타날 수 있고, 우리가 융합공부를 하는 동안 우리 안의 천재성은 언제나 발화될 수 있다.

마음의 태도가 천재성을 키운다

데이비드 호킨스가 천재의 요건이라 말한 다섯 가지 요소인 '인내, 용기, 집중, 끌고 나가는 강한 힘, 절대적 정직'은 마음의 태도다. 이 다섯 가지는 지능지수와 상관없고 뛰어난 작품이나 업적물과도 무관하다. 지능과 업적물로 천재를 분류하던 이전의 방식과 다르다. 오직 마음의 태도로 천재성을 설명한다. IQ도 평균 이하이고 세상을 놀라게 할 작품은 없어도 마음의 태도를 바꾸는 것으로 누구나 천재성을 키울 수 있다. 마음과 뇌를 깊이 연결하는 융합공부를 하는 동안 이 다섯 가지 태도가 깊어질 수 있다.

풀지 못하는 문제에 오랜 시간 집중하고, 하나의 화두를 물고 늘어질 때 우리의 의식은 성장한다. 그래서 종교에서는 깨달음을 얻기 위해 참선이나 기도, 화두선을 가르치고 있다. 그런 방법을 공부에 도입할 때 천재성을 키울 수 있다. 마음과 뇌를 깊이 연결하는 융합공부는 마음의 태도를 바뀌게 하고 천재성이 깨어나게 한다. 융합공부는 1·2·3차원 공부인 피상적 공부, 전략적 공부, 심층적 공부를 전부 다 사용한다. 그래서 뇌 전체를 다 사용하고, 마음의 모든 성분 '동기, 정서, 의지, 인지, 행동'이 전부 동원된다. 마음을 다해 융합공부를 할 때, 우리는 가진 자원을 전부 사용한다. 할 수 없던 것을 하려고 노력하는 동안 우리의 한계를 뛰어넘으며 그때 우리는 달라진다. 융합공부가 천재성의 특징을 어떻게 만들어내는지 한번 생각해보자.

1. 용기

새로운 것을 만들 때 인간은 누구나 두려움을 느낀다. 이때 굉장한 용기를 요구한다. 답을 쉽게 찾을 수 없는 융합공부에서는 용기가 필요하고 공부해 나가며 용기를 더 키울 수 있다. 다른 학문들 간의 연결고리를 찾거나 둘 이상을 통합할 때 자신감이 떨어지고 두려움을 느낄 수 있다. 또한 예술작품을 디자인하고 실험과정을 모델링할 때도 엄청난 두려움을 느낄 수 있다. 그럴 때마다 우리는 자신을 넘어야 한다. 창조를 위한 과정과 용기는 매순간 자신을 이겨야 하는 전쟁을 치르는 것과 다를 바 없다. 융합공부를 하는 동안 우리는 온 세계와 싸우는 듯한 마음까지 들 수 있다. 그때마다 자신을 믿고 하나하나 연결하는 용기를 만들어내야 한다. 공부, 특히 융합공부를 할 때 융합할 용기가 필요하다. 용기는 마음의 모든 성분이 작용하지만, 특히 동기와 가장 깊이 관련된다.

2. 절대적 정직

어려운 문제를 풀 때마다 쉽게 해결하고 싶은 유혹이 있다. 융합공부를 하는 사람은 그때 자신의 도덕성을 시험 받는다. 수많은 논문에서 표절 시비가 있는 이유, 연구가 재현되지 않는 것은 그 저자가 쉽게 논문을 쓰기 위해 데이터를 조작하거나 다른 자료를 삽입하면서 생기는 문제다. 융합공부, 마음을 다한 공부를 하고 연구하는 사람은 그 공부를 통해 자신의 도덕성과 가치를 정련한다. 그는 고통을 견디면서 데이터나 통계수치를 정확히 표현하려고 할 것이다. 모르고 실수할 수는 있지만 알면서 오류를 포함시키지는 않는다는 철저한 정신이 있을 때 남이 만들지 못한 것, 아직 발견되지 않은 진리가 발견될 수 있다. 정직은 도덕성과 연관되고, 정서 훈련으로 배울 수 있다. 우리는 기쁨과 슬픔에 초연하고 고통과 두려움에서도 중심을 잡으며 진리를 향해 고정된 시선을 거두지 말아야 한다. 쉽게 하라고 악마가 유혹해도 진실을 놓치지 않으려 할 때 우리는 점점 더 정직해진다.

3. 인내

세상에 없던 것을 만들어내기 위해서는 어마어마한 인내가 필요하다. 의지가 해야 할 일은 인내, 통제, 수용이다. 행동은 습관이 끌고 가지만, 새로운 일을 할 때는 의지가 작동해야 한다. 융합공부는 새로운 것을 추구하므로 그때마다 의지가 제 기능을 해주어야 한다. 의지는 가장 강한 마음의 적인 저항이나 회피를 이길 수 있는 특공대다. 의지가 인내를 만들어내야 공부를 끝까지 해내고 새로운 곳으로 전진해갈 수 있다.

4. 집중

융합공부는 몰입과 비몰입을 사용하고 발산과 수렴 과정을 반복한다.

당연히 집중력이 나타난다. 분산과 수렴을 함께 사용해 기다리고 주의를 집중하며 우리는 하나의 창조물을 만들어낸다. 집중은 공부의 성과를 높이는 기본적인 힘이다. 수렴할 때 몰입과 집중이 나타나고 그때 마음은 단련된다. 집중은 의지와 인지에 많은 관련이 있고 그중 인지와 연관이 많다. 주의집중과 메타인지를 통해 집중을 만들어낼 수 있다.

천재성	융합공부에서 나타나는 마음의 상태		주요 마음 성분
용기	새로운 것을 만들 때 우리는 두려움을 느낀다. 이때 광장한 용기가 필요하다. 공부에서 용기를 배우는 것이다.	⇔	동기
절대적인 정직	어려운 문제를 풀 때마다 쉽게 하고 싶은 유혹이 있다. 이때 융합공부를 하는 사람은 자신의 도덕성을 시험하게 된다. 그는 고통을 견디면서 데이터나 통계수치를 정확히 표현하려고 할 것이다.	⇔	정서
인내	융합공부에서는 융합의 어려움이 있다. 연결고리를 찾지 못할 때 포기하고 싶은 유혹이 생긴다. 그러나 융합의 진정한 결과인 창의적인 것을 만들어낼 때까지 끝까지 해내는 데는 어마어마한 인내가 필요하다.	⇔	의지
집중	창조적인 것을 만드는 융합공부에서는 분산과 집중이 교대로 동반되어야 한다. 분산 후에는 수렴이다. 수렴할 때 몰입과 집중이 나타나고 그때마다 마음은 단련된다.	⇔	인지
끌고 나가는 힘 (추진력)	결과를 내기 위해 끝까지 집중하고 데이터를 만들고 그들 간의 관계에 눈을 열고 있을 때 그는 일을 끌고 나가는 힘을 기르는 중이다. 융합공부를 계속한다는 것은 사실 광장히 강한 힘으로 자신을 끌고 나가는 것으로 봐도 된다. 이 힘이 추진력이다.	⇔	행동

5. 끌고 나가는 강한 힘

공부나 연구가 너무 힘들어 집어치우고 싶을 때가 많다. 하지만 그럼에

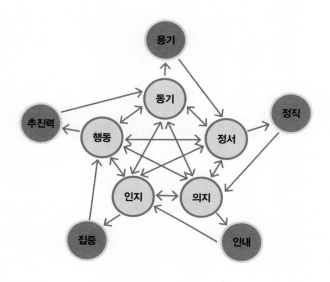

도 결과를 내기 위해 끝까지 실험 결과에 집중하고 데이터를 만들고 그들 간의 관계에 눈을 열고 있으면 '일을 끌고 나가는 힘', 즉 '추진력'을 기를 수 있다. 융합공부, 마음을 다한 공부를 계속한다는 것은 사실 굉장히 강한 힘으로 자신을 끌고 나가는 것으로 봐도 된다. 숙달과 반복이 주는 행동 훈련이 때로는 이 힘을 좀 쉽게 만들어준다. 습관이 되면 힘들이지 않고 쉽게 해낼 수 있다. 하지만 아직 습관이 되기 전에는 그것을 하기 위해 인내하고 집중하며 강한 힘으로 자신의 일을 끌고 나갈 수 있어야 한다.

이상에서 보았듯 마음의 5가지 성분을 모두 사용한 융합공부를 하는 동안 우리 안의 천재성은 계속 자극을 받는다. 그렇게 공부가 깊어질수록 우리는 점점 더 나은 사람이 될 것이다.

르네상스 최고의 천재 다 빈치 노트

인류역사상 가장 뛰어난 천재 중 한 사람으로 평가받는 레오나르도 다 빈치Leonardo da Vinci는 여러 분야에서 뛰어난 업적을 남긴 진정한 르네상스인이다.

그는 정식 교육을 받지 못하고 14세에 조각가이며 화가인 안드레아 델 베로키오 문하의 조수이자 도제로 입문하여 미술을 배운다. 그때부터 그는 공부하는 모든 이론들을 실험하고 실용화할 수 있게 된다. 다 빈치가 가진 수많은 재주 중 실용성이 가장 뛰어난 재능이었는지 모른다. 그가 스포르차 가문의 후원을 받기 위해 자신을 소개한 글을 보면 철저히 실용성에 포커싱되어 있음을 알 수 있다.

———

말할 수 없이 빛나는 존재이신 각하,

① 저는 물건을 쉽게 운반할 수 있는 기구 설계를 갖고 있습니다.

② 어떤 지역을 포위하고 물을 차단하는 방법과 성곽을 공격할 수 있는 사다리를 비롯한 많은 무기 설계가 있습니다.

③ 강력한 요새의 성벽을 무너뜨리는 기계에 대한 설계가 있습니다.

④ 작은 돌멩이를 우박처럼 쏟아낼 포를 만들 수 있습니다.

⑤ 공격과 방어에 능란하게 배를 이동시킬 엔진 설계도와 포탄의 공격을 이길 배의 설계도가 있습니다.

⑥ 적이 모르게 땅 밑, 강 밑으로 통로를 만드는 법을 알고 있습니다.

⑦ 대포가 밀집한 적지에 쉽게 들어갈 차량을 만들 수 있습니다.

⑧ 다양한 대포와 박격포 등을 기존의 것보다 훨씬 향상된 것으로 만들수 있습니다.

⑨ 대포를 사용할 수 없는 곳에서도 사출기와 덫을 이용한 공격을 하는 기계를 만들 수 있습니다.

⑩ 평화 시에는 공공의 목적이나 개인용으로 아름다운 건축을 지을 수있고 어느 곳에나 물길을 낼 줄 압니다.

⑪ 대리석이나 청동으로 조각상을 만들 수 있고 그림도 그릴 수 있습니다. 저의 작품은 누구와도 구별됩니다.

⑫ 더욱이 저는 청동 기마상을 만들고 싶습니다. 이 기마상은 각하의 아버님이신 황태자님과 명예롭고 훌륭한 스포르차 가문을 영원토록 추억할 기념물이 될 것입니다.

위에서 말씀드린 사항 중 의심스럽거나 실용적이지 않다고 생각되는 것이 있다면 각하의 정원이나 어디서든 언제든지 직접 시험해 보여드릴 수 있습니다.

―

그가 자신 있다고 말한 분야가 전부 실용적이라 놀랍지 않은가? 그중

하나만 할 수 있어도 그는 어디에서든 쓰일 수 있었을 것이다.

다 빈치는 스포르차 가문의 후원을 받으며 약 10년간 인체 해부와 스케치에 몰두하며 관심 영역을 넓혀간다. 기마상을 만들기 위해 무수히 많은 말을 스케치했다. 41세에 기마상을 제작했으나 청동을 구하지 못해 완성하지 못했다. 43세에 산타마리아 델레그라치 성당의 식당 벽에 〈최후의 만찬〉 작업을 착수했는데 1495년에 시작해 1498년까지 그렸으나 완성하지는 못했다.

47세가 되었을 때 프랑스 침공으로 밀라노가 함락되었고, 다 빈치를 후원하던 스포르차 가문은 몰락하게 된다. 이후 교황 알렉산드로 6세의 아들 체사레 보르자를 위해 군사 기술자로 일했다. 이때 다양한 기계를 고안하는데, 하늘을 나는 기계를 만들기 위해 새에 관한 많은 스케치를 하고 비행기구를 설계했다. 51세에는 모나리자를 그렸다.

보르자의 부친인 교황이 사망하자 다 빈치는 새로운 후원자인 프랑스 황제 루이 12세의 궁정화가로 임명되어 안정적인 삶을 살게 된다. 그때 즈음 원근법을 발명해 2차원의 화판에 3차원의 영상을 투사하는 방법을 개발한다.

그는 자신이 연구한 모든 것들을 노트에 스케치하고 사상을 기록하며 노트와 함께 생각을 키우고 연결시키고 융합을 만들어갔다. 그의 노트에는 머릿속에 맴돌던 생각들이 글과 그림으로 구체화되는 과정이 담겨 있다. 융합은 머리에서 일어나지만 그것을 확고히 하기 위해서는 노트가 필요하다.

대부분의 사람들은 다 빈치의 업적으로 〈모나리자〉와 〈최후의 만찬〉을 떠올린다. 하지만 그의 노트가 가장 위대한 업적이라 말하는 사람도 있다. 그의 연구노트는 1만 4,000페이지에 달해 분량부터 어마어마하다. 1994년 마이크로소프트의 빌 게이츠가 경매에서 레오나르도 다 빈치의 필사본 〈코덱스 해머Codex Hammer〉를 3천만 달러에 구입해 놀라게 했다. 그 노트에 나온 다 빈치의 스케치 일부를 마이크로소프트의 윈도우 화면에 삽입하기도 했다.

다 빈치는 그의 지적 욕망과 연구내용이 이단 시비에 휘말릴 것을 걱정해 노트의 글씨를 반대로 쓴 것으로 유명하다. 따라서 그의 노트는 거울에 비춰봐야만 읽을 수 있다. 노트에 글씨를 반대로 쓰면서 그가 이룬 연구의 내용은 어마어마하다.

《역사 속의 영웅들》에서 역사가 조르조 바사리Giorgio Vasari가 묘사한 다 빈치의 업적은 다음과 같다.

해부학 비율과 원근법, 빛의 구성과 반사, 물감과 오일의 화학, 터널 설계도, 지레, 기중기, 크랭크, 항구 청소법, 깊은 곳의 물을 퍼 올리는 방법, 나사못의 홈 파는 기계, 마찰 없는 롤러 베어링 브레이크, 최초의 기관총, 톱니바퀴 기어가 달린 박격포, 복식 벨트가 달린 추진기, 3단 변속 장치, 조정이 가능한 멍키렌치, 구르는 금속기계, 인쇄를 위한 활판, 웜기어, 지하 항해술, 증기 엔진, 물레의 실 분배장치, 자동식 가위, 스키를 부풀려 물 위를 걷는 장치, 몇 가지 악기를 동시에 연주하는 물방아 등이 있다. 놀랍지 않은가?

그는 일생의 반 이상을 비행에 대해 생각했다. 다 빈치의 조수인 안토니오가 1510년에 다리가 부러진 일이 있는데 레오나르도의 기계로 비행을 시도하다가 일어난 사고 때문이라는 설이 있다. 그 외에도 식물에 관한 테오프라스투스의 텍스트를 읽고는 잎이 줄기 주변으로 배치

되는 체계를 검토하고 그 법칙을 공식으로 만들었고, 나무의 단면 테두리가 자란 햇수이며 그 넓이가 당해의 습기를 나타낸다는 사실도 찾아냈다. 그리고 다 빈치는 플라톤의 말을 흉내내며 다소 오만하게 '수학자가 아닌 사람은 내 작품의 어떤 부분도 읽지 말 것'이라고 했다.

도대체 그가 건드리지 않은 분야가 없어 보인다. 과학자로서 사실을 수집하고 탐구했으며, 예술가로서 이들을 정확히 묘사하고 언어로 표현되지 않는 부분까지 표현하는 감각을 유지했다. 하지만 기술자로서 자신이 그린 것을 실제 제작하는 실용화에 힘쓴 것이 가장 중요하다. 이 모두가 가능했던 이유는 그가 융합하는 공부를 하고 있었기 때문이다. 또한 깊은 사고와 융합의 재능이 발현될 수 있었던 것은 그가 천재이기도 했지만 그에게 노트가 있었기에 가능했는지 모른다.

다 빈치는 시간을 구조화하여 아침에는 과학연구 노트를 들고 다니며 과학연구를 했고, 오후에는 후원자가 주문한 작품을 만드는 일을 했고, 저녁에는 인체 해부를 하는 등 다른 탐구의 세계로 넘어갔다고 한다. 그가 인체를 연구한 것은 인체를 우주의 축소판으로 생각했기 때문이다. 둘 사이의 연결고리를 찾은 것이다. 살은 흙이고, 뼈는 산맥, 혈액은 물, 맥박은 밀물과 썰물의 움직임으로 이해했다. 심장과 그 주변은 물이 가장 많이 고인 바다로 생각했다. 이와 같은 은유적 이해에서 추상화가 일어나고 융합이 나올 수 있다. 그는 많은 영역을 다루며 그들 간의 공통점을 찾는 통합과 연결, 추상화 그리고 융합을 했다.

다 빈치의 위대함은 그가 새로운 창작물을 생각해냈다는 측면보다 그의 고안물들이 대부분 실제로 작동한다는 점이라고 한다. 최근에 다 빈치의 스케치북에 나타난 기계 스케치들을 실제로 제작하여 시연하는 연구가 많이 이루어지고 있다. 그가 만든 사각뿔 형태의 낙하산을 직접 제작하여 히말라야에서 실험한 결과 성공적이었고, 물의 도시 베니스에서 물 속으로 침투하기 위해 만들었다는 잠수복의 설계는 외부에서 공기를 주입하는 것부터 돼지가죽에 기름을 입혀 물이 스며들지 않는 소재를 만드는 등 모두 현실로 가능함이 입증되고 있다.

다 빈치의 노트는 그의 생각의 발전과 융합을 이룬 길잡이 노릇을 했다. 노트 위에서 그의 깊은 사고는 연결되고 융합된 후 실용화가 가능한 스케치까지 만들어냈다. 그는 노트에 글씨와 그림을 함께 사용했는데 글씨를 쏠 때는 좌뇌, 그림을 그릴 때는 우뇌가 사용된다. 그는 좌뇌와 우뇌를 동시에 사용하며 뇌 속에서 융합을 일으켰다.

《레오나르도 다 빈치처럼 생각하기》의 저자 마이클 J. 겔브[Michael J. Gelb]는 다 빈치의 노트에 주목하면서 다 빈치처럼 생각하기 위해서는 일곱 가지 원칙을 지켜야 한다고 했다. 그 일곱 가지는 다음과 같다.

① 호기심을 발동하라.

② 실험하라(이론이 실용화될 수 있는지 검증하고 수정하는 과정이 필요하다).

③ 감각을 열어라(오감으로 느끼며 모든 감각을 융합한다).

④ 뇌 전체를 사용하라(좌뇌와 우뇌의 융합).

⑤ 낯선 것에 도전하라.

⑥ 양손 쓰기를 하라.

⑦ 사물과 현상의 연관성을 파악하라.

이상의 일곱 가지는 호기심, 실험정신을 가지고 낯선 것에 도전하는 어린아이의 특징이다. 그는 어린아이의 마음으로 융합공부를 하며 이론을 실제로 구현한 천재 중에 천재였다.

당신의 미래는 지금 하는 공부에 달려 있다

콜럼버스가 신대륙을 찾아 항해하던 중 처음으로 캐리비안 섬을 발견했을 때의 일이다. 섬으로 콜럼버스의 배가 다가갔지만 그곳 원주민들은 배를 보지 못했다. 왜 그랬을까? 그곳 인디언들은 태어나 한 번도 배를 본적이 없었다. 그래서 그들의 머릿속에 배에 관한 형상, 관념, 지식, 경험이 하나도 기억된 게 없었고 그런 탓에 거대한 배가 눈 앞에 있는데도 보지 못한 것이다.

인디언들이 배를 보지 못했던 것과는 달리 그 섬의 주술사는 배를 볼수 있었다. 주술사도 처음엔 배가 보이지 않았었다. 하지만 주술사는 바다의 물결이 평소와 달리 심하게 일렁거리는 것을 이상하게 생각했고, 물결의 갑작스러운 변화가 걱정되어 해변에 나와 파도의 움직임을 지켜보았다. 물론 주술사가 새로운 물체를 예상했던 것은 아니다. 다만 물결이 높아진 것이 혹시 모를 태풍이나 쓰나미의 전조일지 모른다는 두려움 때문에 자세히 보고 또 본 것이다. 한동안 해변에서 바다를 주시하던 주술사의 눈에 이전에 한 번도 본적 없는 낯선 물체가 잡히기 시작했다. 드디어 배를 볼 수 있게 된 첫 번째 인디언이 나타난 것이다.

배를 보지는 못했지만, 볼 수 있던 바다 물결에 집중할 때 전혀 새로운 것이 보이는 기이한 현상, 이것이 바로 융합공부가 만들어내는 새로운 창조다. 문리가 생기고, 세상에 없던 것이 창조되며, 새로운 통찰이 생긴다.

스피노자Baruch Spinoza의 묘비에는 "조심하라! Caute!"라는 경고가 적혀 있다. 묻혀 있으면서 묻혀 있지 않고, 유대인이면서 유대인이 아니고, 포르투갈인이지만 포르투갈인도 아니며, 네덜란드인이되 실제로는 네덜란드인이 아니었던 스피노자. 어느 곳에도 속하지 않으면서 모든 곳에 속했던 사람, 스피노자는 자신의 전 생애를 통해 '조심해야 함'을 자각했다.

유대인으로 태어났지만 유대교에서 파문되어, 살아 있는 내내 기피해야 할 인물이었고, 심지어 죽어서도 100년 동안 피해야 할 인물로 낙인찍혔던 바뤼흐 스피노자. 렌즈를 갈아 생계를 유지했던 그의 삶은 곤궁했으나, 지금은 가장 고결한 품성을 갖추었던 철학자 중 한사람으로 평가받고 있다. 종교에서 파문된 그는 신학 대신 철학을 공부했고, 가장 위대한 유대인 철학자가 되었다. 인생은 힘들었지만, 대신 무엇에도 매이지 않고 자유롭게 생각하고 공부했던 결과다. 살아 있는 동안 어떤 학파도 만들지 않았지만 그의 사상은 쇼펜하우어, 니체, 베르그송으로 이어졌고, 괴테, 프로이트와 아인슈타인에게까지 이어졌다. 신학을 할 뻔 했으나 철학자가 된 그의 사상은 과학자들의 철학자라고 불리며 현대 심리학, 철학, 과학 곳곳에 살아남아 있다.

그런 그가 자신에게 준 경고인 "조심하라!"라는 메시지는 오늘 우리에 게도 동일하게 적용되어야 한다. 아무 것도 고정된 것이 없고 안전하지 않은 인생. 삶은 쉽지 않고, 세상은 정글 같다. 사자와 악어, 뱀과 전갈이 넘친다. 자칫, 먹이나 제물이 될 수 있다. 어쩌다 태어난 인생이지만, 잘 살다 가려면 정글 속에서 살아남을 힘과 지혜가 필요하다. 힘만으로는 안 되고 지혜로도 부족하다. 사자 밥이 되어서도 안 되지만, 늪에 빠져서도 안 된다. 그 누구에게 이용당해서도 안 되고, 삶을 낭비해서는 더욱 안 된다.

낯설고 위험하고 모르는 것이 지천인 세상에서 우리는 스피노자의 경고처럼 조심하며, 인디언 주술사가 매일 해변에 나와서 물결을 살폈듯이 그렇게 우리 자신의 인생을 살다 가야 한다. 하나의 논리에만 머무르지 않고 자기가 선 땅 주변을 계속 탐사하며, 오늘은 요리사이지만 내일은 작가로, 모레는 화가, 그리고 10년 뒤에는 또 다른 기술자로 살아가야 할지 모른다. "나는 내 이름도 쓸 줄 몰랐다. 하지만 남의 말에 귀를 기울이면서 현명해졌고, 나를 극복하면서 칭기즈칸이 되었다."고 했던 칭기즈칸 Chingiz Khan처럼 마음을 열고 공부하며 한곳에 머무르지 않아야 한다. 그러려면 융합하는 공부, 깊은 공부를 해야 한다.

세상은 하루가 다르게 급변해가고, 인생은 어찌될지 모른다. 세상은 통제 불가능하고 인생은 예측 불가능이다. 그런 모르는 것들과 맞서기 위해서는 결국 우리는 공부할 수밖에 없다. 알아야 하기 때문이다. 우리를 살려줄 가장 확실한 것은 우리가 배운 것과 알고 있는 것들이다. 살아 남기 위해 공부하지만, 예상치 못한 성장이 덤으로 온다.

사상의 자유를 지키려다 화형된 순교자인 이태리 철학자 조르다노 브루노Giordano Bruno는 "나를 정말로 기쁘게 만드는 것은 통합이다."라고 했다. 자원 모두를 통합하고 융합할 때 마음의 평화와 힘이 생겨나 많은 것을 이길 수 있다. 인생을 잘 살다간 사람들은 나름대로 그 방법을 터득했던 사람들이다.

나는 모든 것을 통합한 공부, 깊고 단단히 연결된 융합공부를 죽을 때까지 하기로 결정하고 난 뒤 오랜만에 편한 잠을 잘 수 있게 되었다. 속에서부터 나오는 어떤 힘을 느낄 수 있었다. '공부하려는 마음'이 쌓이고 쌓여 '견딜 힘'을 만들어준 것 같다. 스킬은 중요하지 않다. 가진 것으로 공부하겠다는 마음, 통합하고 융합하겠다는 마음이 중요하다. 실패조차 통합하려는 그 마음이 우리를 살려준다. 어차피 받은 패로 게임을 할 수밖에 없는 운명이라면 지금 가진 것, 배운 것, 지나온 삶의 성공과 실패 모두를 하나의 그릇에 넣는다고 생각해야 된다. 그 그릇이 바로 '우리 인생'이다.

공부는 입력, 일은 출력이라고 했다. 우리가 배운 것이 우리 마음 안에서 익고, 일을 통해 세상으로 나간다. 그러면 출력된 일이 다시 피드백되어 공부의 입력으로 들어간다. 그렇게 시스템이 돌고 돌면서, 우리는 성장하고 우리가 만든 것은 세상 속에서 꽃으로 열매로 드러날 것이다.

그러니 당신이 몇 살이든, 어디에 있든, 어떤 신분이든 견디며 다시 공부를 시작하라. 당신의 생애동안 배운 것을 하나도 버리지 말고 모두 통합하는 순간 밀도가 높아지고 중력이 생기면서 다른 사람의 말에 끌려가지 않는다. 대신 다른 것이 우리에게 이끌려오기 시작하면서 자신을 찾고, 자기 삶을 살 수 있다. 어떤 상황에 있든 그 누구도 무엇도 원망하지 말고 오직 공부만 계속하라. 그러면 아리스토텔레스가 말한 '가장 탁월한 경지'인 아레테Arete가 만들어진다. 모든 것을 받아들이고 품으며 삶을 통해 배우고 견디며 운명에 감사하자. 그렇게 자기 길을 간다면, 어느 날 우리도 별처럼 빛나기 시작할 것이다. 그리고 누군가 우리를 아름다웠던 한 사람이 왔다 갔다고 기억할 것이다. 당대 모두로부터 버려졌던 스피노자가 지금 기억되듯.

"스스로 배워라. 그러나 한 걸음 한 걸음 배워나가는 동안 이것 하나는 꼭 기억하라. 가장 작은 부분의 이면에도 신이 숨어 있음을……."

— 카스퍼 바를레우스Casper Barleus

참고문헌

1. 《문제는 무기력이다》, 박경숙, 와이즈베리, 2013.

2. 《문제는 저항력이다》, 박경숙, 와이즈베리, 2016.

3. 《어쨌거나 회사를 다녀야 한다면》, 박경숙, 위즈덤하우스, 2017.

4. 《최고의 공부》, 켄 베인, 와이즈베리, 2013.

5. 《어떻게 공부할 것인가》, 헨리 뢰디거 외, 와이즈베리, 2014.

6. 《공부하는 인간》, KBS 공부하는 인간 제작팀, 예담, 2013.

7. 《남은 50을 위한 50세 공부법》, 와다 히데키, 예문아카이브, 2017.

8. 《스마터》, 댄 헐리, 와이즈베리, 2015.

9. 《생각의 탄생》, 로버트 루트번스타인 외, 에코의서재, 2007.

10. 《미야모토 무사시의 오륜서》, 미야모토 무사시, 사과나무, 2016.

11. 《어떻게 일에서 만족을 얻는가》, 배리 슈워츠, 케니스 샤프, 웅진지식하우스, 2012.

12. 《나는 왜 일하는가》, 헬렌 S. 정, 인라잇먼트 2012.

13. 《공부의 비결》, 세바스티안 라이트너, 들녘, 2005.

14. 《공부를 공부하라》, 쇼지 마사히코, 좋은날들, 2012.

15. 《공부하는 삶》, 앙토넹 질베르 세르티양주, 유유, 2013.

16.《공부하는 힘》, 황농문, 위즈덤 하우스, 2013.

17.《같은 공부 다른 성적 공부법을 의심하라》, 한명욱, 엔트리, 2013.

18.《단단한 공부》, 윌리엄 암스트롱, 유유, 2012.

19.《자기주도학습 &코칭 ABC (상)》, 김판수 외, 테크빌교육(즐거운학교), 2011.

20.《자기주도학습 &코칭 ABC (하)》, 김판수 외, 테크빌교육(즐거운학교), 2011.

21.《자기주도학습 만점 공부법》, 정철희, 행복한나무, 2009.

22.《공부는 망치다》, 유영만, 나무생각, 2016.

23.《천재들의 공부법》, 조병학, 인사이트앤뷰, 2016.

24.《하루 15분, 기적의 노트공부법》, 와다 히데키, 파라북스, 2006.

25.《문제해결과 컴퓨팅 사고》, 천인국, 인피니티북스, 2017.

26.《소프트웨어와 컴퓨팅 사고》, 김대수, 생능출판사, 2016.

27.《4차 산업혁명 시대, 전문직의 미래》, 리처드 서스킨스, 대니얼 서스킨드, 와이즈베리, 2016.

28.《4차 산업혁명 이미 와 있는 미래》, 롤랜드버거, 다산3.0, 2017.

29.《4차 산업혁명과 스마트 기술의 이해》, 고민정, 배움터, 2018.

30.《코딩 시대》, 바트 외, 클라우드북스, 2017.

31.《김대식의 인간 vs 기계》, 김대식, 동아시아, 2016.

32.《인지과학》, 이정모, 성균관대학교출판부, 2009.

33.《인지과학》, 장 가브리엘 가나시아, 영림카디널, 2000.

34.《심리학》, 김현택 외, 학지사, 2002.

35.《지식의 대융합》, 이인식, 고즈윈, 2008.

36.《인간의 본성에 관한 10가지 이론》, 레슬리 스티븐슨, 데이비드 헤이버먼, 갈라파고스, 2006.

37.《유쾌한 심리학》, 박지영, 파피에, 2003.

38.《칼 비테의 자녀 교육법》, 칼 비테, 베이직북스, 2008.

39.《칼 비테의 공부의 즐거움》, 칼 비테, 베이직북스, 2008.

40.《생각의 지도》, 리처드 니스벳, 김영사, 2004.

41.《천재의 탄생》, 앤드루 로빈슨, 학고재, 2012.

42.《천재에 대하여》, 대린 M. 맥마흔, 시공사, 2017.

43.《프린키피아의 천재》, 리처드 S. 웨스트폴, 사이언스북스, 2001.

44.《레오나르도 다빈치처럼 생각하기》, 마이클 J. 겔브, 대산출판사, 2005.

45.《위대한 생각의 발견》, 마이클 J. 겔브, 추수밭, 2007.

46.《파인만 씨 농담도 잘하시네》, 리처드 P. 파인만, 사이언스북스, 2000.

47.《탁월함에 이르는 노트의 비밀》, 이재영, 한티미디어, 2008.

48.《의식혁명》, 데이비드 호킨스, 한문화, 1998.

49.《의식 수준을 넘어서》, 데이비드 호킨스, 판미동, 2009.

50.《재능은 어떻게 단련되는가?》, 제프 콜빈, 부키, 2010.

51.《유능감을 키우는 교실》, 히타노 기요오, 정민사, 1999.

52.《지능과 창의성》, 홍순정, 양서원, 2006.

53.《창의성》, 한순미 외, 학지사, 2005.

54.《창의성의 즐거움》 미하이 칙센미하이, 더난출판, 2003.

55.《몰입》, 미하이 칙센미하이, 한울림, 2011.

56.《몰입의 즐거움》, 미하이 칙센트미하이, 해냄, 2007.

57.《몰입의 기술》, 미하이 칙센트미하이, 더불어책, 2003.

58.《교육심리학의 이해》, 신명희 외, 학지사, 2005.

59.《심리학의 즐거움 6》, 마틴 셀리그만, 휘닉스, 2007.

60.《성공의 새로운 심리학》, 캐롤 드웩, 부글북스, 2011.

61.《마음의 작동법》, 에드워드 L. 데시, 에코의서재, 2011.

62.《학습된 낙관주의》, 마틴 셀리그만, 21세기북스, 2008.

63.《긍정 심리학》, 마틴 셀리그만, 풀무레, 2009.

64.《감성지능 EQ》, 대니얼 골먼, 비전코리아, 1997.

65.《정서심리학》, 제임스 W. 카랏, 시그마프레스, 2007.

66.《정서심리학》, 로버트 플루치크, 학지사, 2004.

67.《정서지능》, Gerald Malthews 외, 학지사, 2010.

68.《성격심리학》, Lawrence A. Pervin 외, 중앙적성출판사, 2006.

69.《성격심리학》, Charles S. Carver 외, 학지사, 2012.

70.《차라투스트라는 이렇게 말했다》, 프리드리히 니체, 민음사, 2004.

71.《권력에의 의지》, 프리드리히 니체, 청하출판사, 1997.

72.《러셀 서양철학사》, 버트런드 러셀, 을유문화사, 2009.

73.《철학이야기》, 윌 듀랜트, 동서문화사, 2016.

74. 《니코마코스 윤리학》, 아리스토텔레스, 창, 2007.

75. 《방법서설》, 데카르트, 부북스, 2018.

76. 《의지력의 재발견》, 로이 F. 바우마이스터 외, 에코리브르, 2012.

77. 《천의 얼굴을 가진 영웅》, 조셉 캠벨, 민음사, 2018.

78. 《역사속의 영웅들》, 윌 듀런트, 김영사, 2011.

79. 《퇴계집》, 퇴계 이황, 홍신문화사, 2003.

80. 《논어》, 공자, 홍익출판사, 2005.

81. 《선인들의 공부법》, 박희병, 창비, 2013.

82. 《뇌》, Richard F. Thompson, 성원사, 1993.

83. 《뇌의 진화》, 존 에클스, 민음사, 1998.

84. 《뇌》, 리타 카터 외, 21세기북스, 2010.

85. 《위대한 뇌》, 하비 뉴퀴스트, 해나무, 2007.

86. 《뇌》, 리타 카터, 말글빛냄, 2007.

87. 《뇌, 생각의 출현》, 박문호, 휴머니스트, 2008.

88. 《꿈을 이룬 사람들의 뇌》, 조 디스펜자, 한언, 2009.

89. 《왓칭》, 김상운, 정신세계사, 2011.

90. 《메타 생각》, 임영익, 리콘미디어, 2014.

91. 《미친 뇌가 나를 움직인다》, 데이비드 와이너, 길버트 헤프터, 사이, 2006.

92. 《스피노자의 뇌》, 안토니오 다마지오, 사이언스북스, 2007.

93. 《가장 뛰어난 중년의 뇌》, 바버라 스트로치, 해나무, 2011.

94. 《뇌를 변화시키면 공부가 즐겁다》, 제임스 E. 줄, 돋을새김, 2011.

95. 《뇌과학과 학습혁명》, 테리 도일, 돋을새김, 2013.

96. 《누구나 천재가 될 수 있다 뇌 자극 공부법 합격바이블》, 요시다 다카요시, 지상사, 2009.

97. 《뇌 기반 학습》, 에릭 젠슨, 시그마프레스, 2011.

98. 《기억력의 비밀》, EBS 제작진, 북폴리오, 2011.

99. 《명상으로 10대의 뇌를 깨워라》, 혜거스님, 책으로여는세상, 2012.

100. 《통섭》, 에드워드 윌슨, 사이언스북스, 2005

101. 《마음챙김》 엘렌 랭어, 더퀘스트, 2015.

102. 《적은 내 안에 있다》, 남강, 평단문화사, 2005.

103. 《7막 7장》, 홍정욱, 삼성출판사, 1993.

104. 《카르마 경영》, 이나모리 가즈오, 서돌, 2005.

105. 《다시 태어난다 해도 이 길을》, 고시연구사 편집부, 고시연구사, 2013.

106. 《두뇌 훈련법》, 평생교육원, 글로벌사이버대학교출판부, 2014.

107. 《기억의 일곱 가지 죄악》, 대니얼 L. 샥터, 한승, 2006.

108. 《미쳐야 미친다》, 정민, 푸른역사, 2004.

109. 《아웃라이어》, 말콤 글래드웰, 김영사, 2009.

110. 〈신 '20대 80의 사회', 가짜 직업의 시대〉, 윤석만, 중앙일보, 2017. 9. 9.

111. 〈지식붕괴의 시대 세종의 공부법이 뜬다〉, 윤석만, 중앙일보, 2017. 10. 9.

112. 《Helplessness – On depression, development and death》, Martin E. P. Seligman, W.H. Freeman & CO., San Francisco, 1975

113. 《Learned Optimism : How to Change Your Mind and Your Life》, Martin E. P. Seligman, Vintage Books: A Division of Random House, Inc. New York, 2006

114. 《Emotion and Life》, Robert Plutchik. American Psychological Association Washington DC, 2003

115. 《The computer and the Mind: an Introduction to Cognitive Science》, Johnson-Laird, P. Harvard University Press. 1988.

116. 《Cognitive Science》, Neil A. Stillings et al., A Brandford Book The MIT Press, 1991

117. 《The Science of the Mind》, Owen Flanagan, A Brandford Book The MIT Press, 1991

118. 《Academically Drift : Limited learning on College Campus Chicago University》, Arum, R. & Roksa, J. Chicogo Press. 2011

119. "Individual differences in working memory and reading." Daneman, M., & Carpenter, P. A. Journal of Verbal Learning and Verbal Behavior, 19, 450-66. 1980.